JANUSZ GAJOS

ELŻBIETA BANIEWICZ

JANUSZ GAJOS
NIE GRAĆ SIEBIE

Świat Książki

Projekt okładki i opracowanie graficzne książki *Jolanta Kalita*

Zdjęcie na okładce *Jacek Szymczak*

Zdjęcia otwierające rozdziały:
str. 6 fot. z arch. aktora; str. 10 „Swidrygajłow", fot. D. Senkowski, Teatr Powszechny; str. 26 fot. z arch. aktora; str 42 „Czterej pancerni i pies", arch. Filmoteki Narodowej; str. 56 „Kondukt", etiuda szkolna, fot. z arch. aktora; str. 64 z Jonaszem Koftą, fot. z arch. aktora; str. 78 „Nie igra się z miłością", arch. TVP; str. 92 „Z pamiętnika pani Hanki", fot. L. Myszkowski, Teatr Kwadrat; str. 102 „Przemytnicy", arch. Filmoteki Narodowej; str. 120 „Za rok o tej samej porze", fot. L. Myszkowski, Teatr Kwadrat; str. 134 fot. J. Szymczak; str. 148 fot. J. Szymczak; str. 157 „To ja złodziej", arch. Filmoteki Narodowej; str. 160 „Odbita sława", arch. TVP; str. 176 „Łagodna", fot. J. Pajewski, arch. Filmoteki Narodowej; str. 190 „Tutam", R. Pajchel, Teatr Powszechny; str. 208 fot. z arch. aktora; str. 248 „Aktorzy dzieciom", przedstawienie cyrkowe, fot. z arch. aktora; 8 str. wkładki kolorowej Festiwal Gwiazd w Międzyzdrojach, fot. z arch. aktora; zdjęcia na str. 216,217, 218 z arch. aktora.

Redakcja *Bożena Winnicka*

Redaktor prowadzący *Magdalena Hildebrand*

Redakcja techniczna *Lidia Lamparska*

Korekta *Irena Kulczycka, Beata Paszkowska*

Copyright © by Elżbieta Baniewicz, 2002

Copyright © by Bertelsmann Media Sp. z o. o., Warszawa 2003 *Świat Książki*

Skład i łamanie *Studio DIAMOND, Warszawa*

Druk i oprawa *Drukarnia Naukowo-Techniczna S.A., Warszawa*

ISBN 83-7311-903-5   Nr 4055

Spis treści

Po co się gra?

Człowiek rodzi się aktorem tak, jak rodzi się księciem. Nie gra się po to, żeby zarabiać na życie, tylko gra się po to, żeby kłamać. Żeby siebie okłamywać – mówi wielki angielski tragik, Edward Kean, w sztuce Aleksandra Dumasa i Jeana Paula Sartre'a. Gra się dobrych, bo jest się złym, świętych bo jest się podłym, morderców, ponieważ jest się kłamcą z urodzenia. Gra się, ponieważ się siebie nie zna, i gra się, ponieważ się siebie zna za dobrze. Gra się, ponieważ kocha się prawdę, i gra się, ponieważ się prawdy nienawidzi. Gra się, ponieważ zwariowałoby się, nie grając. Być aktorem to kłamać czy odwrotnie – ujawniać?

Być aktorem to znaczy kłamać naprawdę, doskonale. Ale też w sztucznych, wymyślonych warunkach mówić szczerze, pokazywać cechy, jakich się zwykle wstydzimy. Publicznie staramy się wydać lepszymi, szlachetniejszymi, niż jesteśmy w istocie. Aktor to ktoś, kto ma odwagę odkrywać prawdę o powikłaniach ludzkiej kondycji, pokłady zła i niespodziewane pokłady dobra. Jego zawód daje szansę bezkarnego spróbowania wielu losów, zmierzenia się z okolicznościami, jakich w życiu nigdy by nie dotknął. Czy jest to zawód twórczy, czy odtwórczy? Aktorstwo jest albo dobre, albo złe. Amen.

W czym tkwi tajemnica aktorstwa, nie potrafią odpowiedzieć najstarsi filozofowie. Poglądy i teorie, od starożytności po czasy nam współczesne, można ułożyć w wiele opasłych tomów, co wcale nie gwarantuje rozwiązania zagadki. Jak można nazwać coś, co jest nieuchwytne, zadziwiające? Ten moment przemiany w kogoś innego to bycie choćby przez chwilę kimś innym? Moje ciało, moje gesty, miny, ruchy, ale człowiek na scenie to nie ja. Ale i ja także. Ja to ktoś inny. Ktoś inny to ja. W jednym ciele różne dusze. Słowem, jakieś szalbierstwo. Ale czyje – aktora, pisarza, czy widza? Duszy czy charakteru? Nie ma reguł i właściwie nie ma metody. Bo nie ma sposobu, by ktoś był lub stał się wybitnym albo genialnym aktorem. Można nauczyć techniki, zachowań scenicznych, można też wyćwiczyć samoświadomość, ale talentu, tego szczególnego widzenia świata, które porusza innych, przekazać nie sposób. To coś dostaje się od mamy i taty, natury albo Pana Boga – jak kto woli. Sprawiedliwości w sztuce nie ma, tu nikt nie dostaje po równo, czy się to komuś podoba, czy nie.

Czym jest talent albo geniusz? Opisać talent aktora to opisać nieznane przez nieznane. A jednak każdy z nas odróżni dobrego aktora od beztalencia. Na tego dobrego się patrzy i się go słucha, on spośród wielu przykuwa uwagę. Jest prawdziwy, wiarygodny – mówimy wtedy. A przecież to znaczy, że potrafił nas oszukać tak doskonale, byśmy uwierzyli w fikcję, jaką stworzył. Powołał do życia byt nie rzeczywisty, lecz tylko prawdopodobny. Odpowiadający naszemu (społecznemu) wyobrażeniu prawdy. Zgodny z wrażliwością tych, którzy przyszli poddać się uprawdopodobnionej fikcji, zdolnej odsłonić więcej niż własne doświadczenie. Kłamstwo na scenie posługuje się dramatyczną zasadą kondensacji i kontrastu.

Aktor także nią się posługuje. Świadomie dobiera gesty, mimikę, sposób chodzenia, mówienia, tembr głosu. Jak każdy twórca, posługuje się w swej pracy określoną formą. Dlatego tak ważny pozostaje repertuar dramatyczny, napisany w różnych epokach i pod wieloma szerokościami geograficznymi, ponieważ jest zapisem ludzkiego doświadczenia w niewyczerpanym właściwie zasobie form. Każdy widzi świat w niepowtarzalny i zawsze subiektywny sposób – zatem ilu autorów, tyle sposobów przedstawiania świata. Inaczej przecież zachowuje się aktor w sztuce Szekspira, inaczej w romantycznym dramacie Mickiewicza czy Słowackiego, jeszcze inaczej w komedii Fredry czy realistycznym dramacie Zapolskiej i tak dalej po Gombrowicza, Mrożka, Różewicza, o Czechowie, Ibsenie czy ostatnio modnej Sarah Kane nie zapominając. Aktor, podejmując się roli, za każdym razem wchodzi w inny kosmos doznań i aurę myśli autora, a tym samym w inną formę wyrażania świata. Od jego wrażliwości zależy, czy konwencję dramatu odczyta trafnie, czy błędnie. Czy będzie potrafił wyrazić ją lepiej lub gorzej od poprzedników; wiele ról należy do kanonu odnawianego przez każde pokolenie. Ilość form, w jakich aktor potrafi się odnaleźć, świadczy o jego szerokim lub wąskim *emploi*. Wyjątkami są aktorzy wszechstronni, tacy potrafią zagrać wszystko. To tak, jakby pianista potrafił grać Chopina, Brahmsa tak samo dobrze jak jazz, blues czy ludowe przyśpiewki. W muzyce nierealne; w aktorstwie tacy mistrzowie się zdarzają, ale rzadko.

Wspólnym mianownikiem rozważań o aktorstwie pozostaje przekonanie, że jest to sztuka najbardziej ulotna i najbardziej podejrzana. Ulotna, ponieważ dzieje się tylko tu i teraz, nie ma przeszłości ani przyszłości. Podejrzana, ponieważ narzędzie (ciało aktora) jest tożsame z dziełem sztuki (kreacją sceniczną), inaczej nie istnieje. Zatem połączenie ciała i wyobraźni, fikcji i biologii tworzy byt tyleż rzeczywisty, co zmyślony.

Z powyższego wynika wniosek o specyficznym statusie aktorstwa. Skoro nie ma przyszłości, nie można odnieść za grobem zwycięstwa, jak się to zdarzyło niejednemu malarzowi i pisarzowi czy kompozytorowi. Jeśli aktora nie docenią współcześni, to potomkowie też nie oddadzą sprawiedliwości. Tak jest i będzie nawet w epoce coraz doskonalszych technik zapisu; aktor należy do publiczności swego czasu, na dobre i złe. Powtórzenia kariery aktorskiej w innym kraju należą do wyjątków i okupione są morderczą pracą nad obcym językiem. Nie powiodły się rekonstrukcje wybitnych przedstawień, martwe z urodzenia, nie można bowiem wskrzesić widowni, dla której owo przedstawienie powstało. Bez tego szczególnego porozumienia aktora i widza, którzy odnajdują się na wspólnej płaszczyźnie wzruszeń, myśli, doznań, nie ma żywego spektaklu. Nie może być też legendy, bo ona powstaje jako świadectwo niepowtarzalnych przeżyć.

Aktorstwo Janusza Gajosa, któremu poświęcona jest ta książka, jeśli jeszcze nie obrosło legendą, to na pewno się nią stanie. Do sukcesu doszedł drogą nietypową. Alfred Hitchcock powtarzał, że dobry film powinien zaczynać się od trzęsienia ziemi, a potem napięcie winno rosnąć. Takim trzęsieniem ziemi dla debiutującego aktora był Janek Kos w serialu wszechczasów *Czterej pancerni i pies*, lecz późniejsza, raczej wyboista ścieżka do sukcesu dowodzi, że napięcie rosło. Chytrze umykał z kolejnych szufladek, w jakich próbowano go zamknąć. Można powiedzieć, że miał szczęście – w odpowiednim momencie życia spotykał odpowiednich ludzi. Ale szczęście spotyka zwykle tych, którzy są gotowi na takie spotkanie. Żeby wygrać na loterii, trzeba kupić los, czyli coś zainwestować. Okazuje się, że Janusz Gajos miał w sobie wielki kapitał, który potrafił wnieść do gry o własną wielkość.

Gram różnych ludzi

Kamera prowadzi Janusza Gajosa idącego długim korytarzem. Koszula bez kołnierza, sumiasty wąs, zmięty kapelusz, spodnie wpuszczone w długie buty z cholewami. Sylwetkę mocnego faceta dopełnia zdecydowany krok, wyraz samozadowolenia na twarzy. Stukot butów po drewnianej podłodze miesza się z przeciągłym wyciem psa. Mężczyzna wchodzi do sali obrad sejmu, gdzie na fotelu marszałka rozsiadł się jego owczarek. Dobrotliwym słowem przywołuje zwierzę, głaszcze je przyjaźnie, nagle wyciąga pasek ze spodni i mocno bije. Pies skowyczy z bólu.

Już ta pierwsza sekwencja charakteryzuje bohatera. Chłopski przywódca, Mateusz Bigda, za chwilę sięgnie po władzę. Jest inteligentny i przebiegły, dobrotliwy i okrutny, silny i pewny siebie. Pozbawiony skrupułów, jakie – wydawałoby się – obowiązywać powinny na szczytach władzy, ale nie chłopskiego rozsądku. Znajomość praw przyrody, instynkt biologiczny, dyktuje mu sposób zachowania w parlamencie – bezwzględny, cyniczny. Nie gardzi podstępem ani, gdy trzeba, pozorem dobroci. W zależności od potrzeb i interesów. Można powiedzieć, że Bigda Gajosa doskonale przejrzał naturę walki parlamentarnej; wie, że obowiązują tu prawa dżungli.

Ideologia jest tylko frazesem przykrywającym prywatne interesy osób i partii. Żadnych złudzeń – wygrywa silniejszy, szybszy, bardziej bezwzględny. Bigda, w walce o władzę, potraktuje swych przeciwników jak bestia: albo zwycięży, albo zostanie rozszarpany. Ekspozycja nie zostawia co do tego żadnych wątpliwości. Prawo dżungli nie omija dżentelmenów i hrabiów działających w polityce. O wygranej decyduje spryt oraz brak skrupułów.

Bigda wie, że każdy z jego przeciwników da się obłaskawić; każdy prowadzi przetarg o własną karierę. Wszyscy są do kupienia, choć do każdego trzeba zastosować nieco inny klucz psychologiczny. Jednemu obiecać stanowisko marszałka, mile łechcące próżność, innych kusić pieniędzmi, apanażami, upajającym smakiem władzy. Wobec zaś najmniej przekupnych zastosować prowokację i szantaż. Każda metoda dobra. Nie bez powodu nosi przy sobie gruby portfel, w którym oprócz pieniędzy, rozdawanych wedle potrzeby własnej świcie (znakomity Krzysztof Globisz jako prywatny doradca Deptuła, chytry i lepko posłuszny), ma także dowody kompromitujące konkurentów politycznych. Wobec swoich zaufanych trzyma fason twardego faceta, który zapewnia im awanse w zamian za lojalność i posługi. Toteż śpi smacznie, wyciągnięty w butach na hrabiowskim łóżku, gdy w zakulisowych układach decydują się jego polityczne losy, bo wie, że jego ludzie wszystkiego dopilnują. Oprócz drobnych na wódkę, hojnie rozdaje obietnice wysokich funkcji, ale zawsze bez świadków.

Publicznie pastwi się nad przeciwnikami. Właściciel upadającej ordynacji hrabia Lachowski (doskonały Olgierd Łukaszewicz) zniesie każde poniżenie, każde upokorzenie, by zostać prezydentem i przy okazji uratować majątek. Toteż Bigda nie szczędzi mu miłych miraży, wiele obiecuje, lecz traktuje zgodnie z zasługami, lekceważąco. Gdy rozpartemu na krześle jaśnie pan hrabia odgania muchy sprzed nosa w obecności wielu polityków, patrzy na niego z niekłamaną pogardą.

Socjalista Mieniewski (Krzysztof Kolberger) wyprowadzi posłów własnego klubu na czas głosowania do sejmowego bufetu, aby umożliwić sformowanie rządu, na którego czele stanie sprytny, butny chłop. Nie zrobi tego bezinteresownie, w rewanżu nowy premier obiecał uratować jego bank przed plajtą. Bigda sprawę załatwił bez sentymentów, jak na bazarze – pieniądze za towar. Marszałek Sejmu (Andrzej Seweryn świetnie pokazał faryzejskiego mydłka) szybko wycofa pryncypialny, jak najbardziej, wniosek o zawieszenie krzyża w sali obrad, gdy zobaczy w ręku Bigdy zdjęcia gołej panienki w apartamencie własnego hotelu. Błysk satysfakcji w jego oku wróży skandal obyczajowy, na co Marszałek absolutnie nie może sobie pozwolić. Skandal sprowokowany zresztą na polecenie Bigdy przez jego ludzi, ale przecież w polityce cel uświęca środki. Nikt nie powinien mieć złudzeń, że jest to zajęcie dla moralistów.

A społeczeństwo? Doprawdy nikt z biorących udział w grze nie zamierza się nim przejmować. Zwykłych ludzi, owszem, widać, ale z dużej odległości. Kamera długimi ujęciami pokazuje tłum demonstrantów, pacyfikowany przez konną policję. Posłów, zajętych intrygami, dzieli od nich bezpieczny dystans. Wolna, nieprzekupna prasa? Owszem, istnieje „Głos sumienia", redagowany przez Mieniewskiego juniora (bardzo ideowy Mariusz Bonaszewski), zdeklarowanego piłsudczyka. Zdradzony przez ojca i brata karierowicza, po zniszczeniu drukarni przez nasłanych bojówkarzy, raczej długo nie wytrzyma, i wolny głos prasy zamilknie.

Przedstawienie pokazane późną jesienią w porze zarezerwowanej dla Teatru Telewizji doskonale współbrzmiało z finałem gorszącej debaty podatkowej na Wiejskiej, relacjonowanym w tamtych dniach przez media. Trudno sobie wyobrazić lepszy termin emisji, choć dziś, gdy to piszę, trwa w sejmie następny odcinek groteskowego serialu. Mięso na patelni się zmieniło, to znaczy temat obrad, ale sposób smażenia został ten sam. Zatem aktualność spektaklu to nie przypadek, lecz prawidłowość. Niestety.

Źródłem największych sukcesów Andrzeja Wajdy była umiejętność nadawania zbiorowym nastrojom, frustracjom formy artystycznej. Zawsze powtarzał: artysta powinien wąchać swój czas. Ostatnimi laty, po kilku słabych produkcjach w kinie i teatrze, wydawało się, że ten fantastyczny zmysł społecznej obserwacji zawodzi reżysera. A jednak nie.

Z trzyczęściowego cyklu powieściowego Juliusza Kadena-Bandrowskiego – *Czarne skrzydła, Mateusz Bigda, Białe skrzydła* – wybrał wątek najbardziej dziś aktualny – walki parlamentarnej. Znów świetnie wyczuł niepokój, jaki odczuwa coraz większa część społeczeństwa, obserwując sposób funkcjonowania władzy, czyli podstaw demokracji w wolnej Polsce. Wajda, sięgając do czasów przedwojennych, przywrócił nam nie tylko pamięć tamtego dwudziestolecia, nazbyt idealizowanego, ale i perspektywę procesów społeczno-politycznych, jakie nie zakończyły się ani wraz z upadkiem tamtego państwa, ani wraz z upadkiem PRL-u.

Obraz polskiego sejmowładztwa II Rzeczypospolitej, jaki kilka lat po przewrocie majowym nakreślił Kaden-Bandrowski – *Bigda* ukazał się na przełomie 1932/1933 roku, gdy już toczył się proces brzeski – nie był ani „paszkwilem wymierzonym w przeciwników politycznych Piłsudskiego", ani „pamfletem na model burżuazyjnego parlamentaryzmu" przeniesionego z Francji do Polski – jak pisali ówcześni recenzenci. Nie był też reportażem historycznym. Główni bohaterowie przypominają wprawdzie postacie historyczne – Wincentego Witosa, Ignacego Daszyńskiego i Jakuba Bojki – ale fakty nie pokrywają się z ich prawdziwymi życiorysami. Są to literackie konstrukcje modelowych postaw politycznych, strategii sejmowych czy partyjnych kontredansów. Jeśli obdarzone żywymi charakterami, tym lepiej. Podobnie Kaden traktował czas rzeczywistych wydarzeń, akcja *Mateusza Bigdy* momentami przypomina okoliczności tak zwanego paktu lanckorońskiego, jaki 17 maja 1923 roku podpisał przywódca PSL--„Piast" Witos z przedstawicielami endecji i chadecji w sprawie reformy rolnej, korzystnej dla ziemian oraz bogatego chłopstwa. W wyniku tego porozumienia nastąpił kryzys rządowy – 28 maja ustąpił gabinet Władysława Sikorskiego, Witos sformował nowy rząd, a Piłsudski jako szef sztabu podał się do dymisji.

Jednakże wydarzenia powieściowe nie są wiernym odbiciem kalendarza historycznego. Chodzi o mechanizm walki politycznej, kompromisów ideowych podszytych prywatą, potrzebą zdobycia władzy czy ugruntowania kariery. Widać to zwłaszcza dziś, gdy powieść nie budzi tak jadowitych i personalnych emocji jak w dwudziestoleciu, gdy żyli jeszcze świadkowie przywoływanych wydarzeń, a przecież nadal pozostaje aktualna. Aż nie chce się wierzyć, że Wajda, adaptując ją dla potrzeb telewizji, nie dopisał żadnej kwestii; nieco tylko oczyścił styl pisarza z ekspresjonistyczno-modernistycznych naleciałości i skondensował ogromny materiał.

Powstał spektakl gorący politycznie, świetnie grany. Aktorzy to też obywatele, nie mieli więc żadnych problemów, lecz przeciwnie – frajdę w portretowaniu zakłamanych polityków. W takich zresztą sytuacjach cała ekipa dostaje specyficznego nerwu, jakiegoś uskrzydlenia w zespoleniu działań, a z nich rodzi się

W kuluarach
przedwojennego
sejmu z Olgierdem
Łukaszewiczem
i Andrzejem
Sewerynem

Bigda idzie!
wg powieści
Juliusza Kadena-
Bandrowskiego
spektakl TV
Andrzeja Wajdy

pewna nadwartość, coś więcej niż pokaz rzemiosła. Aktorom udało się doskonale przekazać obywatelską troskę o los demokracji i przesłanie spektaklu – ku przestrodze polityków. Choć Janusz Gajos publicznie deklaruje, że nie lubi i nie rozumie polityki, wystarczyło, by zrozumiał i potem niezwykle sugestywnie pokazał motywy działania swego bohatera, a temperatura spektaklu sięgnęła dawno nieoglądanego poziomu. Zagrał olśniewająco, trudno wymyślić lepszego Mateusza Bigdę. Wyobraźnia aktora wyprzedziła rzeczywistość – spektakl powstał kilka lat przed wejściem do sejmu Samoobrony Andrzeja Leppera.

Równie trudno sobie wyobrazić bardziej przekonującego bohatera zupełnie innego spektaklu – *Miłości na Madagaskarze* – zrealizowanego przez Waldemara Krzystka według tekstu Petera Turriniego, również w Teatrze Telewizji. Tu Gajos gra człowieka, który jest i fizycznym, i psychicznym przeciwieństwem Bigdy. Johny Ritter, właściciel podupadłego kina na przedmieściach Wiednia, to, można powiedzieć, samo ludzkie nieszczęście. Poza długami i samotnością nic mu już nie zostało. Siedzi w kabinie projekcyjnej skulony z zimna, w kamizelce, starej kraciastej marynarce i pomarańczowym szaliku. Słucha wymysłów kobiety, która sprząta i prowadzi bufet, kurczy się w sobie coraz bardziej, jakby chciał się zapaść pod ziemię. Co pewien czas wyciera chusteczką zapoconą twarz. Jedyne listy, jakie dostaje, to albo ponaglenia z urzędu skarbowego, albo niezapłacone rachunki za światło, wynajem sali, taśmy. Wszystko idzie źle, widzów jak na lekarstwo, pomysłów na inne życie brak. Zresztą na zmiany jest już za stary i za bardzo samotny. Życie przyniosło mu zbyt wiele rozczarowań, by mógł się podnieść. Jego jedyną pasją było kino, nawet domu nie ma, sypia w kabinie na rozkładanym łóżku.

Ale to właśnie kino stanie się przyczyną jego wyzwolenia. Krótkotrwałego, ulotnego, ale tak bardzo pięknego, że łatwiej mu będzie znosić dotkliwą codzienność. Oto wyobraża sobie, że jeden z listów pochodzi od jego idola, Klausa Kinskiego, który prosi go o przysługę, czyli zorganizowanie pieniędzy na leczenie. Nie bez powodu rzecz ma miejsce w dniu śmierci aktora, 23 listopada 1991 roku. Kilku południowoamerykańskich mafiosów chce wyprać spore pieniądze, inwestując je w film z udziałem sławnego aktora. Biedny Ritter ma pojechać do Cannes jako producent filmu, odebrać stosowną sumę, a potem przekazać choremu gwiazdorowi. Misja dodaje mu skrzydeł, cudem załatwia kredyt na pokrycie kosztów podróży, choć jest niemiłosiernie zadłużony.

I, o dziwo, udaje mu się zdobyć upragnioną zaliczkę, pół miliona dolarów, chociaż niczym nie przypomina producenta filmów. Wciąż w swoim starym ubraniu, nieśmiertelnym szaliku i posklejanych plastrem okularach zachowuje się tak, jakby przepraszał, że żyje. Każde słowo przychodzi mu z nieopisanym trudem, tym większym, że mafiosi pytają o fabułę filmu. Wymyśla ją na poczekaniu, opowiadając wydarzenie z własnego życia, spotkanie *via* biuro matrymonialne z kobietą, która po wspólnej wizycie w operze wyznała, że ma raka. Ulotka reklamowa biura podróży, znaleziona przypadkiem w hotelu, podsuwa mu pomysł zakończenia owej historii romantycznym wyjazdem na Madagaskar. Z własnego życia i fantazji tworzy scenariusz filmowego melodramatu, który zdobywa aprobatę zachwyconych mafiosów. Odchodząc z walizką pełną pieniędzy, kłania się uniżenie bandytom, tak wyczerpany wysiłkiem umysłowym, jakby tony węgla przerzucił.

Lecz to nie koniec perypetii. Spotkaniu przysłuchiwała się młoda kobieta, kandydatka na aktorkę (bardzo dobra Marta Klubowicz). Pojawia się w jego pokoju, lecz zamiast tego, czego się widzowie spodziewają – łóżkowej przygody – oboje przeżywają najpiękniejszy romans swego życia. Oto, wbrew wszystkiemu, spełniają się ich marzenia. W wyobraźni tylko, ale o wiele intensywniej niż w rzeczywistości. Jako bohaterowie filmu *Miłość na Madagaskarze,* który wspólnie planują, mieszając fakty z życia z marzeniami, ukształtowanymi przez ukochane filmy, przeżywają wielką miłość. Nic nie jest prawdą i nic nie jest fałszem albo, dzięki sztuce, wszystko jest prawdą, choć fałszem podszytą. Ona chce grać jak Ingrid Bergman, on próbuje podawać tekst jak Humphrey Bogart w słynnej *Casablance*. I nagle wszystko nabiera innego wymiaru. Ona, kiczowatym chwytem z filmu, naprawdę otwiera jego duszę; on, do tej pory niechętny, zalękniony, zasłaniający się przed nią torbą wypchaną pieniędzmi jak tarczą, nagle po raz pierwszy się uśmiecha. Podając tekst Bogarta – „Patrzę na ciebie, maleńka” – patrzy na nią najczulej, jak można. Każde jej słowo topi jego nieprawdopodobne kompleksy, ośmiela, uruchamia wyobraźnię do tego stopnia, że chwyta dziewczynę za rękę i biegnie szczęśliwy wzdłuż plaży, przepraszam, hotelowego pokoju.

Bardzo to subtelnie zagrana rola. Splata się w niej gorzka świadomość przegranego człowieka, którego opuściła żona, zabrawszy córkę, z potrzebą akceptacji, a nade wszystko uczucia. Człowieka uciekającego przed rzeczywistością w świat iluzji. Autor połączył tu pamięć i marzenie bohaterów w dziwną kombinację prawdy i fikcji, którą potęguje ich miłość do kina oraz wspomnienie najpiękniejszych scen ze starych filmów. W momencie spotkania oboje traktują życie jak scenariusz i scenariusz jak życie, świat realny i wyimaginowany przenikają się, nakładają na siebie. Przechodzenie od jawy do snu i od marzeń do rzeczywistości, czyli z jednego wymiaru w drugi, odbywa się prawie niezauważalnie. Bohaterowie istnieją jednocześnie w obu planach. Przez chwilę wierzą, że oba tworzą ten idealny, wymarzony – ona gra główną rolę w filmie, on zaś jest zakochanym w niej producentem.

Sen trwał chwilkę, ale dostarczył przeżyć prawdziwych jak samo życie, lecz o wiele szczęśliwszych. Klaus Kinsky umiera, mafiosi odbierają swoją forsę, ona, naprawdę urzędniczka zakładu ubezpieczeń, wyjeżdża do męża i dzieci, on zaś wraca do swego biednego kina. Najważniejsze, że taki sen się w ogóle przyśnił, co może się przydarzyć tylko tym, którzy w ogóle śnią lub mają bogatą wyobraźnię i lubią błądzić po jej labiryntach. Marzenia są ostatnim bogactwem biedaków, więc nieudaczny Johny Ritter skwapliwie z niego skorzystał. Wymyślił piękny film dla siebie w roli głównej. I przeżył swoją miłość na Madagaskarze.

Janusz Gajos w roli Rittera stworzył nie tylko przejmujące studium ludzkich zahamowań i samotności. Pokazał także siłę marzeń zdolnych zmienić rzeczywistość. Zachwycająca była jego umiejętność bycia w wielu wymiarach rzeczywistości naraz. Owo przechodzenie z jednego wierzchołka roli na drugi, albo inaczej – z piętra snu na inne albo na parter rzeczywistości. Gajos poruszał się w tych różnych planach swobodnie, nie zmieniając ani na chwilę kostiumu, przenosił swego bohatera w świat marzeń i z powrotem w świat rzeczywisty. Udało mu się coś wyjątkowego, mianowicie prawie niezauważalne, a jednocześnie wyraźne i wielokrotne pokonywanie granicy między tymi planami świadomości. Brzmi to uczenie, jeśli rozłożyć rolę na włókna. Praca aktora polegała na zespoleniu tych włókien tak organicznie, by widz miał poczucie, że bohater ucieka przed swoją nędzną egzystencją w świat marzeń, a nawet więcej, że to one są jego właściwym życiem. Jakby jego Ritter istniał tylko we śnie albo sobie się śnił. To zaś wydaje się szczytem zawodowej biegłości, absolutnego mistrzostwa.

Arkadiusz Iwanowicz Swidrygajłow – „człowiek lat pięćdziesięciu, wzrostu powyżej średniego, dorodny” – pojawia się na stronach *Zbrodni i kary* dość późno, pod koniec pierwszego tomu. Jego przybycie do Petersburga pozostaje w ścisłym związku z przyjazdem do tego miasta matki i siostry Rodiona Raskolnikowa. Awdotia Raskolnikow, zatrudniona w majątku Marfy Pietrowny, żony Swidrygajłowa, postanowiła uciec przed jego natarczywymi zalotami. Rękę swą przyrzekła powinowatemu swej pani, mimo że o miłości do owego Piotra Łużyna nie może być mowy. Dunia nie żywi złudzeń co do wartości przyszłego męża, lekceważącego ją i matkę. Jako panna biedna, zdecydowała poświęcić siebie dla dobra rodziny, a zwłaszcza brata, by stawszy się osobą zamożną, zapewnić mu wykształcenie i pozycję społeczną.

Nie przewidziała jednak, że to właśnie on najgwałtowniej zakwestionuje porządek społeczny i moralny, dopuszczający takie szlachetne, cierpiętnicze gesty.

Mieszkając w nędznym pokoiku, obdarty i często głodny, doszedł do wniosku, że ostateczną konsekwencją panującej niesprawiedliwości i krzywdy staje się zbrodnia. Postanowił zabić starą lichwiarkę, „wstrętną wesz", by uratować nie siebie, lecz setki ludzkich istnień przed poniżającą nędzą, gdyż inaczej zebrany przez lichwiarkę majątek, zgodnie z testamentem, przepadłby w monasterze. Na zamiar zabójstwa staruchy bezpośredni wpływ miało jego spotkanie z Siemionem Marmieładowem. To właśnie wtedy uświadomił sobie rozmiar ludzkiej krzywdy i poniżenia. Najstarsza córka Marmieładowa, Sonia, została prostytutką, by zarobić na wyżywienie ojca, jego żony i małych dzieci. Rodion pojmuje więc, iż poświęcenie Duni niczym się nie różni od postępku Soni; jest tylko inaczej usankcjonowaną społecznie formą sprzedaży.

Sławne adaptacje powieści eksponowały przede wszystkim dramat Raskolnikowa, okrutnego zabójcy dwóch starych kobiet – lichwiarki i jej siostry. Analizując prawidła rozumu, w teoretycznym artykule opublikowanym kilka miesięcy wcześniej, doszedł on do „arytmetycznego" uzasadnienia zbrodni. Skoro idea postępu, dowodził, pociąga za sobą ofiary, wojny, zamachy stanu, czyli usprawiedliwia zbrodnie, to człowiek niezwykły, nieprzeciętny, który urzeczywistnia owe idee, nie powinien być sądzony w kategoriach etyki chrześcijańskiej. W konsekwencji swego rozumowania podzielił ludzi na właściwych i na tworzywo. Pierwszych prawa nie obowiązują, ponieważ to oni stanowią je dla innych; drudzy zaś zobowiązani są do przestrzegania owych praw, ponieważ pozostają „śmieciem", mierzwą postępu. Siebie umieścił po stronie ludzi genialnych, którym wolno więcej niż innym. Dopiero konfrontacja z tymi innymi, wykluczenie się z ich społeczności uświadomiło Raskolnikowowi błąd nie tyle rozumu, ile serca. A ściślej, sumienia, niepoddającego się matematycznej analizie, pysze charakteru i dumnemu umysłowi.

Andrzej Domalik, autor adaptacji i reżyser, wydobywa motyw pomijany dotąd w scenicznych wersjach *Zbrodni i kary*. Bohaterem jest tu nie Raskolnikow, lecz świeżo owdowiały ziemianin Arkadiusz Iwanowicz Swidrygajłow. Gra go Janusz Gajos. Już w pierwszej scenie, gdy wkracza do nędznego pokoiku studenta, widzimy, że to człowiek niebiedny. Jasne spodnie, beżowa marynarka, biała koszula, buty jak z Old Bond Street, słomkowy kapelusz i laseczka określają go jako człowieka eleganckiego, o swobodnym obejściu. Bosy, nieogolony młodzieniec, skulony na łóżku pod czarnym płaszczem, podkreśla wrażenie społecznego kontrastu.

Swidrygajłow Janusza Gajosa musi więc przebić się przez skorupę jego samotności oraz wrogości do takich jak i on bogaczy, obwinianych za zło świata. Tym bardziej że w Rodionie właśnie szuka sojusznika. Beznadziejnie zakochał się bowiem w jego siostrze Duni. On, oskarżany o otrucie żony, znęcanie się nad służbą, uwodzenie nieletnich, nieoczekiwanie dla siebie cierpi z powodu miłości. Prawdziwej, wielkiej miłości. Gotów o nią zabiegać, a nawet żebrać, ponieważ zrozumiał, że tylko ona może go odmienić. Już odmieniła, w altruistę niemal. Swidrygajłow – niegdysiejszy karciarz, szuler, lubieżnik – proponuje Rodionowi ogromną sumę, byle tylko uwolnić Dunię od słowa danego Łużynowi i zapobiec ich małżeństwu. Od niechcenia dodaje, że „reforma włościańska nas

oszczędziła, pozostawiła lasy i załęża, więc dochody z majątku nie zostały uszczuplone", a te dziesięć tysięcy rubli są mu zupełnie zbędne.

Przy okazji zaś opowiada Rodionowi swoje życie w taki sposób, by zdobyć jeśli nie zaufanie, to przynajmniej zaciekawić. Już na wstępie oświadcza: „Między nami jest coś wspólnego". Zanim trafił do więzienia za długi, skąd wykupiła go starsza o pięć lat żona i wywiozła do swego majątku, gdzie spędził siedem lat, posiadał odpowiednie stosunki towarzyskie i koligacje. Bywał więc w świecie. Za granicą także, lecz nawet nad Zatoką Neapolitańską nudził się potwornie, zżerała go tęsknota, „już lepiej w ojczyźnie: tutaj przynajmniej można całą winę składać na innych, a siebie usprawiedliwiać".

Wprawdzie propozycja wykupienia Duni zostaje przez brata z oburzeniem odrzucona, ale osoba Swidrygajłowa i jego poglądy coraz bardziej zaczynają go fascynować. Zwłaszcza gdy dochodzi do rozmowy o duchach. Arkadiuszowi ukazuje się zmarła żona i służący, uważa więc, że: „Duchy są to strzępki i ułamki innych światów, ich zaczątek. Naturalnie, człowiek zdrowy jest człowiekiem najbardziej ziemskim, toteż powinien żyć wyłącznie życiem tutejszym gwoli pełni i porządku. Natomiast jak tylko zachoruje, jak tylko zostanie naruszony normalny ziemski ład w organizmie, wnet się zaznaczy możliwość innego świata, a im bardziej człowiek chory, tym więcej ma kontaktów z innym światem, tak że gdy umrze zupełnie, to wprost przechodzi do tamtego innego świata".

Powyższe rozważania wyjątkowo dobrze rymują się ze stanem duszy studenta, od chwili zbrodni żyjącego w malignie, dręczonego przez dziwne sny. Tuż przed tą niespodziewaną wizytą śniła mu się stara lichwiarka, śmiejąca się z jego ciosów siekierą. Nic dziwnego, że dalszy wywód Swidrygajłowa – „Wieczność zawsze nam się przedstawia jako idea, której niepodobna pojąć, jako coś olbrzymiego. Proszę sobie wyobrazić, że raptem, zamiast tego wszystkiego będzie jedna izdebka, coś jak wiejska łaźnia, zakopcona, a we wszystkich kątach – pająki; i oto masz pan całą wieczność" – wywołuje uczucie dotkliwej przykrości, jakby ktoś zajrzał mu pod podszewkę duszy. Leżąc w swej ciasnej, ciemnej izdebce, często porównywał się do przyczajonego pająka. Od tego też momentu Raskolnikow wie, że jest we władzy tego dziwnego człowieka, związany z nim mrocznym porozumieniem.

Obaj są ludźmi nieprzeciętnymi, czcicielami rozumu i wyznawcami liberalizmu. „Czemuż nie miałbym być ordynusem – powiada w pewnym momencie Swidrygajłow – skoro w naszym klimacie to przebranie jest takie wygodne...". I trudno zaprzeczyć, że są to słowa bliskie Raskolnikowi. On także postanowił działać i żyć, nie oglądając się na opinie innych, świadomie przekraczać granice moralnych norm. Nie doszedł wprawdzie do czynnego libertynizmu, ale przecież sama filozofia życia zgodnego z prawami rozumu, życia ponad obowiązującymi, szczególnie w Rosji, nakazami cierpienia, poświęceń, pokory jest mu równie bliska. Zbyt rzadko spotyka ludzi podobnego formatu, by zrezygnował z partnerskiej wreszcie wymiany myśli.

Raskolnikow w tym przedstawieniu owszem jest, ale jako adresat monologu Arkadiusza Iwanowicza Swidrygajłowa. Nie poznamy ani jego charakteru, ani duszy, o tym, co zrobił, co w danym momencie czuje i myśli, powinniśmy wiedzieć z lektury. Szkoda, ponieważ obaj zostali skonstruowani przez Dostojewskiego jak bliźniacze odbicia tej samej idei, osobowości. Rodion, podążając do traktierni na spotkanie z Arkadiuszem, „musiał sobie wyznać w duchu, że tamten rzeczywiście od dawna jest mu jak gdyby na coś potrzebny". Zbliża ich podobne myślenie, dotkliwe poczucie samotności, a nade wszystko brak wiary w lepszy świat.

Rodiona uratuje czysta miłość Soni, szukającej pociechy w cierpieniu i Ewangelii. Arkadiusza brak miłości zabije. Dunia mimo starań, przekupstw i podstępów nie potrafi go pokochać. Fakt, że podsłuchując wizytę Rodiona u Soni, posiadł tajemnicę morderstwa i chce ją dla swoich celów wykorzystać, budzi w niej odrazę i strach. Rzecz jasna, nie godzi się na żadną pomoc, nawet jeśli miałaby ona brata uratować. Skoro więc nadzieja Swidrygajłowa na odmianę losu, lub choćby znalezienie w miłości sensu życia, okazuje się niemożliwa do urzeczywistnienia, pozostaje pustka. A raczej świadomość bezsensu, prowadząca do samobójstwa, przed którym nie powstrzyma go nawet małżeństwo z szesnastoletnią panienką. Myśl o nim budzi w tym dziwnym człowieku coraz bardziej mieszane uczucia.

Gajos gra bezgraniczne obrzydzenie do siebie i rodziny narzeczonej, opowiadając o przygotowaniach do tego małżeństwa, kupionego za spore pieniądze. Jego Arkadiusz pełen jest goryczy i sarkazmu. Zbyt inteligentny, by nie wiedzieć, że z pełnym cynizmem popełnia łajdactwo. Przez moment ta sytuacja go nawet bawi, jakby oglądał się w krzywym lustrze, ale za chwilę, w przebłysku cierpkiej autoironii, widzi siebie w przebraniu błazna. Kończy swą opowieść tonem znudzonego sobą, przegranego łajdaka. Nic go już nie cieszy – pojedynek ze światem wygra zbyt łatwo – kupi sobie dziecko za żonę i jeszcze będą mu się kłaniać. Obrzydliwość. I tu nagle uchyla maskę, pokazuje nagą twarz. Bez uczuć i myśli. Jakby spojrzał w pustkę duszy. Nie zniósł własnego błazeństwa.

Swidrygajłow Janusza Gajosa to rzeczywiście wielka rola aktora, będącego u szczytu swoich możliwości. Nie schodząc przez półtorej godziny ze sceny, dał portret wielkiego szubrawca, co po rosyjsku określa jeszcze lepiej słowo: mierzawiec. Portret zawierający wiele tonów i półcieni – od wdzięku do bezwzględności, od *charme'u* światowca do manier prostego chłopa, od uniesień miłosnych do perfidnej gry, zabarwionej wisielczym humorem. Nade wszystko zawierający bezwzględną ocenę sytuacji bohatera. Zobaczyć siebie jako błazna potrafią tylko nieliczni, zagrać zaś takiego człowieka mogą aktorzy o wyrafinowanym poczuciu autoironii.

Przy tym Swidrygajłow Gajosa został stworzony z materii tyleż szlachetnej, co najtrudniejszej. Poza kilkoma rekwizytami – kapelusz i laseczka, miska do mycia twarzy, kilka krzeseł za stołem i butelka wina – nie ma on żadnych aktorskich ułatwień, charakteryzacji, podpórek. Rola oparta w całości na słowie, na mistrzowskim operowaniu głosem, pauzą, uśmiechem, mrużeniem oczu, mimiką twarzy, by z kilometrów słów wykreować osobną rzeczywistość. Daleką od rezonerstwa i niejednoznaczną.

Aktor, to jego dobre prawo, oczywiście broni swej postaci do tego stopnia, że w końcowej scenie, gdy Dunia zamiast pokochać, strzela do niego z pistoletu, budzi współczucie. Uwierzyliśmy bowiem Gajosowi, że nawet w największym rozpustniku i cyniku może odezwać się potrzeba prawdziwych uczuć. Jednak jego samobójstwo, pokazane chwytem tandetnym i ogranym – światłem lampy stroboskopowej, pozostawia pytania: Czy taki człowiek naprawdę może się odmienić? Czy też jest tak zepsuty, że walka o miłość Duni była tylko bitwą o zaspokojenie próżności, a samobójstwo wyrazem chwilowej desperacji? A może słabości, bo ruszyło go sumienie?

W rozstrzygnięciu tej kwestii pomogłaby scena, usunięta z adaptacji, w której Swidrygajłow ratuje rodzinę Marmieładowów. Nazywany, nie bez racji, rosyjską odmianą Don Juana, na pytanie Rodiona: – „W jakimże to celu pan się tak rozdobroczynnił?", Swidrygajłow odpowiada: – „Toż mówię wyraźnie, że to pieniądze zbywające. A że tak po prostu z poczucia ludzkości – tego pan nie uznaje? Przecież to (wskazał palcem w kierunku, gdzie leżała zmarła) nie jest »wesz«, jak jakaś tam staruszka lichwiarka. Przecież to zagadnienie z typu: *czy Łużyn ma żyć i robić łajdactwa, czy też ona ma umrzeć?* No i gdybym nie pomógł, to i *Polunia pójdzie tą samą drogą..."* (tą samą co Sonia – przyp. E. B.). Dla charakterystyki Swidrygajłowa naprawdę nie jest bez znaczenia, że dzieci Marmieładowów po śmierci matki umieścił w sierocińcu i zabezpieczył finansowo, Soni dał trzy tysiące rubli, a niedoszłej narzeczonej jeszcze więcej. Czy to był grosz Don Juana rzucony żebrakowi przez – „Miłość dla ludzkości"? Czy może desperacja starego lowelasa, bo mu się żyć odechciało?

To wielka rola, a jednak niepełna. Przykrojenie *Zbrodni i kary* do monologu jednej postaci, która została jawnie napisana jako sobowtór drugiej, to nie tyle zubożenie, ile fałsz. Świadomie piszę o monologu, gdyż ani Raskolnikow (Szymon Bobrowski), ani Sonia (Agata Buzek), ani Dunia (Agnieszka Wosińska) nie zaistnieli jako pełnoprawne postacie. Tak zdecydował adaptator, a reżyser nie umiał niczego właściwie od aktorów wydobyć poza suchą deklamacją tekstu, co wygląda tak, jakby studenci ćwiczyli etiudy pod okiem mistrza. Czy naprawdę trzeba dowodzić po Bachtinie, Przybylskim, Grossmanie, że pisarstwo Dostojewskiego to wielka polifonia postaw, głosów, racji, moralnych wyborów, ułożona na tyle precyzyjnie, że nie da się z niej, bez szkody dla sensu całości, wyjąć tylko jednego głosu?

Dlatego *Swidrygajłowa* mi żal, jak każdej straconej szansy na dobre przedstawienie, zwłaszcza że pomysł zajrzenia do duszy tego potwora jest nowy, nośny i jak najbardziej sensowny. To rzeczywiście jedna z najbardziej mrocznych i fascynujących postaci światowej literatury, obok Raskolnikowa i wraz z nim rzecz jasna. Naprawdę szkoda, że Januszowi Gajosowi zabrakło partnera, z którym mógłby powalczyć.

W kolejnej sztuce partnerka, Joanna Szczepkowska, jest akurat świetna. *Play Strindberg* Friedricha Dürrenmatta to obraz małżeńskiego konfliktu, zapożyczonego zresztą od Strindberga z jego *Tańca śmierci*, ukazanego jako walka na śmierć i życie, tyleż tragiczna co śmieszna. Prawie wszystkie konflikty, zwłaszcza małżeńskie, oglądane z zewnątrz, wydają się komiczne, czego nie widzą oczywiście zainteresowani, zanadto pochłonięci emocjami. Owa śmieszność małżeńskich kłótni, w których miesza się nienawiść i żal z poczuciem odpowiedzialności i pamięcią dawnych dobrych chwil, stała się treścią sztuki Dürrenmatta.

Nie ona była głównym powodem wystawienia *Play Strindberg* w Teatrze na Woli, lecz rocznica śmierci Tadeusza Łomnickiego, który trzydzieści lat temu zagrał Kapitana w przedstawieniu Andrzeja Wajdy w Teatrze Wpółczesnym i stworzył jedną ze swoich najlepszych kreacji scenicznych. Pamięć wielkiego aktora postanowiono uczcić przypomnieniem tej roli, rzecz jasna, w innym wykonaniu. Zaproszono Janusza Gajosa, który, jak się powszechnie uważa, przejął berło sztuki aktorskiej po znakomitym poprzedniku. Takie wyróżnienie jest najwyższym rodzajem uznania, pochodzi bowiem od kolegów aktorów i kolegów reżyserów, czyli zawodowców – ci się nie mylą.

Reżyserii podjął się Andrzej Łapicki, Kurt z tamtej sławnej inscenizacji, a rolę Barbary Krafftówny przejęła Joanna Szczepkowska. Powstało zupełnie inne przedstawienie, wyraźnie akcentujące motyw walki na ringu. Kolejne sekwencje małżeńskich kłótni zapowiadane są przez hostessę jak rundy walki bokserskiej. I oczywiście inaczej zagrane. Nieuchronne porównania Łomnickiego i Gajosa musiały doprowadzić do ujawniania różnic ich temperamentów i środków scenicznych. Tadeusz Łomnicki to żywioł, temperament w stanie wrzenia. W roli Kapitana, pogrubiony warstwami ubrań, ryczał, syczał, biegał po scenie, w scenie umierania siniał tak, jakby dostał wylewu krwi do mózgu albo miały mu pęknąć wszystkie żyły. Jego Kapitan był prawdziwym potworem, budzącym przerażenie. Swą monstrualną fizycznością niemal przytłaczał małą przestrzeń sceny.

Janusz Gajos jako Kapitan, niszczy, gnębi, poniża, szantażuje, upokarza swoją żonę, ale robi to o wiele oszczędniej niż poprzednik. Bardziej perfidnie, jest bowiem właściwie spokojny, opanowany i zewnętrznie niczym nie przypomina monstrum. Ubrany w szary mundur i czarne oficerki, przystojny, zadbany, na początku budzi sympatię. Dopiero po pewnym czasie zdajemy sobie sprawę, że z łagodną stanowczością wbija celne ciosy w serce żony. Rzadko podnosi głos, ale jego lodowaty spokój działa paraliżująco. Koszmarny despota, zrodzony z kompleksów i niespełnienia, w domu szuka rekompensaty za nieudane życie.

Momentami wydaje się niezniszczalny, nawet gdy słabnie, za chwilę podnosi się jeszcze silniejszy i jeszcze bardziej wściekły. Nie wiadomo, czy udaje zapaść, by dręczyć żonę, czy też naprawdę mu słabo i wymaga pomocy. Brak reakcji na swoją śmierć kwituje złośliwością, ale każdy odruch troski wyszydzi. Z zimną krwią doprowadza do szału swą życiową partnerkę, a momenty udawanej czułości upokarzają ją bardziej niż wyzwiska. Zresztą ona szybko się uczy i odpowiada podobną perfidią. Wiwisekcja własnej psychiki, jaką z luboścą od lat uprawiają, prowadzi ich do uzależnienia. Nie mogą dalej się kaleczyć, ale też bez perfidnych zabiegów nie mogą żyć. On udaje przed nią silniejszego i ważniejszego, niż jest w rzeczywistości. Ona odwdzięcza mu się atakami furii i żalów za niespełnione ambicje aktorskie, złożone na ołtarzu małżeństwa. Lista żalów i wzajemnych oskarżeń nie ma końca. Brutalne operacje na własnej psychice stanowią sens ich okaleczonego istnienia. Są jak dwie połówki jabłka, tyle że bardzo, bardzo robaczywego. Oczywiście, o małżeństwie można nieskończenie, ale zaletą tej szlachetnej bulwarówki jest pokazanie śmieszności owych odwiecznych konfliktów. Zgodnie z zasadą: nic nie jest bardziej śmieszne niż tragedia – cudza.

„Rodzina, rodzina nie cieszy, gdy jest, a kiedy jej ni ma – samotnyś jak pies" – śpiewali Starsi Panowie w swoim kabarecie. Bohater filmu *Żółty szalik,* mężczyzna w średnim wieku, prezes firmy, zadbany, w eleganckim garniturze, nie może spokojnie usiedzieć na zebraniu z pracownikami. Wychodzi do swego gabinetu i nerwowo przetrząsa regały, szafy bez widocznego rezultatu. Gdy wreszcie, zapalając lampę, widzi w jej kloszu cień butelki, cieszy się jak dziecko. Wlewa w siebie trochę wódki i czuje, że wraca mu życie. Ekspozycja nie pozostawia wątpliwości – jest alkoholikiem.

Stan człowieka, stale odczuwającego potrzebę picia, po mistrzowsku rozpisze Gajos na szereg etiud, sytuacji. Ale alkoholizm pozostanie tylko zewnętrzną skorupą, skutkiem czegoś, co przed innymi ukrywa. Głównym motywem jego postępowania będzie dojmujące poczucie samotności. Jerzy Pilch, autor scenariusza, zadbał, by okoliczności owego osamotnienia były tyleż przejmujące, co zrozumiałe. Akcja filmu dzieje się w przededniu Wigilii Bożego Narodzenia, najbardziej rodzinnego ze świąt, kiedy każdy dokonuje jakiegoś bilansu. Bohater na brak sukcesów nie może narzekać. Firma prosperuje świetnie, on sam jest człowiekiem zamożnym, inteligentnym, cenionym. A jednak za sukces zapłacił wysoką cenę. Najpierw potrzebował trochę płynu rozweselającego, później znieczulacza na stresy, aż w końcu bez alkoholu nie potrafił funkcjonować. I nie może nadal. Kieliszek tłumi poczucie zagubienia, samotności, ale nade wszystko winy. Wobec żony, która nie wytrzymała jego pijackich ekscesów i odeszła, oraz dorastającego syna. A także przyjaciółki, wierzącej, że wreszcie przestanie pić.

Samotność długodystansowca...

w filmie *Żółty szalik* Janusza Morgensterna

Fot. R. Pajchel, TVP

I wobec całego świata, za to, że stacza się na dno. Nie społeczne, bo przed deklasacją chroni go gruby portfel, ale dno człowieczeństwa. Alkohol odbiera nie tylko rozum, ale siłę woli, poczucie rzeczywistości.

W przeddzień Wigilii bohater odbywa liczne spotkania, składa życzenia pracownikom firmy, byłej żonie, synowi, przyjaciółce. Jednak każde spotkanie umacnia w nim poczucie winy i poczucie samotności, co staje się okazją, by sięgnąć po kolejny kieliszek. Byle nie wytrzeźwieć. W kolejnym barze spotyka pijaka, „nad którym zamyka się kra lodu", czyli samego siebie „za chwilę". Wprawdzie stawia mu wódkę, ale szybko ucieka, by metodycznie zapijać się w samotności. Ściany salonu, wyłożone taflami luster, odbijają pokracznie zniekształconą figurę desperata. Kiedy braknie wódki, zamawia przez telefon trzy gorzkie żołądkowe z dostawą do domu. Zbiega po butelki do drzwi wejściowych w eleganckim płaszczu, spod którego wystają gołe nogi w skarpetkach. Ale on swej śmieszności nie widzi, już stracił instynkt samozachowawczy, podążając w stronę delirium. Płacząc jak dziecko, powtarza: – Przyjdź! Przyjdź! Musimy próbować! – oczekując podświadomie, że żona kolejny raz do niego wróci. Tego chciałby najbardziej.

Dzięki sekretarce i przyjaciółce – które pakują go do samochodu, trafia na wigilijny wieczór do matki mieszkającej w małej podwarszawskiej miejscowości. I tam, pod wpływem jej kojącego głosu, serdeczności, miłości po prostu, pomału trzeźwieje. Odzyskuje nawet spokój ducha. I gdy wraca po zapomniany żółty szalik, świąteczny prezent od matki, pojawia się nadzieja, że tym razem uda się pokonać nałóg.

Bez Gajosa ten film nie miałby sensu, co do tego zgodni byli i reżyser Janusz Morgenstern, i autor scenariusza. „Kiedy potem Morgenstern dokonał tego samego wyboru, co ja – powie Pilch – byłem naprawdę usatysfakcjonowany. Możemy bowiem mówić tutaj o najwyższych rejonach sztuki aktorskiej. Najgłośniejszym ostatnio filmem o alkoholiku było *Zostawić Las Vegas* Mike'a Figgisa. Odtwórca głównej roli w tym filmie, Nicholas Cage, otrzymał Oskara, a przecież w porównaniu z Gajosem to jakiś pikuś. Janusz Gajos w tym małym filmie jest znacznie prawdziwszy, dramatyczny. Gajos pochodzi niestety z małej kinematografii, z egzotycznego dla wielu języka polskiego, a jest aktorem, który powinien grać o najwyższe stawki kinematografii światowej" (Łukasz Maciejewski, „Kino według Pilcha" – *Kurier Wydawnictwa Literackiego* nr 2/2002).

Doskonałą okazją sprawdzenia słuszności podobnych opinii stała się *Zemsta* Andrzeja Wajdy. Janusz Gajos znalazł się pośród największych gwiazd. Zarówno Roman Polański (Papkin), Andrzej Seweryn (Rejent Milczek), jak i Daniel Olbrychski (Dyndalski) wielokrotnie stawali przed kamerą reżyserów o światowym rozgłosie. Tym wyraźniej widać, że jako Cześnik Raptusiewicz zademonstrował wielką klasę aktorstwa. Prawdę mówiąc, on jeden w tej ekranizacji komedii Aleksandra hrabiego Fredry jest postacią z krwi i kości. Najlepszy. Nie ja dałam w *Wyborczej,* największej polskiej gazecie, na pierwszej stronie tytuł – „Zemsta Cześnika", więc tym bardziej mi przyjemnie. To najkrótsza recenzja z tego niezbyt udanego filmu. Główną jego atrakcją są zdjęcia ruin starego zamczyska, w których nie wiedzieć czemu uparli się mieszkać nasi przodkowie. Dość paskudni, jeśli się im bliżej przyjrzeć. Widocznie taka była koncepcja reżysera – pokazać nam portret głupoty, zaściankowości, sarmatyzmu i prostactwa, do tego w scenerii zimowej. Malowniczej skądinąd, choć wiadomo, że nikt przytomny zimą muru granicznego nie buduje.

Jedyną postacią, która mówi tekst Fredry organicznie, bez wysiłku, jakby ten cudowny wiersz był jedynym możliwym w danej sytuacji słowem, jest Cześnik. Gajos zrobił z tej roli cacko. Maciej Raptusiewicz to pan na zamku całą gębą. Nieco prostacki, ale sympatyczny – ruchy zamaszyste, widać obeznanie z szablą, sylwetka szlachciury, przepasanego pod brzuchem paskiem, jak się patrzy. Z podgolonej głowy aż się kurzy, krew bulgoce i do bitki, i do wypitki. Do kobitki również oczka błyszczą, dusza śpiewa, w głowie szumi, choć biust Podstoliny (monstrualny) go peszy. Nie taki chojrak jak udaje. Porywczy, szybciej działa, niż myśli. Kiedy słucha przechwałek Papkina, aż mu się oczy śmieją z niedowierzania i podziwu. Sam ma trudności z ułożeniem prostego listu, więc ten domorosły wierszokleta mu imponuje i budzi sympatię. On jest do działania, nie do gadania – był w jadalni, już na balkon wybiega, do kuchni wpadnie, za szablę chwyci – energia go rozpiera. Stale w ruchu, biega, grozi, wymyśla, knuje przeciw Rejentowi, aż się kurzy. Ale swój honor ma, gdy ten wejdzie w jego progi – „włos mu z głowy spaść nie może". Cześnik Gajosa ma temperament, ludową zawziętość, a nade wszystko poczucie humoru. Toteż on jeden bawi. Zważywszy, że mówimy o jednej z najlepszych polskich komedii, nie jest to komplement pod adresem filmu, tylko aktora, którego kreacja nawet na tle pozostałych gwiazdorów wypadła świetnie.

Jeśli już padło tu słowo „gwiazda", należałoby powiedzieć, że Janusz Gajos na to określenie zasługuje w sposób szczególny. Nie eksponuje ostentacyjnie swoich

Cześnik o Podstolinie: „Dała zezek, umizg taki
Żem posunął w koperczaki.
Ona dalej w ceregiele –
Ni siak, ni tak, tędy, siędy
A ja sobie coraz bliżej,
Śród chychotek, śród gawędy,
Bliżej... bliżej... Cmok! – nareście...
A! zrobiłem wstyd niewieście".
Film Andrzeja Wajdy wg *Zemsty* Aleksandra Fredry

aktorskich możliwości, raczej stosuje je powściągliwie, wedle zasady – lepiej nie dograć niż przegrać. Wierzy w sztukę metamorfozy, co znaczy, że naczelnym jego dążeniem pozostaje uwiarygodnienie reakcji granego człowieka. Dlatego też nie jest nudny, potrafi tworzyć postacie bardzo różne, o zupełnie odmiennych temperamentach, psychice, sposobach reakcji. Nie eksponuje siebie w roli, nie nagina postaci do swojej osobowości, tylko absolutnie podporządkowuje jej charakterowi swoje zachowania. Oglądając galerię bohaterów, jaką stworzył przez blisko czterdzieści lat pracy w filmach, przedstawieniach teatralnych i telewizyjnych, bardzo trudno powiedzieć coś o nim samym. O tym, jaki jest prywatnie, poza tym, że jest aktorem bardzo pracowitym i skromnym. Rzadka to cecha, zwłaszcza dziś, gdy ktoś, komu zdarza się wystąpić publicznie, od razu informuje nas o sobie, swojej wielkości, co często oznacza próżność i kabotyństwo. Gajos – przeciwnie, jeśli już opowiada o swoim prywatnym życiu, to zawsze w związku z zawodem, jaki wykonuje. Role zostawia w garderobie i nie żywi nimi siebie.

Ponadto, w odróżnieniu od wielu kolegów, nie traktuje aktorstwa jako specjalnej misji, posłannictwa społecznego. Zawsze jako zestaw rzemieślniczych umiejętności, które czasem stają się sztuką i znaczą więcej niż tylko sprawnie wykonane zadanie. Można powiedzieć za Konstantym Stanisławskim, że należy do aktorów, którzy lubią sztukę w sobie, a nie siebie w sztuce. Tacy byli i będą najwięksi.

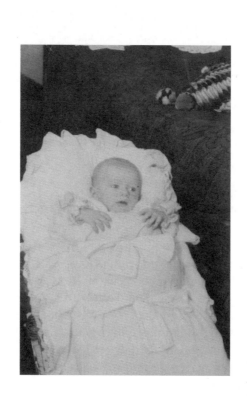

Tak to się zaczyna

Droga na szczyty, co każdy wie, rzadko bywa usłana różami. Szczęśliwców, którzy się tam znaleźli, zwykle widzimy uśmiechniętych, gdy odbierają nagrody i wyróżnienia. Ulegamy złudzeniu, że im akurat wszystko przyszło łatwo. Rzadko zdajemy sobie sprawę z ceny sukcesu. Oglądając dziś Janusza Gajosa, trudno uwierzyć, że musiał pokonać wiele przeciwności, by w ogóle dostać się do szkoły teatralnej. Także kariera, czyli blisko czterdzieści lat uprawiania aktorstwa, nie przebiegała tylko od sukcesu do sukcesu, jak by się mogło wydawać.

Urodził się w 1939 roku w Dąbrowie Górniczej, małym miasteczku Zagłębia Dąbrowskiego. W rodzinie, ze strony matki, osiadłej w tych stronach od pokoleń. Ojciec pochodził z okolic Kielc, utrzymywał żonę i dzieci z pracy w ogrodnictwie, choć nigdy nie osiągnął na tym polu specjalnego powodzenia. Trudno więc powiedzieć, by w rodzinie, kultywującej tradycyjne wartości, skupione wokół domu, wiary i pracy, istniała atmosfera szczególnego zachwytu dla sztuki teatralnej. Zwłaszcza zawód, powszechnie uznawany za mało poważny, by nie powiedzieć – ekscentryczny, jak aktorstwo, traktowany był bez specjalnej atencji. Nie można powiedzieć, że Janusz Gajos „już od dzieciństwa marzył o zostaniu aktorem". Nic podobnego.

Najwcześniejsze dzieciństwo spędził w Zabrzu. Tam chodził do Szkoły Podstawowej nr 3, przy parku. Tam też bawił się w Indian, policjantów i złodziei, z kolegami, ponieważ do siódmego roku życia był jedynakiem. Narodziny brata Andrzeja, a po następnych siedmiu latach siostry Grażyny, ze względu na dużą różnicę wieku, niewiele zmieniły tę sytuację. Do szkoły średniej Janusz Gajos uczęszczał w Będzinie, ponieważ rodzice przenieśli się z Zabrza do tego szarego górniczego miasteczka. Przed wojną w większości mieszkali w nim Żydzi, po wojnie było również biedne i zaniedbane. Życie płynęło spokojnym rytmem prowincji, wedle znanych wszystkim rytuałów. Mężczyźni przeważnie pracowali w hutach albo kopalniach, kobiety zajmowały się domem i dziećmi.

To miasto zawsze będzie mi się kojarzyć z obrazem niedzielnego południa, hejnałem mariackim dobiegającym z radia oraz zapachem dy-

27

miącego rosołu z makaronem stawianego przez matkę na stole. Z obra-
zem całej rodziny zasiadającej do obiadu.

Pierwszy kontakt z teatrem to wycieczka do Katowic, dokąd pojechał razem
ze szkołą w ramach tak zwanych zajęć ukulturalniających.

Szczególne wrażenie zrobił na mnie budynek Teatru Śląskiego, wybu-
dowany przez Niemców jeszcze przed pierwszą wojną. Na moje ówczes-
ne doświadczenia życiowe i estetyczne był on bardzo wytworny, elegan-
cki... Na dodatek była tam także scena, na której działo się coś osobliwe-
go, dziwnie ubrani ludzie coś mówili, ruszali się w inny niż na ulicy spo-
sób, a widzowie tego słuchali i przeżywali. Znacznie bardziej zaciekawi-
ło mnie to, co za sceną, ale tam oczywiście mnie nie wpuszczono.

Pierwsza myśl o aktorstwie pojawiła się dość późno. W szkole średniej,
a było to Liceum Towarzystwa Przyjaciół Dzieci, niestety, mniej snobistyczne
niż reprezentacyjny „męski" Kopernik, do którego z powodu braku miejsc się
nie dostał. Przed maturą, gdy trzeba było myśleć o wyborze zawodu, zastana-
wiał się nad architekturą, czyli tak zwanym solidnym zawodem. Ale właśnie
w klasie maturalnej polonista wpadł na pomysł wystawienia dwunastej księgi
„Pana Tadeusza", rozpoczynającej się od słów: „Na koniec z trzaskiem sali
drzwi na oścież otworto / Wchodzi pan Wojski w czapce i z głową zadartą" –
znanej ze słynnego „koncertu Jankiela", którego uczyły się na pamięć całe pokolenia.

Otrzymałem jakieś małe zadanie; główną rolę Tadeusza dostał naj-
przystojniejszy chłopak w klasie. Ale albo się nie nauczył wiersza, albo
coś przeskrobał – dość, że w końcu przyznano ją mnie.

Przedstawienie w skali lokalnej stało się wydarzeniem, a ja poczu-
łem smak „sławy". Przechadzając się w niedzielne przedpołudnie bę-
dzińskim deptakiem od Małachowskiego do Kołłątaja, czyli układają-
cym się w literę T salonem miasta, gdzie spotykali się wszyscy, wymie-
niając ukłony i grzeczności, dostrzegałem zachwycone spojrzenia pa-
nienek, ich szepty (mocno nadstawiałem ucha): „Popatrz, popatrz! –
Pan Tadeusz!".

Ważniejsze jednak stało się poczucie, że mówiąc cudzy tekst, potra-
fię skupić uwagę innych. Było to dla mnie „odkryciem", ponieważ uwa-
żałem, iż – logicznie rzecz biorąc – tekst jest po to, by go czytać. A tu
nagle zauważyłem, że wiersz mówiony nabiera nowych wartości. I to ja
za nie odpowiadam. Starałem się słuchaczom jego zrozumienie ułatwić,
żeby nie czuli się oszukani. Chciałem, by się tym, co mówię, zaintereso-
wali, albo lepiej – wzruszyli. Intuicyjnie zrozumiałem wtedy, że aktor
posiada rodzaj władzy nad wyobraźnią widzów. Taka świadomość do-
dawała skrzydeł. Dziś już wiem, jak to działa, wówczas poczucie teatru
było zupełnie instynktowne.

Młody człowiek zaczął myśleć o aktorstwie coraz intensywniej. Wygrał
konkurs recytatorski w Sosnowcu, co jego marzenia tylko umocniło. Zaczął
chodzić do teatru z wyboru, a nie z nakazu szkoły. Po zakończeniu przedstawie-

nia czekał przed teatrem, żeby się przyjrzeć aktorom, kiedy wychodzą tylnymi drzwiami, chciał wiedzieć, jak wyglądają prywatnie. Wygrany konkurs przyniósł też konkretną propozycję. Kierownik Klubu Huty Będzin odpowiedzialny, jak się wtedy mówiło, za działalność kulturalną, zaprosił go do współpracy.

Chciał wystawić „Kordiana" i mnie widział w roli głównej. Pamiętam, że kiedy czytałem tekst, za mną stał jakiś inny facet i czytał to samo przez moje ramię, tak bardzo chciał grać. Zamiast dylematów duszy romantycznego Kordiana wychodził nam śmieszny, bo karykaturalny obraz konkurencji.

Dużo czytałem, próbowałem mówić po kątach do siebie samego, opanować teksty. I tak wpadałem w tę chorobę powoli, powoli, niezauważalnie. Wraz z kolegami, którzy też brali udział w „życiu artystycznym" miasta, jeździliśmy tramwajem do sosnowieckiego „Rexa" nie tylko na kawę. Magnesem przyciągającym młodych ludzi było towarzystwo. Bywali tam prawdziwi aktorzy z teatru w Sosnowcu, dziennikarze miejscowej gazety, poeci. Jeden z nich, dziś jest złotnikiem, wysłał nawet swe wiersze do Antoniego Słonimskiego i otrzymał odpowiedź. Poeta chwalił formę, ale prosił, by jeszcze w tych wierszach znalazła się jakaś treść. Niemniej posiadanie takiego listu już było nobilitacją, pasowaniem na poetę. W tamtych czasach uczeń przyłapany w kawiarni mógł mieć w szkole nieprzyjemności. Tym bardziej więc imponował mi ten zakazany owoc, to jest przebywanie w środowisku „bohemy".

Ojciec przestał syna rozumieć. Do teatru prawie nie chodził, do kina czasem, ale rzadko. Uważał, że powinien mieć on jakiś solidny zawód, czyli zdobyć wyższe wykształcenie, pozycję społeczną i dostatek, czego sam przed wojną ani po niej nie osiągnął. Aktorstwem, skoro bardzo chce, może się przecież zajmować na boku, ot w jakimś kółku recytatorskim czy amatorskim teatrzyku.

Niemniej zaakceptował moją decyzję zdawania do łódzkiej Szkoły Filmowej. Mama, mimo podobnych jak ojciec wątpliwości, spakowała walizkę i pojechałem. W tym wieku człowiek zjadł już wszystkie rozumy, jest buńczuczny i nie ogląda się na zdanie innych, tym bardziej jeśli nie znajduje zrozumienia. Zresztą byłem już w teatrze zakochany i na rozsądek było za późno.

Młody chłopiec wiedział jednak, że bardzo się tam trudno dostać. Uprzedzał o tym Jan Dorman, który nadawał szlif szkolnemu przedstawieniu i zauważył jeśli nie talent, to pewne predyspozycje „Pana Tadeusza".

Powiedział, że gdybym nie został przyjęty, to on dla mnie znajdzie jakieś zajęcie w swoim teatrze. I tak się też stało. W Łodzi powiedziano mi, że to, co umiem – a nauczyłem się „Wielkiej improwizacji" z „Dziadów" Mickiewicza – jest ciekawe, ale niewystarczające, jeszcze niedojrzałe. Zresztą byłem tak speszony przedwojennym pałacem, marmurowymi schodami i całym tym krzykliwym towarzystwem zdających, że nie potrafiłem pokonać strasznego spięcia, a to po prostu paraliżuje.

**Przez siedem lat
byłem jedynakiem**

Przed maturą

Fot. z archiwum aktora

Tu chciałem być architektem...

...a tu już nie

Po wakacjach, była to jesień 1957 roku, Janusz Gajos podjął pracę w Teatrze Dzieci Zagłębia w Będzinie, który mieścił się w dawnym domu parafialnym. Wprawdzie był to teatr dla dzieci i wykorzystywano w nim lalki, ale w sposób szczególny. Często łączono je z żywym planem, aktorzy stali na scenie i w sposób widoczny dla widzów animowali marionetki. Albo też obywali się bez nich, używali tylko specyficznych rekwizytów, masek.

Jan Dorman, pedagog i artysta, starał się swoimi przedstawieniami nie ilustrować tekstu bajki czy opowiadania dla dzieci, lecz zostawiać widzowi możliwość twórczego współuczestnictwa. Kładł nacisk na poetyckie skojarzenia, które stawały się nośnikami symbolicznych treści albo przynajmniej zmuszały do myślenia. Gra wyobraźni, a nie życiowe podobieństwo, były dla niego najważniejsze w procesie wychowywania. Uważał bowiem, że dziecko ma nieograniczoną żadnymi konwencjami wyobraźnię, i lepiej, gdy uruchomi się jego wrażliwość, zmusi do własnych reakcji, niż poda gotowe formuły. Niejednokrotnie Teatr Dzieci Zagłębia był oskarżany o nadmierne eksperymentowanie, formalizm, ale jego twórca trwał przy swoim. I odnosił sukcesy. Dla młodego człowie-

30

ka zetknięcie się właśnie z teatrem Jana Dormana okazało się nieocenioną szkołą zawodu i rozumienia sztuki.

Zacząłem od zasuwania kurtyny. Potem pilnowałem magnetofonu, do świateł się nie rwałem – nie miałem o nich pojęcia.

Gajos, jak początkujący czeladnik, wykonywał tam wszystkie prace za sceną. Zaczął też lepić, kleić lalki – pacynki, jawajki, marionetki – i się z nimi oswajać.

I tak, krok po kroku, dobiłem się do jakiegoś epizodu w „Kolorowych piosenkach", a potem grałem duże role lalkarskie, na przykład żołnierza w „Krzesiwie" Andersena. Lecz wciąż myślałem o żywym teatrze, a droga do niego wiodła przez szkołę. Po roku znów się nie dostałem i znów wróciłem do Teatru Zagłębia, gdzie szło mi wcale nieźle.

Ale poczucie niespełnienia pozostało. Koledzy z klasy studiowali. Największa grupa dostała się na Politechnikę w Gliwicach, inni na Uniwersytet Jagielloński, niektórzy do Akademii Medycznej w Krakowie. Mieszkali w akademikach, ale na sobotę i niedzielę przyjeżdżali do rodziców.

To był specjalny rytuał. O 20.30 w każdą sobotę wychodziliśmy – ci, co się nigdzie nie dostali – na dworzec, zobaczyć, jak oni z tego wielkiego świata wracają. Opowiadali o ćwiczeniach, zaliczeniach, wykładach, indeksach,

Fot. z archiwum aktora
Dworzec w Będzinie

czyli o tym, co nam nie było dane. Te opowieści uruchamiały naszą wyobraźnię, a przede wszystkim uczucia, całą skalę uczuć. I tak co tydzień, przez dwa lata, otrzymywałem bolesny zastrzyk na własne życzenie.

Antidotum była praca w teatrze i lektury. Zostawało też wiele czasu na przemyślenia i sumowanie pewnych doświadczeń.

Kontakt z Janem Dormanem w poważnym stopniu wpłynął na moją wrażliwość. Spośród setek ludzi, którzy mnie ukształtowali w zawodzie, on pierwszy zwrócił mi uwagę na ekspresję ciała. Świadomość ciała – co jest dla mnie podstawą bycia na scenie – wyniosłem właśnie z jego teatru, z obserwacji lalki. Ona ma tylko jeden wyraz twarzy, nieruchomą maskę, wszystkie uczucia, stany psychiczne wyrażane są układem jej ciała. Skurczona – znaczy smutna; rozłożone ręce – szczęśliwa; ręce przy twarzy – płacze itd. Swoją postawą, na odległość, musi dać sygnał, co myśli, co czuje. Wszystko trzeba przenieść na siebie, bo aktor na scenie jest jak marionetka. Jak się ułoży, jak wygląda, taki daje sygnał widowni.

31

Bardzo to ładnie powiedziane, ale pamiętajmy – powiedziane dziś, przez świadomego swego warsztatu aktora. Niemniej ta nietypowa droga od *Kolorowych piosenek* przez *Krawca Niteczkę, Krzesiwo, Baśń o zaklętym kaczorze*, jaką dochodził do aktorstwa dramatycznego, warta jest podkreślenia. Jeszcze przed dostaniem się do szkoły teatralnej młody człowiek nie tylko zetknął się z kulisami sceny. Ważniejsze, że już wtedy musiał sobie uświadomić znaczenie znaku plastycznego, specyficznego układu ciała aktora, niosącego określone sensy. Właśnie poczucie formy, języka sceny wyróżniało go spośród innych kandydatów, którzy idąc do szkoły, „chcą przeżywać" i swymi przeżyciami, tak zwanym wnętrzem, pragną skupić uwagę.

Niestety, ta świadomość nie pomogła mu przy kolejnym podejściu do egzaminu. Po raz drugi nie dostał się do Szkoły Teatralnej w Łodzi. Z gazety dowiedział się, że w Krakowie, we wrześniu, jest dodatkowy egzamin na Wydział Aktorski. Postanowił spróbować po raz trzeci, ostatni, zwłaszcza że groziło mu wojsko, a szkoła mogła od służby wybawić.

Znów nerwy, tłum zdających, po kolejnych eliminacjach korytarzem chodzili już faworyci, pewniacy. W pewnym momencie usłyszałem od kogoś z komisji, że jest tu taka dziewczyna – śmieje się i za chwilę płacze prawdziwymi łzami – ta się fantastycznie nadaje na aktorkę. Pomyślałem, że to nie predyspozycje zawodowe, a raczej objawy schizofrenii. Ale w głowie miałem kocioł. Gdy wreszcie stanąłem przed bardzo surowym ciałem pedagogicznym, usłyszałem donośny głos: „Proszę pana, proszę nie wymieniać nazwiska autora ani tytułu utworu, tylko od razu mówić. Czy pan rozumie?". – Rozumiem. – „Proszę mówić". – Julian Tuwim, „Kwiaty polskie"...

I finito. Kandydat na aktora poszedł do wojska. Nie było wyjścia. Dwa lata służył w artylerii w jednostce koło Wrocławia. Z aktorstwa zrezygnował definitywnie; zaczął myśleć o polonistyce, dziennikarstwie. Coś przecież w życiu trzeba robić.

Napisałem nawet opowiadanie o tym, czy żołnierz to człowiek, czy automat. Ponieważ myśli, podsumowałem, więc człowiek. Wydrukowali to w wojskowej gazecie wrocławskiej.

I znów śmieszny przypadek. W Domu Kultury w Żarach odbywał się konkurs recytatorski. Któregoś dnia oficer wywołał mnie na apelu. Na nic nie zdały się tłumaczenia, że nie mam z aktorstwem już nic wspólnego. W dowodzie osobistym miałem napisane: aktor, miejsce pracy – Teatr Lalek, Będzin. Rozkaz to rozkaz. Poszedłem. Umiałem te nieszczęsne „Kwiaty polskie" Tuwima. Wygrałem. Potem wygrałem również eliminacje ogólnopolskie we Wrocławiu. Nawet napisali w gazecie o żołnierzu, który pięknie mówi poezje.

Fot. z archiwum aktora

Zrobiłem sobie zdjęcie we Wrocławiu jako laureat konkursu

Drugi dzień nie był tak bogaty w talenty jak pierwszy, w szrankach szlachetnej rywalizacji stanął Poznań, Opole i Ziel. Góra. Wyróżniono 5 osób. Wśród nich rewelacyjny wprost był Janusz Gajos z Żar. Recytował fragmenty „Kwiatów polskich" Tuwima. Wiersz podawał w sposób zadziwiająco prosty, wykazując przy tym zrozumienie i głębokie przeżycie.

Kiedy wróciłem do jednostki w Żarach, zrobiło się wokół mnie głośno. Paru ludzi z dowództwa zobaczyło moje nazwisko w gazecie. Postanowili więc sami sprawdzić, co potrafię. Któregoś dnia kazano mi powiedzieć przed całą kompanią wiersz, którym wygrałem konkurs. Zdrętwiałem. Kilkuset żołnierzy, którzy myślą o dziewczynach, przepustce, co najmniej piwie, zainteresować poezją „Kwiatów polskich". Niewykonalne! Po drodze na estradę pomyślałem: muszę się przed nimi obronić. I proszę sobie wyobrazić, że słuchali. Cała ta niesforna banda przez kilka minut siedziała w kompletnej ciszy, żadnego szmeru. Wygrałem.

No i znowu mnie wzięło na ten teatr. Pojechałem do Łodzi na czwarty w życiu egzamin. A tam mnie już znali i orzekli, że owszem, dojrzałem, wydoroślałem – może dlatego, że byłem w mundurze – i przyjęli. Pamiętam, że kiedy przeczytałem swoje nazwisko na liście studentów, wyszedłem *na ulicę, nie mogąc opanować wzruszenia. Mijałem ludzi, tramwaje, samochody i myślałem: Oni nie wiedzą nawet, co to jest szczęście! Jakże im współczuję, że nie mogą być aktorami!*

Jak za nic nie chcieli mnie przyjąć, tak od pierwszych dni w szkole byłem objawieniem. Dziwne.

Opuśćmy kapsułkę pamięci w tamten czas. Jest październik 1961 roku. Na ulicy Targowej 61/63 w Łodzi mieści się Państwowa Szkoła Filmowa i Teatralna im. Leona Schillera, czyli legendarna „Filmówka" albo, jak chcą inni, „najlepsza szkoła filmowa na świecie". To z niej wyszli twórcy polskiego kina – Jerzy Kawalerowicz, Andrzej Munk, Andrzej Wajda, Kazimierz Kutz, Roman Polański, Janusz Majewski i wielu innych – dziś nazywani nestorami polskiej kinematografii. Już ich w Szkole nie ma, toczą batalię o wielkość na planach swoich filmów. Ale legenda trwa, przynajmniej w tych murach jest jeszcze bardzo żywa. W pałacyku Oskara Kona, przedwojennego fabrykanta, zaanektowanym po wojnie dla filmowej uczelni, istnieje słynna sala, gdzie odbywają się nieustannie projekcje filmów dla reżyserów i operatorów, ale kto sprytny, prześlizgnie się na nie z Wydziału Aktorskiego, a nawet z innych uczelni. I co najważniejsze – wciąż istnieją słynne schody, z toaletą w połowie wysokości, na których toczą się najważniejsze na świecie dyskusje o filmach i sztuce, o filozofii i życiu. I nie tylko. „Słynne schody Szkoły Filmowej – wspominała Agnieszka Osiecka – pamiętają niesłychane erotyczne przechwałki co śmielszych kolegów. Można śmiało powiedzieć, że taki A. K. czy W. S. należeli do erotycznej awangardy miasta Łodzi, a takie słowa jak „orgia" i „balet" nie schodziły im z ust. W poniedziałek rano pojawiali się na schodach jakoś dziwnie rozespani i przeciągali się jak stare lwy. Wstydliwi koledzy obserwowali ich zazdrośnie z różnych zakamarków i bezskutecznie próbowali sobie przyswoić nietrudną przecież pantomimę" (Krzysztof Krubski, Marek Miller, Zofia Turowska, Waldemar Wiśniewski – *Filmówka,* TENTEN, Warszawa 1992).

Pałacyk przy Targowej to miejsce szczególne, nie tylko ze względu na możliwość obejrzenia filmów, jakich w kinach nie uświadczysz, ale także z uwagi na niezwykłych ludzi, których tam można spotkać. Zarówno wykładowców, jak i studentów. O dziekanie Stanisławie Wohlu, Jerzym Mierzejewskim, Jerzym Bossaku czy Antonim Bohdziewiczu krążą legendy. To ich opinie, pytania egzaminacyjne sprzedaje się na studenckiej giełdzie. To o nich, tak samo jak o niedawnych absolwentach reżyserii czy operatorstwa, opowiada się anegdoty. Wspomnienie lambretty, (skutera), jakim jeździł Janusz Majewski z późniejszą żoną Zofią Nasierowską, budzi na twarzach świeżo upieczonych studentów zazdrość i podziw. Niemal każdy próbuje uciułać pieniądze, by taką lambrettę zdobyć – to największy *charme* i szyk. Można też przejechać żyletką po oczach, jeśli ktoś pamięta czerwonego mercedesa Romana Polańskiego. Snobizm najwyższego rzędu walczy o lepsze z humorem i kompleksami. A przecież studentami Szkoły są jeszcze Agnieszka Osiecka, Krzysztof Zanussi, Jerzy Skolimowski, Feridun Erol, Marek Piwowski. Wszyscy młodzi, piękni i... genialni. Porównują się wcale nie z Wajdą, Kutzem czy Munkiem, ale z Bergmanem, Fellinim, Kurosawą. Wszyscy zdobywają świat. Szkoła to miejsce, gdzie kipi młodzieńcza energia, talenty, szaleństwo uderza do głowy. Rywalizacja dotyczy dziewczyn, zagranicznych ciuchów, skuterów, pomysłów na genialność i styl życia. Choć czasem tylko teoretycznie, ponieważ nie wszystkim starcza na kawę w słynnej „Honoratce", tuż przy Grand Hotelu, miejscu stałych spotkań tego kolorowego towarzystwa.

Styl bycia w Szkole wielu przyprawiał o zawrót głowy, czasami o odruch buntu. Charakterystyczne wydało mi się wspomnienie o pierwszym zetknięciu się z tym światem Marka Koterskiego, dziś ciekawego dramatopisarza i reżysera. „Pamiętam dzień wstępnego egzaminu. Byłem jedyny z prowincji, jedyny w garniturze wśród tych czarusiów. Otwiera się brama i wjeżdża mustang Skolimowskiego z roztrzaskaną przednią szybą (niektórzy mówili, że sam ją stłukł, żeby wyglądało na wypadek, co dodawało dreszczyku emocji). Wysiada piękny Skolim, grzywa włosów, *blue* dżinsy, biały pas. Podlatuje Mierzejewski, całuje go w czoło. Wszystko na oczach tych szaraczków. Wydaje mi się, że był to obraz symboliczny, ostatni z tych, dla których się idzie do Szkoły. Naturalnie wybrałem Szkołę także dlatego, że w poprzednich uczelniach, na polonistyce i w Akademii Sztuk Pięknych, czułem ciągły niepokój i niedosyt. Ale równie ważne było dla mnie spotkanie z wielkim światem, karierą, prestiżem, sukcesem i pięknymi dziewczynami" (*Filmówka*, op. cit.).

Kiedy Koterski dostał się do Filmówki, Gajos już ją opuścił, ale można sobie wyobrazić, że pięć lat wcześniej, gdy zdawał, ta światowość Szkoły była jeszcze intensywniej odczuwana. I można się łatwo domyślić, jak w tym całym otoczeniu poczuł się młody chłopiec, dopiero co wyzwolony z wojskowego munduru. Wprost z poligonu i solidnego domu na górniczym Śląsku trafił do stolicy artystycznego szaleństwa. Trudno o większy kontrast. Zwłaszcza że mój bohater był kandydatem na aktora, a to w obowiązującej tu hierarchii plasowało go najniżej. Nie tylko dlatego, że studenci Wydziału Aktorskiego mieli zajęcia w dawnym pałacyku fabrykanta Poznańskiego na ulicy Gdańskiej, czyli dość daleko od Targowej. W tym samym pałacyku na pierwszym piętrze mieściła się Wyższa Szkoła Muzyczna. Dopiero wiele lat później aktorzy zostali przeniesieni do budynku fabrycznego nieopodal pałacu Kohna, gdzie urzędowali reżyserzy i operatorzy. „Dziećmi lepszego Boga", swego rodzaju arystokracją byli studenci tych dwóch wydziałów. To oni, nie aktorzy, byli przedmiotem największej uwagi kierownictwa uczelni. Jej dumą i wizytówką.

Wydział Aktorski był niejako dodatkiem, potrzebnym, koniecznym, z kimś trzeba było pracować nad etiudami, ale na pewno nie oczkiem w głowie. Miało to swoje konsekwencje jak najbardziej przyziemne.

Szanowni koledzy reżyserzy traktowali nas niezbyt czule, jak krzesło albo ławkę. Większym zainteresowaniem cieszyły się, ze zrozumiałych względów, dziewczyny, chłopcy byli złem koniecznym. Być może nam imponowali stylem życia, luzem, fantazją, ale kontakty były dość napięte, już lepiej to wyglądało w akademiku, tam porozumiewaliśmy się łatwiej, bardziej prywatnie.

Pamiętam, jak do Szkoły przyjechał kiedyś Kirk Douglas. I ci pyszni kandydaci na reżyserów i operatorów, patrząc na nas, głośno, bez żadnego skrępowania, mówili: No, Kirków to tu nie widać! Myśmy nie wyglądali jak amerykański gwiazdor, fakt. Ale przecież, poza kilkoma wyjątkami, te wielkopańskie, światowe pozy nie zaowocowały rzetelnymi osiągnięciami, co dziś widać lepiej niż wówczas. To dobre samopoczucie szło w próżnię, niewiele z niego wynikało, ale wielu mogło wpędzić w kompleksy. Tak się pompuje „ja" bokserów, wmawiając im, że są najważniejsi – tylko żeby dobrze bili. Ale to chyba nie jest najlepszy sposób na uprawianie sztuki.

Wprawdzie na zaczepkę kolegi reżysera: „Nie widzę tu Kirków czy Bogartów", student aktorstwa mógł się odgryźć: „A ja nie widzę Fellinich!", to symbioza wydziałów była tyleż trudna, co czasami mało przyjemna. Niemniej twórcza, nieraz bardzo twórcza, zwłaszcza dla kogoś, kto myślał, i sam z tego, co widział i słyszał, wyciągał wnioski.

Zresztą sama Łódź dostarczała kontrastów pod dostatkiem. „Jest to wyjątkowe w Polsce miasto. Na niewielkim obszarze następuje silne zderzenie klasy robotniczej, środowiska inteligenckiego i lumpenproletariatu. Ten ostatni, często przenikający się z cyganerią artystyczną, stanowi dla filmu niesłychanie barwny materiał. Na Piotrkowskiej można było spotkać lumpów, podziemie gospodarcze i rekiny biznesu. Pod Grandem parkowały amerykańskie krążowniki, a obok robotnicy szli do fabryk, profesorowie na uczelnie. To niezwykłe przemieszanie ludzi dawało miastu nerw i przypominało bulgoczący tygiel" – wspominał Marek Piwowski w *Filmówce*, co przytaczam jako tak zwane tło społeczno-towarzysko-zawodowe, kształtujące studentów wszystkich wydziałów. Tło momentami kolorowe, momentami szare i przygnębiające, ale dla artystów niezbędne, bo inspirujące.

Artysta nie musi mieć drogi usłanej różami, nawet nie powinien. Poznanie różnych światów, ludzi, odmiennych zachowań i systemów wartości jest jego obowiązkiem, zawodową, można powiedzieć, koniecznością. O to, ile każdego kandydata na artystę kosztuje proces adaptacji w Szkole, środowisku, nikt nie pyta. Wiadomo, że pomyślnie ten życiowy egzamin zdają tylko najlepsi, najbardziej wytrzymali psychicznie.

Skoro Janusz Gajos został od razu jednym z najbardziej uzdolnionych studentów – proces przystosowania miał nieco wyćwiczony już w wojsku, a hart ducha przez cztery egzaminy – można domyślać się, że nie napotkał specjalnych trudności adaptacyjnych. Mało tego, już na drugim roku został zaangażowany do prawdziwego filmu. Maria Kaniewska uczyła na Wydziale Aktorskim podstawowych ćwiczeń z wyobraźni, ale była przede wszystkim reżyserem. Właśnie przystępowała do pracy nad nowym filmem i znalazła w nim rolę dla „swojego" studenta.

Filmowa wersja *Panienki z okienka* powstała na podstawie powieści historycznej dla młodzieży Jadwigi Łuszczewskiej, używającej pseudonimu Deotyma, po raz pierwszy wydanej w 1898 roku. Jerzy Broszkiewicz, Jan Marcin

Szancer i Maria Kaniewska napisali scenariusz przygodowego dwuczęściowego filmu dla młodzieży, spełniającego funkcje edukacyjne i wychowawcze. I cokolwiek by nie powiedzieć o samym filmie (już w chwili powstawania trącącym myszką) stawiane przed nim zadania spełnił. Przede wszystkim uderza rozmach, z jakim został wyprodukowany. Sceny pościgów konnych, uprowadzeń i podróży karetami przez lasy i wioski przeplatają się z obrazami królewskiej floty wpływającej, w liczbie kilkunastu pięknych fregat, do gdańskiego portu. Jan Marcin Szancer, malarz i rysownik o bogatej wiedzy historycznej, zaprojektował kilkanaście różnorodnych dekoracji, ukazujących wnętrza siedemnastowiecznych dworków szlacheckich, komnaty bogatych gdańskich mieszczan, pracownię astronoma Heweliusza, wypełnioną przyrządami do badania nieba, szereg placów publicznych, sal ratuszowych, ulic dawnego zamożnego Gdańska oraz niebywałą, jak na nasze dzisiejsze możliwości produkcyjne, liczbę przepięknych siedemnastowiecznych kostiumów, ukazujących wręcz przepych i finezję staropolskich strojów dla przedstawicieli wszystkich stanów – chłopstwa, szlachty, arystokracji związanej z królewskim dworem oraz bogatych gdańskich mieszczan i ich sług.

Obecnie nakręcenie filmu, w którym zostałyby, jak w *Panience*, odtworzone z niebywałym, wręcz muzealnym pietyzmem wszystkie siedemnastowieczne wnętrza, przedmioty codziennego użytku, a także zaprzęgi konne oraz flota morska złożona z pięknych karaweli, chyba nie byłoby możliwe z powodów finansowych. Wówczas nie liczono się tak bardzo z kosztami ani scenografii, ani tłumów statystów, biorących udział w akcji. Mimo tych wielkich nakładów, powstał obraz bardzo teatralny, szczególnie ze względu na aktorów, którzy grali w manierze filmu przedwojennego – pełnego długich ujęć, statycznych sytuacji i sposobu dialogowania z podkreślaniem „ł" przedniojęzykowozębowego. Dziś już prawie nikt go nie używa.

Fot. z archiwum Filmoteki Narodowej

Kiedy po raz pierwszy zobaczyłem jak wyglądam na ekranie dostałem prawdziwej gorączki

Moi koledzy otarli się już o plan; dla mnie „Panienka..." była debiutem. Zdjęcia zaczynały się w poniedziałek, a ja już w niedzielę poszedłem do Marii Kaniewskiej, która była opiekunem naszego roku i mieszkała w Szkole. Bez słowa zrozumiała, że przyszedłem do niej ze strachu przed jutrzejszymi zdjęciami, ale zamiast pocieszenia usłyszałem: No, co! Pierdla masz? – Kilka dni później posadziła mnie przed kamerą i powiedziała: Teraz musisz się śmiać, serdecznie i prawdziwie, tylko nie mów, że nie umiesz! – Byłem tak przerażony, że już za trzecim dublem było dobrze. Do dziś umiem się śmiać, kiedy trzeba.

Oglądając teraz ten film, odniosłam wrażenie, że właściwie od pierwszego wejścia na plan Janusz Gajos wyróżniał się naturalnością. Jego Pietrek, służący w domu zamożnego gdańszczanina, to chłopiec pełen życia i humoru, zwinny, giętki. Wszędzie się wciśnie, wszystko załatwi, z korzyścią dla siebie oczywiście. Młody aktor wykorzystał walory kostiumu. Zielone spodnie wpuszczone w długie rude buty, biała koszula i luźna kamizela to strój sprzyjający swobodzie ruchów. W porównaniu z aktorami odzianymi w zdobione kontusze, kapelusze z piórami, lisie czapy, pasy słuckie, Gajos poruszał się lekko, jak w prywatnym ubraniu, z czego uczynił atut postaci.

Rola Pietrka, zawiadiackiego sługi w pewnym mieszczańskim domu, trochę łobuziaka, trochę spryciarza z żywą *vis comica*, rola charakterystyczna, zdradzająca komediowe predyspozycje, została zagrana przez nieśmiałego studenta z „temperamentem i żywiołowością młodości" – jak pisali recenzenci. Zatem, już w tej pierwszej rólce, Janusz Gajos zwrócił na siebie uwagę. Poprzez kontrast, bo w przeciwieństwie do innych aktorów unikał koturnowości. W roli chłopca do specjalnych poruczeń byłaby ona mało prawdopodobna, ale nie niemożliwa. Nawet literackie tyrady, bardzo długie jak na służącego, w ustach Gajosa brzmiały prosto i zwyczajnie. Młody aktor zagrał Pietrka jako chłopca inteligentnego, sprytnego, który daje sobie radę w różnych sytuacjach nie gorzej niż utytułowani panowie, a przy tym ma masę wdzięku. Nic z teatralnego przerysowania, sztuczności tak rażącej u innych. Takie ujęcie roli może podpowiedzieć naturalny instynkt, wyczucie prawdy zachowań, jakiego się nie da nikomu przekazać ani nauczyć. W przypadku studenta trudno mówić o warsztacie. Debiutanci, bliżsi jeszcze naturszczykom niż zawodowcom, bronią się przed kamerą tym, co najzwyczajniejsze – sposobem bycia.

Dla młodziutkiego aktora zetknięcie się na planie z Andrzejem Szczepkowskim (Heweliusz), Mariuszem Dmochowskim (książę Ossoliński), Kazimierzem Fabisiakiem (mistrz Jan Szulc, szlifierz złota i bursztynów), a także ze śliczną Polą Raksą (Hedwiga), o której rękę walczą dwaj szlachcice, musiało być wyróżnieniem.

I olbrzymim przeżyciem. Po raz pierwszy zetknąłem się z tak znanymi aktorami i to z Warszawy. W Szkole nie stykaliśmy się z wybitnymi aktorami, oni byli dla nas niedostępni. A tu nagle, na planie, ja pośród wielkich. To onieśmielało. Oni zaś traktowali mnie dosyć serdecznie. Kiedyś było strasznie zimno. Siedzieliśmy wieczorem podczas zdjęć w plenerze i nagle usłyszałem: Damy małemu wódki? Damy, no, tylko się nie upij! – Koledzy, kiedy im potem opowiadałem, że zdarzyło mi się z takimi aktorami nawet wódkę pić, nie chcieli w to wierzyć Śmieszne, ale tak było.

Pierwsza i niewielka rola, być może, przesądziła o karierze, a właściwie całym dalszym życiu artystycznym Janusza Gajosa. Dlaczego? W tym filmie dla młodzieży zobaczył młodego aktora Konrad Nałęcki, reżyser serialu wszechczasów Telewizji Polskiej – *Czterej pancerni i pies*. Ale to dopiero przyszłość.

Student Gajos jeszcze o swojej przyszłości wie bardzo niewiele. Wciąga się w życie Szkoły, organizuje z kolegami kabaret „Piątka z ulicy Gdańskiej".

Zawsze chciałem robić kabaret, podobała mi się taka forma bezpośredniego kontaktu z publicznością. Na podstawie „Słówek" Boya napisałem scenariusz. Ale pani Małkowska, dziekan wydziału, która tekst dostała do zatwierdzenia, miała wobec niego spore obiekcje. W każdym razie otrzymanie zgody strasznie się wlokło. A my, to znaczy koledzy – Halina Kowalska, Franek Trzeciak, Włodek Nowak i ja – byliśmy bardzo niecierpliwi. Niestety, nie mieliśmy we własnym gronie osoby piszącej. Przygotowaliśmy więc składankę z najlepszych tekstów, które „chodziły" w radio. I tak zaczęliśmy zabawę w kabaret. Trwała dwa lata, nawet w czasie wakacji jeździliśmy na tak zwane występy, żeby coś zarobić.

Ciekawsze było nasze eksperymentalne przedstawienie: „Pamiętniki Pana Boga", które cieszyło się dużym powodzeniem.

Waldek Wilhelm, który uczył nas wówczas szermierki, interesował się też reżyserią. Dotarł do wydanego u nas w latach dwudziestych tekstu włoskiego pisarza i filozofa, zdeklarowanego ateisty, który po okropieństwach pierwszej wojny przeżył konwersję duchową i stał się gorliwym katolikiem. Nazywał się Giovanni Papini, i jeszcze jako wojujący ateista w 1911 roku napisał tekst, gdzie przedstawił Boga w trzech osobach. Grali je – Joasia Jędryka, Franek Trzeciak i ja. Maciek Grzybowski grał diabła, a rzecz oczywiście dotyczyła dobra i zła. Występowaliśmy w sali organowej pałacyku na Gdańskiej. Nieoczekiwanie staliśmy się elitą Szkoły. To był jedyny rok, który potrafił się uruchomić i złożyć samodzielne przedstawienie poza licznymi i trudnymi zajęciami. Mnie wtedy bardzo frapowało robienie czegoś innego.

Szkoła przy ulicy Gdańskiej w Łodzi – od wewnątrz i z zewnątrz

Na pewno ta aktywność nie szła na marne. Dodatkowe zajęcia, to jakby kupowanie dodatkowych losów, zwiększających szanse wygranej. Niewykluczone, że właśnie jako aktywny student trzeciego roku Gajos otrzymał propozycję od Janusza Weycherta wystąpienia w filmie psychologiczno-obyczajowym *Obok prawdy*. Zagrał w nim Zygę, postać kluczową dla przedstawionej intrygi. W czasie pracy, w kopalni, zdarzyło się nieszczęście – zginął robotnik. Technik Łopot stara się dowieść w swych zeznaniach, że był to tylko nieszczęśliwy wypadek. Zostaje uniewinniony, ponieważ podejrzenia kieruje na starego maszynistę. Jednak sprawcą wypadku okazuje się jego sąsiad i wychowanek Zyga. Tu Janusz Gajos musiał już nie tylko być na ekranie, zwinnie się poruszać, ale też przekazać pewien proces psychologiczny postaci. Jego bohater z beztroskiego żartownisia przemienia się w mężczyznę, który po raz pierwszy uświadamia sobie, jak kruche jest ludzkie życie, jak niewiele trzeba, by przekroczyć tę cienką granicę między bytem a niebytem. Uświadamia sobie także, że śmierć człowieka jest wynikiem niedopełnienia przez niego obowiązków.

Janusz Gajos jako Zyga musiał zagrać nie tylko przerażenie tym, co się stało, ale także całą gamę stanów psychicznych człowieka, który się waha, próbuje ocalić własną skórę przed odpowiedzialnością, a równocześnie chce pozostać uczciwym wobec siebie i nadal pracować w kopalni. Pogodzić tego się nie da. Zwycięża prawda, chłopiec musi ponieść konsekwencje swego czynu. Aktor dał sobie radę z tym zadaniem dzięki instynktowi, podpowiadającemu mu oszczędność środków. Jego Zyga był prostym chłopcem, niezbyt rozumnym, niezbyt przebiegłym, ale wewnętrznie uczciwym.

Nic więc dziwnego, że zaraz potem znalazł się w obsadzie jednego z bardziej awangardowych filmów, jakie powstały w połowie lat sześćdziesiątych – *Barierze* Jerzego Skolimowskiego według autorskiego scenariusza. Filmu zderzającego mieszczańskie ideały życia młodego człowieka (Jan Nowicki) z pragnieniem niezależności, które reprezentowała młoda dziewczyna, tramwajarka (Joanna Szczerbic). Wprawdzie Gajos zagrał tam niewielką rólkę – tramwajarza, pojawiającego się w jednej z końcowych scen filmu, ale samo uczestnictwo w przygotowaniu tego poetyckiego, metaforycznego i autorskiego obrazu, uderzającego jeszcze dziś wysmakowaną fotografią, aurą dziwności i symboli, musiało być frajdą. Ale z *Barierą* łączy się także pierwsza porażka. Jerzy Skolimowski, kolega z Wydziału Reżyserii, zaprosił na zdjęcia próbne do głównej roli kilku aktorów, między innymi Gajosa. W końcu powierzył tę rolę Janowi Nowickiemu, a kolega dostał małą rólkę, niejako na pocieszenie. Wprawdzie znalazł się znów w towarzystwie Tadeusza Łomnickiego czy legendarnego Zdzisława Maklakiewicza, ale tylko teoretycznie. Pojawił się na ekranie przez moment, w niewielkim epizodzie, i nawet nie miał szansy zetknąć się na planie z wybitnymi kolegami.

Tak bywa w tym zawodzie. Aktor służy urzeczywistnieniu wizji reżysera, i jakkolwiek by to brzmiało brutalnie, tak jest i będzie. Na szczęście reżyserów jest wielu, wizji jeszcze więcej. Życie studenta Gajosa zaczęło nabierać przyspieszenia. Kilka miesięcy wcześniej brał udział w zdjęciach próbnych do innego filmu. Pojechał do Warszawy na zaproszenie Konrada Nałęckiego. Wykonał z Włodzimierzem Pressem zadaną etiudę i wrócił. Po dość długim czasie zaczęły go dochodzić słuchy, że jest poważnie brany pod uwagę do roli Janka Kosa. To znaczyło około stu dni zdjęciowych, podczas gdy dla studenta szczęściem było spędzić kilka dni na planie. Ale wciąż nie wiedział nic pewnego, choć scenariusz pisał razem z Januszem Przymanowskim Stanisław Wohl, profesor ze Szkoły.

W tym czasie inny profesor, Jerzy Walden, zaproponował mi jakieś zastępstwo w komedii wystawianej w Teatrze 7,15, który mieścił się w budynku Grand Hotelu. Znalazłem się więc w teatrze typowo rozrywkowym. Grałem tam epizody, ale później zostałem zaangażowany na etat. W tak zwanym międzyczasie sprawa mojego udziału w filmie Konrada Nałęckiego wyjaśniła się i po zdaniu absolutorium poszedłem na kilka miesięcy do filmu. Kiedy wróciłem, dowiedziałem się, że zespół Teatru 7,15 został połączony z Teatrem im. Jaracza. Tak więc, niejako zaocznie, zostałem aktorem tego teatru. Ale bez dyplomu. Dopiero po kilku latach napisałem pracę i w 1971 roku ją obroniłem.

Pancerni - szansa na sukces i szansa na klęskę

Zanim na planie filmu odbędzie się pierwszy klaps, cała ekipa musi być gotowa znacznie, znacznie wcześniej. Propozycję zagrania Janka Kosa, głównego bohatera serialu *Czterej pancerni i pies,* Janusz Gajos otrzymał wiele miesięcy przed rozpoczęciem zdjęć, jeszcze jako student czwartego roku Wydziału Aktorskiego.

Miałem mieszane uczucia. Bardzo chciałem zagrać główną rolę w serialu zaplanowanym na siedem odcinków, bo to gwarantowało wydobycie się z anonimowości, popularność, o którą na początku trzeba walczyć. Niemniej liczba dni zdjęciowych przerastała najśmielsze marzenia, nie umiałem sobie tego wyobrazić. Z drugiej strony towarzyszyło mi poczucie niepewności, jak się to wszystko skończy. Rzeczywistość jednak przerosła wszystko, co wówczas mogłem sobie pomyśleć. Zarówno w pozytywnym, jak i negatywnym sensie.

Ale po kolei. Warto tę niecodzienną przygodę szerzej opowiedzieć. O wyborze Janusza Gajosa zadecydowało kilka powodów. Po pierwsze – rola Pietrka w filmie *Panienka z okienka,* o której się mówiło w małym filmowym światku. W wytwórniach zawsze wiadomo, kto z młodych rokuje nadzieje, kto jest pracowity, utalentowany. Podobnie w Szkole, opinie profesorów często ważą na losach podopiecznych. Stanisław Wohl miał spory udział w powstawaniu filmu i zdecydowanie popierał studenta znanego z dobrych wyników i aktywności. Po drugie – szczęściu aktora zawsze sprzyja jego powierzchowność. W tym przypadku idealna, bowiem jako człowiek dorosły, dwudziestokilkuletni, Gajos nadal wyglądał jak chłopiec. Drobne rysy twarzy, zadziorne spojrzenie błękitnych oczu, szczupła sylwetka i, nie ukrywajmy, wdzięk młodego mężczyzny, szorstkością obejścia maskującego ciepło, stały się jego atutami. Jedynym mankamentem w oczach reżysera okazały się ciemne, czyli niezupełnie słowiańskie włosy aktora, ale z nimi radził sobie fryzjer, rozjaśniając je co kilka tygodni przez cztery lata (1966–1970). Po sukcesie pierwszych siedmiu odcinków *Pancernych*, na życzenie widzów powstało następnych czternaście.

Serial *Czterej pancerni i pies* został nakręcony na podstawie powieści Janusza Przymanowskiego pod tym samym tytułem. Opowiada ona o losach kilkorga młodych ludzi złączonych wojennym trudem i męstwem, lojalnością i brawurą, którzy przeszli zwycięsko szlak wojny, z dalekiej Syberii aż do Berlina. I na zawsze pozostaną młodzi, piękni i odważni. Choć ich losy bardzo często mijają się z prawdą historyczną, czy wręcz z życiowym prawdopodobieństwem, to mieszczą się w krainie bohaterskiego mitu. Starego jak świat mitu, wykreowanego w ludowych eposach, podaniach i bajkach, ustanawiającego wzory waleczności, przyjaźni i wzniosłości... dla pokrzepienia serc.

Bardzo dokładną analizę przygód załogi RUDEGO, których źródło tkwi nie w historii II wojny, lecz w ludowej epice, przeprowadził swego czasu badacz kultury z Uniwersytetu Warszawskiego, Roch Sulima, w rozprawie *O herosach, rycerzach i czterech pancernych...* opublikowanej w książce *Folklor i literatura* w roku 1976. Wykazał on, że konstrukcja fabularna *Pancernych* powtarza strukturę eposu bohaterskiego. Przede wszystkim poprzez jego najbardziej typowe motywy: dziecięcy wiek i młodość bohatera, jego sieroctwo, spotkanie starca opiekuna, a także posiadanie czarodziejskiego pomocnika (tu jest nim pies Szarik), który nie tylko towarzyszy w wędrówce życiowej, ale też chroni i wybawia z rozmaitych opresji.

Młody bohater, zgodnie z poetyką legendy, obdarzony jest wyjątkową zręcznością i sprytem, ponadto jest człowiekiem nieustraszonym i mądrym, dobrym i sprawiedliwym. Jeśli nawet uczestniczy w bójkach, to bije się sprowokowany w obronie pewnych wzniosłych wartości – jak honor czy męstwo. Tym właśnie poczuciem sprawiedliwości, które łączy się z rycerskim kodeksem walki oraz niezwykłymi, wręcz cudownymi czynami – strzela celnie jak nikt – bohater wkrada się w łaski grupy. Tu jest nią formująca się na froncie wschodnim Brygada im. Tadeusza Kościuszki, a jeszcze ściślej – załoga czołgu, którą obowiązuje prastare prawo: jeden za wszystkich, wszyscy za jednego. I prastare prawo bajki, określające nadprzyrodzone właściwości każdego z przyjaciół bohatera.

Dowódca czołgu, Olgierd Jarosz (Roman Wilhelmi), wychowany w Związku Radzieckim, jest potomkiem polskiego powstańca z 1863 roku. Wojna daje mu szansę powrotu do ojczyzny, ale dla załogi ważniejsze jest to, że potrafi przepowiadać pogodę i czytać przyszłość z chmur. Gustlik Jeleń (Franciszek Pieczka), Ślązak, który zbiegł z Wehrmachtu, nie tylko rozumie mowę ptaków, ale jako syn kowala jest nieludzko silny, potrafi wyjąć gołymi rękami wielki gwóźdź wbity w drzewo przez czołg i zwinąć go wokół palca. Podobnie jak koledzy zadziwia walecznością Grisza Saakaszwili (Włodzimierz Press), czarnooki, wesołkowato-naiwny Gruzin, doskonały jako kierowca czołgu, sprawny strzelec. Po śmierci Olgierda w bitwie pod Wejherowem dołączył do załogi Tomek Czereśniak (Wiesław Gołas), nieodrodny potomek chłopów pańszczyźnianych, syn starego Czereśniaka (Tadeusz Fijewski), który tak zwanym chłopskim rozumem praktycznie rozwiązuje trudy wojennego bytowania. Barwne pozostają również postacie drugoplanowe: zadziorna rudowłosa sanitariuszka z Ukrainy Marusia (Pola Raksa) – to od koloru jej włosów czołg nazywa się RUDY; zalotna radiotelegrafistka Lidka (Małgorzata Niemirska) – obie rywalizujące o uczucia Janka; Honorata (Barbara Krafftówna), narzeczona Gustlika, czyli Ślązaczka z zasadami; ciamajdowaty acz dobry „z kośćmi" kapral Wichura (Witold Pyrkosz).

Bohaterowie *Pancernych* są oczywiście nieustraszeni, na każdą akcję idą bez wahania, gotowi ryzykować zdrowie i życie. Dopisuje im szczęście, gdyż nie tylko wychodzą cali (z wyjątkiem Olgierda, który jednak ginie), to jeszcze ich przyjaźń zostaje wzmocniona poczuciem lojalności i wierności. Nie są jednak monolitami. Kiedy Janek w bitwie pod Studziankami pierwszy raz w życiu zabija Niemca i później widzi jego martwe ciało, robi mu się słabo i zbiera na wymioty, a gdy wraca do okopów i znajduje martwego Rosjanina, który powtarzał zabawne „jołki-połki", płacze jak mały chłopiec. Każdy z członków załogi ma chwile słabości, wahań, jakieś śmiesznostki, ale one dodają wiarygodności ich charakterom, a tym samym zbliżają do widza.

Wartością niepodważalną pozostaje bohaterstwo załogi RUDEGO. Ono, dla większego prawdopodobieństwa, wyrasta nawet ponad własne szeregi. Wystarczy sobie przypomnieć postać felczera z Mińska Mazowieckiego (Wiesław Michnikowski), który mdlał ze strachu i przerażenia, gdy widział lub słyszał strzelaninę. Lecz dzielni chłopcy wydobywali go z opresji, odnajdywali w opuszczonej piwnicy, pomagali zejść z dachu itd. Słowem, nie dość, że walczyli z Niemcami, to jeszcze potrafili pomóc słabszym, mniej odpornym psychicznie czy wręcz mięczakom, byle się nie dać wrogowi.

Bohaterowie *Pancernych* bywają komiczni, zwłaszcza ich język będący specyficznym *volapükiem* polsko-rosyjsko-śląskim, pozostaje nieprawdopodobną mieszaniną. Czystej krwi Rosjanin Czernousow (Janusz Kłosiński), po dwóch słowach rosyjskich nagle gładko „jedzie" po polsku, tak samo jak Marusia. Gustlik co chwila wtrąca coś śląską gwarą, stary i młody Czereśniak dorzucą słówko po chłopsku, z mazowiecka, ze zrozumieniem zaś języka wroga, czyli niemieckiego, nikt nie ma problemów. Zresztą dialogi są mocną stroną serialu. Jest to język codzienny, charakteryzujący związki społeczne i etnograficzne pomiędzy ludźmi w sposób najprostszy, jego źródło bowiem tkwi w ich psychice i indywidualnych cechach. Elementy humoru i komizmu skutecznie przeciwdziałają koturnowości, postacie z ekranu stają się bardzo bliskie codziennemu doświadczeniu. Ich przygody, bliższe wprawdzie harcerstwu niż wojnie, tym skuteczniej przybliżają męstwo i wytrwałość do wymiarów życia. Bohaterstwo okazuje się możliwe, na wyciągnięcie ręki. Tysiące takich chłopców w mundurach przez wiele miesięcy podążało czołgami albo piechotą w skwarze i mrozie, kurzu i deszczu po zwycięstwo. I większość przetrwała wojenny znój.

Niemniej wszyscy ci bohaterowie są postaciami rodem bardziej z fikcji literackiej niż z życia. Z przyczyn historyczno-politycznych nasza literatura wyjątkowo silnie ustanawiała wzory dla życia, nic więc dziwnego, że romantyczne modele bohaterstwa, patriotyzmu, niezłomności i wierności zasadom, przeniknęły także do kultury masowej. Nie ulega wątpliwości, że serial, adresowany przede wszystkim do młodej widowni, czerpał wzory także z literatury wysokiej. Świadomie przenosił je w realia walki z hitlerowskim najeźdźcą i nie mniej świadomie odwoływał się do sprawdzonych wzorów mentalnych polskiego społeczeństwa. A to sprawiło, że z postaciami serialu chętnie się utożsamiano. Nie dlatego, że były aż takie prawdziwe, tylko dlatego, że aż takie szlachetne. Nie wiem, czy to dobrze, czy źle, ale tak już jest, że tak zwana szeroka publiczność nie zawsze lubi oglądać prawdę. Widzowie zwykle wolą widzieć się lepszymi, szlachetniejszymi, takimi, jacy chcielibyśmy być. Mit bywa silniejszy niż rzeczywistość, tak jak marzenie jest piękniejsze od realności. Z tego doskonale zdawali sobie sprawę scenarzyści – Janusz Przymanowski, Stanisław Wohl i Maria Przymanowska.

Jeszcze inaczej powodzenie tej filmowej opowieści wyjaśnia Roch Sulima – „Olbrzymia popularność *Czterech pancernych* tłumaczy się między innymi zespoleniem losu *indywidualnego bohatera* utworu, Janka Kosa, z losem *bohatera kolektywnego*, załogi czołgu, a zarazem tysięcy Polaków, którzy przychodzili do Polski przez pola bitew i potyczek. Los *bohatera indywidualnego* ma tu motywację psychologiczną, która pojawia się jakby w miejsce dawnej m o t y w a c j i   m i t o l o g i c z n e j. Los zaś *bohatera kolektywnego* jest idealizacją działań żołnierskiego kolektywu". I dodaje dalej, że bohaterowie *Pan-*

Dyrektor wytwórni win w Kłodzku nie wie co robi –
zaprasza ekipę „Pancernych" na degustację

Fot. z archiwum aktora

...jeszcze dziś mnie pytają – wołał pan Lidkę czy Marusię?

cernych „są swoistą syntezą typów ludowego bohaterstwa, syntezą podyktowaną nieprzeliczalną mnogością powtarzających się sytuacji życiowych".

Jednakże dla młodego aktora, studenta czwartego roku Szkoły, nie te kwestie stanowiły główny problem. Janusz Gajos, nieledwie debiutant, znalazł się na planie pośród uznanych aktorów, zwłaszcza z warszawskich teatrów: Wpółczesnego, Dramatycznego, Ateneum, ale także ze Starego Teatru w Krakowie. Już samo spotkanie z gronem najpopularniejszych musiało być przeżyciem. Tym większym, że Gajos grał główną rolę. Szesnastoletniego chłopca z Gdańska, który po stracie matki w gruzach palącego się domu rodzinnego, starał się pośród wojennej zawieruchy odnaleźć zaginionego ojca, obrońcy Westerplatte. Ta rzuciła go aż nad rzekę Ussuri na Syberii, skąd wracał do kraju. Męstwem i walecznością zdobywał uznanie kolegów oraz dowódców. Doszedł z nimi aż do Berlina, gdzie na Bramie Brandenburskiej obok polskiej flagi położył czapkę zabitego kolegi. Janek Kos przez dwadzieścia jeden godzinnych odcinków nie schodzi właściwie z ekranu; to wokół jego przygód osnuta jest akcja. Zagrać taką postać w obecności i przy udziale tak znakomitych kolegów to wyzwanie zawodowe, przed jakim stają najwięksi szczęściarze.

Na planie spotkali się fantastyczni aktorzy. Miałem okazję oglądać, jak się zachowują, gdy na planie słychać: Uwaga, cisza – kamera! Nawet gdy nie brałem udziału w jakiejś scenie, to chętnie obserwowałem starych aktorów – ze szczególną atencją dla Tadeusza Fijewskiego. Podglądałem, jak zaczyna ujęcie, jak kończy, jak się zachowuje na planie. Potem obserwowałem, jacy ci wielcy są prywatnie. Mieszkaliśmy w czasie zdjęć w tym samym hotelu, spędzaliśmy ze sobą prawie cały czas, więc okazji nie brakowało. Kręcenie „Pancernych" to wielka szkoła zawodu i życia. To także moje pierwsze bruderszafty z ludźmi na topie, jak się to dziś mówi. Wiesio Gołas, Franek Pieczka, Hania Skarżanka – znajomość z nimi traktowałem jako wielkie wyróżnienie, ale też okazję do sprawdzenia się. Ich obecność dopingowała do tego, by się nie ośmieszyć. Oni wyłapywali każdy fałsz, ale też pomagali.

Już w pierwszych dniach pracy aktor musiał wykazać się umiejętnością jazdy na koniu, ponieważ jego bohater tak właśnie – wierzchem – pokonuje odległości w zasypanej śniegiem dalekiej Syberii. Późniejsze odcinki serialu nie będą może wymagały specjalnych umiejętności, bo obieranie ziemniaków, rąbanie drewna czy walka na pięści – to potrafi każdy aktor. I Gajos wykonywał wszystkie zadania aktorskie zapisane w scenariuszu dokładnie i sprawnie. Ale nie z tego tylko powodu jego Janek budził wielką sympatię. Poza tekstem roli aktor potrafił „sprzedać" masę naturalnego wdzięku; nie każdy mężczyzna jest nim obdarzony. Jego Janek maskował swoją młodzieńczą naiwność sprytem i zręcznością, a pod szorstkim czasami obejściem skrywał wrażliwość i ciepło, czym skupiał uwagę widzów. W takich wypadkach mówi się, że aktor był wiarygodny, to znaczy między nim a postacią nie było pustej przestrzeni, gdzie mógłby się pojawić dystans czy ironia aktora wobec wielu naiwnych zachowań lub reakcji Janka. Nie, Gajos zagrał swego bohatera najzupełniej serio, starając się uwiarygodnić jego przygody dużą dozą życiowych obserwacji i zrozumienia dla ludzkich charakterów. Owa dojrzałość emocjonalna bohatera przejawiała się przeważnie poza tekstem dialogów, w sposobie zachowania, który sugerował, że Janek posiada niezawodny instynkt moralny. Jakby odruchowo odróżniał prawdę od fałszu, rzeczy ważne od nieistotnych, i wiedział doskonale, „co się należy, a co się nie należy". Ale to zasługa aktora. Poza słowami potrafił przekazać wiele informacji o postaci, która istnieje w pełni, bez owego inteligenckiego gadania dzielącego włos na czworo.

Janek to pierwszy z plebejskich bohaterów Gajosa, którzy w jego ujęciu uzyskują pełny ludzki wymiar. Samym sposobem bycia, gestem, spojrzeniem określają wysoki poziom kultury osobistej i poczucie godności postaci. Janek Kos to jest ktoś, na pewno nie chłystek, młody mężczyzna, lecz nie gówniarz. Naprawdę, niewielu mamy aktorów wnoszących ze sobą tak rozległą przestrzeń ludzkiej psychologii.

Na aktora w filmie pracuje cała ekipa – reżyser, scenograf, operator, charakteryzatorzy. Serial powstawał w czasach, gdy koszty produkcji nie były sprawą pierwszej wagi. Wiarygodność zapewniała fimowi także duża liczba sprzętu i mrowie statystów. Dość powiedzieć, że do zdjęć używano: prawdziwych dział przeciwpancernych, moździerzy, dwóch tysięcy granatów, trzystu petard, dwustu rakiet, tyluż świec dymnych, tysiąca kilogramów trotylu, kompletnego sprzętu radiostacji polowej. Wszystko to obsługiwał, poza aktorami, oddział saperów, osiemdziesięciu całkowicie umundurowanych i uzbrojonych żołnierzy. Pojawiał się również szwadron polskiej kawalerii pod dowództwem Wachmistrza, czyli znanego aktora Teatru Dramatycznego Mieczysława Stoora.

Ta sceneria wymagała od Gajosa nie tylko umiejętności noszenia munduru, hełmu, podawania chorągiewkami sygnałów dowodzenia, pracy na radiostacji, strzelania z działa i karabinu maszynowego, ale przede wszystkim prawidłowej obsługi czołgu. Wszystkie działania aktorów odbywały się w huku, spowodowanym detonacją rac i petard, wybuchami ognia udającego pożary, i sprzętu wojskowego, i obiektów. Student musiał się oswoić z atmosferą wojny. Doświadczenia służby wojskowej, jaką odbył niedawno w artylerii, okazały się średnio przydatne w filmowej wojnie. Nie była prawdziwa, ale też i nie wczasy.

Serial powstawał w okolicach Poznania, Inowłodza, wsi Poświętne, w Szkole Filmowej w Łodzi, na poligonach w Żaganiu i w podpoznańskim Biedrusku. To znaczyło dla całej ekipy bytowanie w warunkach naprawdę polowych. Bez żadnych wygód, luksusów, o przyzwoitym jedzeniu nie wspominając. Któregoś dnia Janusz Gajos dowiedział się, że musi kilka godzin czekać na swoją scenę. Położył się na polanie. Usnął. Obudził się pod kołami filmowego samochodu. Mundur okazał się doskonałym kamuflażem, kierowca go nie zauważył. I zdjęcia w szpitalu, zaplanowane dla załogi RUDEGO w siódmym odcinku, trzeba było przyspieszyć, by wykorzystać jako chorobę Janka prawdziwy wypadek aktora. Nie taki banalny – długo nie było wiadomo, czy będzie chodzić; samochód poturbował kręgosłup.

Ponieważ w każdej właściwie scenie występuje pies, dla ekipy oznaczało to stałą, niekiedy wielogodzinną współpracę z treserem i jego podopiecznym. Zresztą w kręceniu serialu brały udział dwa owczarki – Trymer i jego dubler Atak. Tak więc aktorzy musieli współpracować nie tylko ze sobą, ale i z psem. Filmowego Janka dotyczyło to szczególnie. Szarik (po rosyjsku kulka) to pies, którego w serialu wychował od szczeniaka, ponieważ jego matkę, Murę, rozszarpał dzik w czasie polowania. Ten mądry owczarek stał się nie tylko przyjacielem całej załogi i kompanii, ale też pełnoprawnym żołnierzem, brał bowiem udział w wielu akcjach. Potrafił wyczuwać obecność zarówno przyjaciół, jak wrogów. Ponadto nie tylko przenosił meldunki przez linię frontu, ale zakładał ładunki wybuchowe w kanale przewodów berlińskiego tunelu. Uwiarygodnienie przygód psa i jego waleczności wymagało od aktorów niejako gry za niego. Związek Janka i załogi czołgu z Szarikiem stał się bardzo mocnym spoiwem nie tylko wewnątrz grupy bohaterów, ale też więzi z widzami, którzy widząc tak inteligentne zwierzę, uruchamiali w sobie nadzwyczajne pokłady zrozumienia, wielkoduszności i sympatii. Przecież po emisji *Pancernych...* co drugi pies na podwórku nazywał się Szarik. A prawdziwy Szarik został wypchany i stoi w wojskowym muzeum w Modlinie, tylko trzeba go było postawić za szkłem, bo od głaskania widzów wyłysiał.

Do jakości filmu rękę przykładali wybitni twórcy. Ballada „Deszcze niespokojne potargały sad, a my na tej wojnie ładnych parę lat..." skomponowana została przez Adama Walacińskiego do słów Agnieszki Osieckiej i Wiktora Woroszylskiego. Śpiewana ciepłym basowym głosem Edmunda Fettinga towarzyszyła każdemu odcinkowi serialu, stając się jego znakiem firmowym. Muzykę zaś napisał Wojciech Kilar. Zmagania najwybitniejszych artystów tamtego czasu były pilnie obserwowane w środowisku, zwłaszcza że był to jeden z pierwszych seriali rodzimej produkcji, powstającej właściwie dopiero wtedy telewizji. Z nowym medium obcowano wówczas zbiorowo, gdyż mało kto miał w domu odbiornik „Wisła" albo „Belweder", więc do tego, kto miał, schodzili się sąsiedzi z całego bloku (nierzadko z własnymi stołeczkami) albo z całej wsi. Z takich prozaicznych powodów, o których dziś już nie pamiętamy, *Pancerni* budzili w owym czasie szczególny zachwyt i zazdrość, podziw i niechęć. Jako pierwsi, i tak bardzo sympatyczni, stali się bohaterami kultury masowej. Liczbę widzów telewizyjnych szacowano na 15 milionów przy pierwszej emisji, a przecież za każdym powtórzeniem przybywały tysiące nowych fanów. Emitowano serial do dziś – 16 razy, 7 milionów widzów zgromadziła jego wersja kinowa. Wydany został na kasetach, 7 części po 3 odcinki każdy, i nadal „żywi" właścicieli wypożyczalni oraz producentów.

Przez trzydzieści pięć lat dorastały kolejne pokolenia chłopców i dziewcząt pragnących być Jankiem, Gustlikiem, Marusią lub Lidką. Zwłaszcza każdy chłopiec na podwórku chciał być Jankiem Kosem, głównym zawadiaką, później dowódcą czołgu. W tym wieku każdy chce walczyć i zwyciężać, a potem stać się bohaterem. Janusz Gajos stał się ucieleśnieniem owych pragnień, takim starszym bratem dla milionów młodszych, wzorem zachowań, urody, postawy. Powodzenie aktora z dnia na dzień przybrało objawy epidemii; został pierwszym w Polsce idolem w prawdziwym tego słowa znaczeniu. Sprzedawano jego zdjęcia – na lusterkach, pocztówkach – wszędzie, od kiosków po bazary i odpusty. Po jego autograf ustawiały się długie kolejki. Stał się osobą publiczną, rozpoznawaną na ulicy, w sklepie, co jak wiadomo, człowieka mile wyróżnia, ale też bardzo ogranicza prywatność. I stawia niejednokrotnie w dziwnych, by nie powiedzieć – głupich sytuacjach. „Eee, wolałam pana blondynem" – jak usłyszał od pewnej pani – to niewinne zdarzenie.

> *Popularność serialu i moja była rzeczywiście olbrzymia, trudna nawet do wyobrażenia, wziąwszy pod uwagę tamte czasy. Niesamowita. Tylko ja z nią zostałem sam i nie zawsze potrafiłem sobie poradzić z tym, co się wokół mnie działo. Mieszkałem w domu aktora, jeździłem tramwajem, nie stać mnie było na żaden, nawet najtańszy samochód. Kiedy się pojawiałem na ulicy, kto chciał, szarpał mnie za ubranie, ciągnął za włosy, chłopcy strzelali z korkowców, mamusie podstawiały córeczki do wspólnej fotografii. Traktowano mnie jak przedmiot do zabawy. Szarpali, żeby sprawdzić, czy jestem prawdziwy?*

To przebiegało falami, każda emisja *Pancernych* w telewizji wzmagała falę gwizdów na widok aktora, szarpaniny, strzelania itd.

> *Ludziom się wydaje, że popularność automatycznie przekłada się na luksus – czarną limuzynę, kwiaty, buźki, uśmiechy. Gwiazda – to znaczy tajemnica. Przejechał jak kometa, zniknął. Fru!!!. A gdzie ja miałem zniknąć? Byłem gwiazdą, ale bez luksusu. Wyzwoliłem się z reżimu finansowego, jaki narzucało stypendium. Mogłem się ubrać, zjeść dobrą kolację, trochę poszaleć, pojechać na wakacje – ale jak zaczęli za mną ganiać z aparatami, po trzech dniach uciekłem. Nie były to jednak pieniądze wystarczające na kupno mieszkania czy samochodu. Z jednej więc strony niby dobrze – popularność niesamowita, próżność połechtana, ale z drugiej – ta szarpanina na ulicy przywracała mnie rzeczywistości.*

Nie mniej denerwujące były pytania: „Niech pan powie, z ręką na sercu, czy pan wolał Lidkę, czy Marusię?". Te pytania zdarzają się jeszcze dziś, po trzydziestu kilku latach. Stawiają je nie tylko ludzie z ulicy, ale dziennikarze, którzy umawiają się na wywiad, przynoszą kwiaty itd. Bywały sytuacje gorsze. Ktoś wymyślił, żeby cała ekipa z Szarikiem przejechała czołgiem ulicą Piotrkowską w Łodzi, jak się to dziś mówi, „w ramach promocji filmu". Wielbiciele mało nie rozdeptali i nie zadusili swoich idoli... z miłości oczywiście. Aktorom udało się umknąć w panice przez podwórka przed oszalałym tłumem. Czołg pozostał na ulicy.

Do powodzenia serialu przyczyniła się telewizja wykorzystywana w celach wychowawczych i propagandowych. W każdą niedzielę przed południem na małym ekranie emitowano program „Ekran z bratkiem", związany z działalnością „Klubu Pancernych". Omawiano w nim działalność załóg, które powstawały jak grzyby po deszczu na podwórkach, w szkołach, wszędzie. Najlepsi mogli wygrać hełmofon, taki, jaki nosił Janek. Zapotrzebowanie było tak wielkie, że spółdzielnie nie nadążały z szyciem tychże hełmofonów. Zarejestrowano około 25 tysięcy załóg, łatwo więc obliczyć, że w zabawie brał udział milion nastolatków. Wydano około 150 tysięcy legitymacji „Klubu Pancernych". Sprzedano pół miliona naszywek na dżinsy z wizerunkiem czołgu RUDY T-102 i psa, 200 tysięcy koszulek, breloczków, lusterek. Eksportowano te gadżety do Związku Radzieckiego, gdzie serial cieszył się również ogromnym powodzeniem. Jeszcze dziś rosyjscy dziennikarze, polscy również, pragną zrobić wywiad z Jankiem Kosem dla swego magazynu.

W Opolu, niezależnie od telewizji, „Klub Pancernych" powstał w radiu. Dzieci założyły klub „Bezpieczna droga" i zdobyły 18 tysięcy kart rowerowych. Powstała akcja „Zimowy zmierzch", polegająca na tym, że dzieci zbudowały tysiące budek dla ptaków, miejsc lęgowych, dokarmiały ptaki, niszczyły wnyki, reperowały psie budy. Powstała Domowa Biblioteka Radiowego Klubu Pancerniaków, Ministerstwo Obrony Narodowej musiało zwiększyć nakłady serii „Bitwy-Kampanie-Dowódcy". Sympatycy załogi RUDEGO zgłaszali wiele inicjatyw społecznych, ich atrakcyjność rosła poprzez odwoływanie się do przygód Janka, Gustlika, Olgierda, Griszy i psa.

Powodzenie serialu i filmu spowodowało zainteresowanie nim, jak się wtedy mówiło, „najwyższych czynników partyjnych i państwowych". Sukces przedsięwzięcia przerósł najśmielsze oczekiwania. Twórcą serialu był partyjny pupil, Janusz Przymanowski, który wiedział, jak rozłożyć akcenty prawdy historycznej lub jak je spreparować, by się owym „najwyższym czynnikom" podobały. Bo choć świadomie pisał scenariusz serialu rozrywkowego, przedstawiającego wojnę od mniej poważnej, bajkowej strony, to wymogi cenzury obowiązywały nawet bajki. Zwłaszcza bajki, zważywszy powodzenie mowy ezopowej, jaką się posługiwano w teatrze, kinie i literaturze.

Społeczny odbiór serialu stał się przedmiotem zainteresowania obywateli zatrudnionych nawet w Biurze Prasy i Propagandy KC PZPR. Jak wielką wagę przywiązywano do jego popularności i jak chętnie ją wykorzystywano dla partyjnej propagandy, wystarczy przeczytać gazety z tamtego czasu. „Narada poświęcona była oddziaływaniu popularnej serii filmów telewizyjnych *Czterej pancerni i pies* oraz akcji prowadzonych przez Klub Pancernych na psychikę i wyobraźnię, a także postawy dzieci w wieku szkolnym. Janusz Przymanowski omówił *osiągnięcia w dziedzinie poznawania przez młode pokolenie chlubnych tradycji ludowego Wojska Polskiego, a także zbliżenia młodych widzów do współczesnej problematyki obronnej kraju"* (*Żołnierz Wolności* nr 295/1969).

Kurier Polski (nr 164/1970) donosił: „Oto w niewielkiej wsi Biadolinach na pograniczu powiatów brzeskiego i tarnowskiego rozpocznie się budowa szkoły, która nosić będzie imię *Czterech pancernych i psa.* Na specjalnym postumencie przed szkołą ma stanąć czołg *RUDY.* Zakłady pracy i szkoły województwa krakowskiego zbierają dary rzeczowe i pieniądze. Gustlik – Franciszek Pieczka – odbył wiele spotkań, a dochód z nich przeznaczył na konto budowanej szkoły". Tytuł artykułu wymowny: „Pomnik Uśmiechu Dziecka im. Czterech pancernych".

Powodzenie serialu zaostrzyło apetyty partyjnych propagandzistów. Jednoznacznie sformułował je Czesław Dziekanowski w artykule „Czterej pancerni chcą spać". „Grę w serialu uważają aktorzy za spełnienie jakby obywatelskiego obowiązku. Bo powtarzam, nie chodzi w serialu wyłącznie o element zabawowo-rozrywkowy. Socjolodzy i psycholodzy wiedzą doskonale na podstawie badań, że seriale z reguły stają się skutecznym narzędziem kształtowania, w skali masowej, gustów i postaw społecznych odbiorcy. (...) Tak więc wyniesione w trakcie działania artystycznego doświadczenia bohatera stają się własnością widza. Trudniej w obecnych warunkach o efektywniejszy instrument wychowawczego oddziaływania na widza. *Pancerni* odpowiadają w całej pełni wymogom; są sprytni, sprawni, odważni, wierni wobec sprawy, koleżeńscy. Film zgodnie z historyczną prawdą opowiada o wojnie zwycięskiej. Ale nie tylko o prawdę historyczną chodzi. Naszemu poczuciu sprawiedliwości właściwe jest przecież niezachwiane przekonanie o nieuchronności zwycięstwa słusznej sprawy. Dlatego *Czterej pancerni* pozostają w zgodzie z powszechnym odczuciem społecznym" (*Kierunki* nr 44/1969).

Dość długo ten popularny film rozrywkowy zdobywał kolejnymi emisjami nowych wielbicieli. Pierwsi jego wrogowie odezwali się po odwołaniu stanu wojennego. Serial – „Fałszuje obraz wojny, pokazuje ją w konwencji beztroskiej i ciekawej przygody, odległej od tragicznej rzeczywistości wojennej poniewierki, cierpień pojedynczych ludzi i dramatów całych narodów. Wydaje nam się, że film ten nie sprzyja przygotowaniu dzieci do życia w pokoju" („Zdjąć pancernych?" – *Gazeta Olsztyńska* nr 69/1986).

Prawdziwie zmasowany atak nastąpił jednak po ogłoszeniu wyników telewizyjnego plebiscytu w roku 1995. Widzowie uznali *Czterech pancernych* za serial wszechczasów. Wygrał on ze *Stawką większą niż życie, Domem, Wojną domową, Karierą Nikodema Dyzmy.* I rozpętała się wokół niego walka, polityczna oczywiście. Jak wszystko, co pochodziło z czasów PRL-u, i ten serial stał się celem niewybrednych ataków.

Jacek Maziarski pisał tak: „Długo można by wyliczać, czego w tym filmie nie ma. Przemilczano, rzecz jasna, wyłapywanie i rozstrzeliwanie żołnierzy AK. Nie pokazano obozów, z których wywożono na Sybir nie tylko AK-owców, ale wszystkich, którzy wydawali się nowym okupantom elementem niepewnym i niebezpiecznym. Nie dowiadujemy się, że tuż za czołgiem czterech pancernych posuwały się dywizje NKWD i specbataliony podpułkownika Toruńczyka, których jedynym i głównym zadaniem było polowanie na Polaków lojalnych wobec władz Rzeczypospolitej. Spoza sielankowego obrazu wyzwolonego rzekomo Lublina nie widać lubelskiego zamku, który znów – tak jak podczas okupacji hitlerowskiej – stał się katownią ludzi polskiego podziemia.

Serial *Czterej pancerni i pies* jest wzorcowym przykładem komunistycznej propagandy. Podbój przedstawiony został jako wyzwolenie, okupanci występują w roli przyjaciół, a bezlitosny terror zamaskowany został naręczami kwiatów znoszonymi przez ludność. Takie właśnie filmy, książki i wiersze sprawiły, że większa część naszego społeczeństwa uwierzyła w brednie panów Przymanowskich i im podobnych – ci ludzie po prostu nie wiedzą o tym, że instalowanie władzy ludowej pochłonęło około pół miliona ofiar" (*Ład* nr 34/1995).

To oczywiście nie koniec awantury o *Pancernych*. W roku 2000 nagłówki w prasie grzmiały: „Napadli na czterech pancernych – Kombatanci z Krakowa żądają wstrzymania emisji najpopularniejszego polskiego serialu". O co poszło? Otóż krakowskie Porozumienie Organizacji Kombatanckich i Niepodległościowych wystosowało protest do Krajowej Rady Radiofonii i Telewizji przeciwko kolejnej emisji serialu. Kto protestował? Porozumienie skupia 5,5 tysiąca osób z 19 związków kombatantów, m.in. z małopolskiego Okręgu Światowego Związku Żołnierzy AK, ze Zrzeszenia „Wolność i Niezawisłość", z Polskiego Związku Więźniów Komunizmu i Instytutu Katyńskiego w Polsce.

„Dwie bezpośrednio następujące po sobie emisje serialu fałszującego w haniebny sposób obraz stosunków polsko-sowieckich traktujemy jako świadomą demoralizację młodocianej widowni przez Zarząd TVP. Wyświetlanie go w okresie ferii zimowych ma przyciągnąć przed ekrany telewizorów głównie młodzież szkolną. Będzie ona oglądać jeden z najbardziej kłamliwych obrazów najnowszej historii, jaki wyprodukowała komunistyczna propaganda PRL dla przypochlebienia się Związkowi Sowieckiemu.

Rozpowszechnianie kłamstw za pomocą potężnego medium, jakim jest telewizja publiczna, traktujemy w kategoriach przysłowiowego gorszenia maluczkich. Jest to wyjątkowo perfidne i ohydne przestępstwo moralne, uważane za śmiertelny grzech w wyznawanej przez większość Polaków religii chrześcijańskiej".

W imieniu Rady Porozumienia Organizacji Kombatanckich i Niepodległościowych w Krakowie protest podpisał dr Jerzy Bukowski w *Tygodniku Solidarność* (nr 6/2000). Wystąpienie Jerzego Bukowskiego, który – dodajmy – jest filozofem, uczniem Władysława Stróżewskiego i ks. Tischnera, przewodniczącym Komitetu Opieki nad Kopcem Józefa Piłsudskiego, publicystą prasy krajowej i emigracyjnej, autorem książki „Zarys filozofii spotkania", wywołało kolejną polemikę.

Profesor Andrzej Garlicki z Instytutu Historycznego Uniwersytetu Warszawskiego pisał: „Jeśli kombatanci czują się urażeni serialem, cóż, mają do tego prawo. Jeśli *Czterej pancerni i pies* nie podobają im się, niech wyłączą telewizor. Serial jest bardzo popularny, ogląda go coraz młodsza widownia i nie można jej przymusowo wychowywać. Na tym polega demokracja, że każdy ogląda, co chce. Ten film to baśń. Oczywiście historycznie jest wątpliwy, ale nie można mówić, że pokazuje 100 procent oszustwa. Jak w każdej baśni są tu dobre i złe charaktery, źli to Niemcy, dobrzy to Polacy, pokazuje ona także przyjaźń i bohaterstwo. Film jest opowieścią o nieprawdziwej wojnie, bo na wojnie nie ma takich doskonałych rozwiązań jak w *Pancernych*. Wojna jest przecież okrutna, a ta w serialu dla dzieci jest okrucieństwa pozbawiona. Ale chyba każdy naród ma swój film, na którym wychowuje pokolenia" (*Super Express* nr 26/2000).

Odpowiadali także inni publicyści: „Fenomen *Pancernych* polega na tym, że udało się temu serialowi przenieść na ekran wiele elementów folkloru, tradycyjnej opowieści o bohaterstwie, przyjaźni, solidarności, lojalności i odwadze" – pisał Mirosław Pęczak (*Polityka* nr 9/2000). Tomasz Raczek dodawał: „Kult nigdy nie jest logiczny, rzadko polega na prawdzie. W gruncie rzeczy ma ją za nic. Kultu nie można wyperswadować ani zaprogramować, ani przewidzieć. Najgorzej zaś – zakazać go" (*Wprost* nr 8/2000).

Cóż można jeszcze powiedzieć? Chyba to, że atakowanie serialu dziś, po trzydziestu kilku latach, wydaje się cokolwiek zbyt proste. Jeśli kogoś obrażali *Pancerni,* jak to czytamy, nic nie stało na przeszkodzie, by dać temu wyraz w swoim czasie, czyli w latach sześćdziesiątych i siedemdziesiątych, kiedy film święcił największe triumfy na ekranach. Można było protestować, oczywiście nie w prasie krajowej podległej partii, która ten serial popierała, ale w prasie emigracyjnej. Później, w końcu lat siedemdziesiątych, nic nie stało na przeszkodzie, by dać wyraz swoim poglądom na łamach niezależnych pism drugiego obiegu. Pisarze, publicyści, ludzie inaczej myślący z tej szansy korzystali w wielu sprawach. Krytyki *Pancernych* trudno się tam jednak doszukać. Dlatego podobne ataki wydają się łatwizną intelektualną.

Dzisiejsi wrogowie *Pancernych* nader chętnie mylą fikcję z prawdą. Jakby nie zauważali, że reguły wytworu kultury masowej różnią się od dokumentu. I naprawdę warto dyskutować o tym, czy wzory zachowań, jakie propagował – wierność, lojalność, przyjaźń, brak nienawiści – są o wiele gorsze niż te propagowane przez amerykańskie kino klasy B i C, zalewające nasze ekrany domowe i kinowe. Nie prawda historyczna, której trudno w *Pancernych* szukać, powinna być chyba punktem odniesienia, lecz przemoc, seks, okrucieństwo tak chętnie propagowane przez popularne filmy rozrywkowe.

Jak się to wszystko ma do aktora grającego główną rolę? Ano ma. Być marionetką w rękach potężnych szermierzy nie jest chyba przyjemne. Oprócz politycznej, serial stał się jeszcze przedmiotem manipulacji komercyjnej. Telekomunikacja Polska wyprodukowała reklamę swych usług posługując się postacią Janka Kosa na czołgu w towarzystwie, jakżeby inaczej, Szarika. Niestety, chłopiec, który wystąpił w tej reklamie, choć był wiernie ucharakteryzowany na Janusza Gajosa, nie zdobyłby podobnej mu popularności. Nie ten uśmiech, nie ten głos i nie ten wdzięk. Ten banalny przykład pokazuje, że tajemnica sukcesu pozostanie nadal tajemnicą. Można rozłożyć na części pierwsze jakąś postać, powtórzyć kostium, teksty, sposób zachowania, a i tak nie powstanie oryginał. Właśnie w tej niepowtarzalnej kombinacji cech psychicznych i fizycznych tkwi magia aktorstwa.

Tkwi również w odrobinie szczęścia, któremu można dopomóc pracą, wytrwałością. Ale nie można go ani kupić, ani mieć na zawsze. Pewnie wszystkim wydawało się, że Janusz Gajos po tak ogromnym sukcesie w roli Janka opływa w dobra i luksusy, powodzenie życiowe i zawodowe. Prawda była jednak o wiele bardziej bolesna. Jego telefon przez trzy lata milczał. Żadnych propozycji. Sukces stał się klęską. A ratunku długo nie było widać.

Fot. z archiwum TVP

...wiele razy słyszałem – obsadziłbym cię w *Hamlecie* albo w *Kordianie*, ale co zrobimy z psem?

Na tyłach czołgu

Wprawdzie produkcja serialu *Czterej pancerni i pies* trwała blisko pięć lat, nie znaczy to jednak, by Janusz Gajos zajęty był wówczas wyłącznie bieganiem po poligonach i manewrami czołgu. Jak każdy aktor, po ukończeniu szkoły zatrudnił się w teatrze. Nie mogło być inaczej. Wiadomo, jak ważne to dla początkujących, nie tylko dlatego, że zapewnia minimum egzystencji. O wiele, wiele istotniejsze było zawsze miejsce w zespole, pośród aktorów kilku pokoleń, od których w trakcie pracy adept zawodu uczy się rzemiosła. W tamtych latach, czyli drugiej połowie lat sześćdziesiątych, Teatr im. Stefana Jaracza, do którego młody aktor został zaangażowany wraz z zespołem Teatru 7,15, dysponował kilkudziesięcioosobowym, wielopokoleniowym zespołem aktorskim. Grano w Łodzi przy ulicy Jaracza, ale również w tak zwanym objeździe, czyli w mniejszych miejscowościach województwa, co jest prawdziwą próbą charakteru i wytrzymałości.

Ponadto był to teatr repertuarowy, to znaczy, że grano sztuki różnych dramatopisarzy, pochodzące z odmiennych epok. Dla nauki aktorstwa nie ma nic lepszego niż próbowanie swych sił w odmiennych estetykach teatralnych. Nic tak nie gimnastykuje zawodowej wyobraźni jak możliwość grania na przemian farsy i tragedii, komedii i dramatu psychologicznego, bajki czy spektakli poetyckich. Do tego pod okiem i ręką różnych reżyserów. Lata spędzone w dobrym zespole teatralnym to dla wielu aktorów nieocenione uniwersytety.

Feliks Żukowski był dyrektorem starego typu. Człowiekiem prawym i pozbawionym małości. Mnie traktował po ojcowsku, lubił mnie. Myślę, że podobało mu się, kiedy po skończonej scenie czy epizodzie nie biegłem do bufetu, tylko stałem w kulisach, patrząc, jak pracują koledzy. Uczyłem się, podglądając innych, ciekawiło mnie oglądanie przedstawień od strony kulis. Pamiętam, kiedyś, na bankiecie po premierze, jeden z młodszych kolegów, dość pijany, zaczął na „Żuka" wymyślać i on to usłyszał. Rano, gdy wytrzeźwiał, przyszedł do mnie z prośbą, żebym się jakoś za nim wstawił, załagodził sytuację. Poszedłem, ale kiedy wymieniłem nazwisko i powiedziałem, że kolega się zagalopował, dyrektor odpowiedział: „Wiem, ale on zdolny jest, ja go lubię. Zaczynamy o siódmej". Kończył takie sprawy bez gadania, nie lubił kwasów, intryg, był skupiony na tym, co trzeba. Wiedział, jak się prowadzi zespół, i znał fach. Zawsze mówił: „Panie kolego, proszę stawać przed meblem, przecież musi pan wyglądać jak człowiek, a nie jak pół człowieka". Niby drobna rzemieślnicza uwaga, ale nieoceniona. Do tej pory staram się o niej pamiętać. A takich uwag było wiele, tak więc nauczyłem się sporo teatralnego rzemiosła. Tego Szkoła nie da. Ludzie najlepiej poznają się w konkretnych sytuacjach. Pamiętam rozmowę o trzeciej nad ranem po próbie generalnej, kto będzie grał Jaśka w „Weselu": ja czy kolega? To zawsze jest sprawa prestiżowa. Żukowski spokojnie powiedział: „W teatrze jest taki niepisany zwyczaj, że premierę gra ten aktor, który gra generalną. Dobranoc, spotykamy się jutro". Zawsze tak stawiał sprawy jasno, prosto, bez kluczenia. Wspominam go bardzo serdecznie.

Lata sześćdziesiąte w polskim teatrze, poza odkryciem zachodniej dramaturgii, przywróceniem po latach nieobecności kanonu polskich dzieł romantycznych, przyniosły także wiele utworów rozrachunkowych. Jedną z najsławniejszych książek tamtego czasu stała się opublikowana w 1957 roku trylogia Romana Bratnego *Kolumbowie rocznik 20*, o losach pokolenia urodzonego tuż po odzyskaniu przez Polskę niepodległości. Pokolenia, którego młodość przypadła na czas wojennej okupacji, zakończonej tragedią powstania warszawskiego. Straconego pokolenia, jak nazywano tę generację młodych ludzi w większości związanych z działalnością Armii Krajowej. Przynależność do AK, podobnie jak walka pod Monte Cassino czy Tobrukiem, była znakiem przynależności do „niewłaściwego" obozu. Dlatego książka Bratnego, żołnierza Armii Krajowej, stała się bestsellerem. Po raz pierwszy oficjalnie mówiło się o pokoleniu „zarażonych śmiercią" nie w tonie potępienia. Każdy z dorosłych Polaków odnajdywał w losach młodych Kolumbów cząstkę swego losu.

Niepodważalnym sukcesem Adama Hanuszkiewicza było przygotowanie na podstawie tej powieści przedstawienia w Teatrze Powszechnym z plejadą popularnych wówczas aktorów – Stanisławem Mikulskim, Tadeuszem Janczarem, Gustawem Lutkiewiczem, Zdzisławem Maklakiewiczem, Igą Cembrzyńską. Oprócz takich spektakli w reżyserii Hanuszkiewicza, jak *Zbrodnia i kara* Dostojewskiego czy *Przedwiośnie* Żeromskiego, przyciągało ono na warszawską Pragę tłumy widzów. Prasa pełna była dyskusji o sprawach przemilczanych przeszło dwadzieścia lat. Nic więc dziwnego, że adaptacja *Kolumbów* zaczęła krążyć po teatrach. Kilka miesięcy po warszawskiej odbyła się premiera łódzka w Teatrze im. Jaracza.

Rolą jednego z powstańców Janusz Gajos debiutował na deskach tej sceny. Udział w budzącym wiele emocji spektaklu musiał być dla młodego aktora znaczący. Znalazł się bowiem w ważnym nurcie dyskusji światopoglądowych, politycznych. Do dziś niezakończonych. Prawda o powstaniu była przez wiele dziesiątków lat niepełna, poddana ideologicznym manipulacjom. Nie odbierając bohaterstwa jego młodym uczestnikom, wciąż zasadne wydaje się pytanie: czy decyzja wybuchu powstania, które obróciło stolicę w perzynę i pozbawiło życia blisko 250 tysięcy młodzieży i ludności cywilnej, była słuszna?

Janusz Gajos podczas wojny był małym dzieckiem, a teraz, jako dojrzewający artysta, musiał uwiarygodnić swym aktorstwem przeżycia starszych braci, którzy brali w niej czynny udział. Na pewno spory artystyczne o tragedię pokolenia wojennego, o rozrachunki historyczne, toczone w środowisku, stały się ważnym czynnikiem wpływającym na świadomość paru pokoleń polskich artystów.

Janusz Gajos był za młody, aby uczestniczyć w wielkiej przygodzie kina lat pięćdziesiątych, jaką były dzieła polskiej szkoły filmowej. Zwłaszcza te najważniejsze, jak *Pokolenie, Popiół i diament, Kanał* Andrzeja Wajdy, czy *Eroica* i niedokończona *Pasażerka* Andrzeja Munka. Ale zdążył jeszcze wziąć udział w dziełach wobec nich polemicznych. W filmach obrazujących już nie tylko romantyczny zryw i waleczność Polaków, lecz drążących głębiej, w innych niż patetyczna tonacjach kwestie bohaterstwa, odpowiedzialności, także zdrady i nikczemności. W obrazach psychologicznych, pokazujących ślady, jakie zostawia wojna w psychice ludzi, jak determinuje ich losy, określa wybory moralne. Nawet niewielka rola w filmie kameralnym, dotyczącym psychicznych konsekwencji wojny, musiała uruchamiać pamięć tragicznej przeszłości.

W *Szyfrach* Wojciecha Hasa Gajos zagrał zakonnika w klasztorze cystersów, do którego trafia bohater, próbujący wyjaśnić okoliczności śmierci młodszego syna w czasie okupacji. Film, nakręcony według opowiadania Andrzeja Kijowskiego, w swym głównym przesłaniu był polemiką z mitologią bohaterstwa, stworzoną w wielu dziełach „szkoły polskiej". Tu, wręcz prowokacyjnie, prawda jest i niejednoznaczna, i zagmatwana. Tadeusz (Jan Kreczmar), wezwany przez syna Maćka (Zbigniew Cybulski), wraca po latach do kraju, który opuścił w 1939 roku. Próbuje dowiedzieć się, czy młodszy syn, Jędrek, zginął z rąk Niemców czy z rąk konspiratorów, ponieważ stał się dla nich niebezpieczny. Jednak te poszukiwania obnażają jeszcze inną, bolesną prawdę – bohater nie rozumie ani zachowania najbliższych, którzy przeżyli okupację niemiecką, ani ich dzisiejszych lęków, ani najzwyklejszych reakcji. Wojna okaleczyła ciała i dusze ludzi na długie lata. Ale ktoś, kto był wówczas za granicą, nie jest w stanie tego wszystkiego naprawdę zrozumieć.

Has zderza w swym filmie sceny realistyczne z wizyjnymi, subtelnie i niejednoznacznie ukazuje prawdę o ludzkich losach, zniekształconą przez czas i cierpienie. Zakonnik Janusza Gajosa to krótki epizod: rozmowa z ojcem poszukującym syna, który podobno ukrywał się w tym klasztorze. Jednak epizod dla aktora ważny ze względu na partnera – Jana Kreczmara. Młody człowiek tak mu się spodobał, że powiedział o nim swemu przyjacielowi Erwinowi Axerowi, dyrektorowi Teatru Współczesnego w Warszawie.

Wątek wojennych obrachunków zupełnie inaczej podjął Paweł Komorowski w filmie *Stajnia na Salwatorze*. Tym razem Janusz Gajos został obsadzony w głównej roli Michała, dwudziestoletniego chłopca, który po wybuchu wojny zamiast nadal studiować, pracuje jako kierownik transportu w małej firmie Spedytor na krakowskim Salwatorze. Mieszka z matką (Ryszarda Hanin) w niewielkim, biednie urządzonym mieszkaniu. Co jakiś czas otrzymują z obozu listy od siostry. Michał wprawdzie pracuje, lecz bardziej pasjonuje się działalnością konspiracyjną. Jest dowódcą jednego z oddziałów podziemia, skupiającego młodych, jak on, ludzi. Jeden z nich, szef drużyny, Zyga (Tadeusz Łomnicki), zostaje aresztowany. Ponieważ koledzy są pewni, że on nie da się złamać, nie likwidują adresów kontaktowych. Po dwóch miesiącach jednak następują aresztowania.

Michał spotyka na ulicy Zygę, który został zwolniony przez gestapo. Melduje o tym dowódcy i otrzymuje rozkaz zlikwidowania zdrajcy. Wraz z kolegą zaczyna przygotowania do akcji, śledzą dawnego szefa. Pewnej nocy w domu Michała pojawiają się Niemcy, lecz aresztują nocującego w drugim pokoju kolegę. Mieszkanie jest spalone. W obliczu zagrożenia major odwołuje akcję i poleca Michałowi ucieczkę. Ten jednak uważa, że wykonanie wyroku jest jego obowiązkiem. Zyga wie, co go czeka, chce tylko Michałowi powiedzieć, jak doszło do tego, że zaczął sypać. „Dopóki nie zaczną bić, nic o sobie nie wiesz...". Był przekonany, że chłopcy zlikwidują punkty spotkań i ostrzegą ludzi, więc gdy się załamał, był pewien, że jego zeznania nikomu już nie zaszkodzą.

Główny ciężar filmowej opowieści spoczywa na Michale. Janusz Gajos – to cecha jego talentu – nie przeszarżował. Zagrał swojego młodego bohatera bardzo powściągliwie, jako chłopca, który stał się, jak wszyscy z tego pokolenia, z dnia na dzień mężczyzną. Musiał nie tylko przejąć trud utrzymania matki i wspierania jej psychicznie po aresztowaniu ojca i siostry, ale też stanął wobec najtrudniejszych dylematów moralnych. Jest taka scena, gdy chłopcy losują między sobą tego, kto wykona wyrok. Michał wprawia w ruch pistolet i nie bez satysfakcji widzi, że lufa wskazała na niego. Jest wyraźnie zadowolony, że będzie mógł się wreszcie wykazać prawdziwym męstwem. Los wybrał go na bohatera. Towarzyszą mu wprawdzie wątpliwości, przypomina sobie straszliwie posiniaczone ciało Zygi, ale dominuje duma. Jednak gdy idzie z nim na długi spacer i w pewnym momencie widzi go, oddalającego się, skurczonego w sobie, przygotowanego na śmierć, nie potrafi nacisnąć spustu. Odwraca się i ucieka z miejsca niedoszłej egzekucji. Jego szaleńczy bieg po lesie jest tyleż manifestacją wyzwolenia, co ucieczką ze strachu przed zabiciem człowieka. Poza rozkazem i prawem jest jeszcze sumienie...

Fot. z archiwum aktora

Wciąż uważano mnie za blondyna

Młody aktor uprawdopodobnił sytuację moralnego wyboru bez patosu, skromnymi, a przekonującymi środkami. Tak zresztą budował całą rolę, choćby scenę w domu swojej dziewczyny. Chciałby zostać u niej na noc, ale dostrzegając pod łóżkiem kobiecą rękę (później się okazuje, że dziewczyna ukrywała Żydówkę i została za to aresztowana), opuszcza jej dom bez słowa. Podobnie budował aktor relacje swego bohatera z matką – ciepłą, bezsłowną więź, szacunek niemanifestowany całowaniem ręki, tylko przejawiający się w rozumieniu jej cierpień. W kilku scenach Michał stara się być bardziej dorosły, niż jest naprawdę – ukrywa przed matką swoje rozterki, by jej nie martwić. Wie, z jakim drżeniem serca otwiera każdy list od córki. Nie przeżyłaby jego śmierci, więc tym bardziej stara się być bardzo serdeczny i wesoły, żeby nie domyśliła się, w jak niebezpiecznych sprawach bierze udział.

Ładna, subtelnymi środkami zagrana rola. Zupełnie inna w tonacji i klimacie niż w tym samym czasie nagrywany Janek Kos z *Pancernych*. „Januszowi Gajosowi popularność przyniosła telewizja, ale główna rola w *Stajni* raz jeszcze potwierdziła jego talent" – podkreślał Cezary Wiśniewski (*Sztandar Młodych* nr 239/1967). Podobnie Janusz Gazda: „Daje on interesującą rolę, potwierdzającą, że jest nie tylko zgrabnym młodzieńcem, ale również utalentowanym aktorem" (*Głos Pracy* nr 242/1967). Były to opinie dość zdawkowe, ale pozytywne. Film skupiał uwagę na okupacyjnej codzienności, podszytej strachem, niepewnością. Skoro podkreślano: aktor „wybija się", „ze swej roli wywiązał się doskonale", znaczy, że młody Gajos wykazał się dojrzałością aktorską. Pokazanie heroizmu, jaki osiągali zwyczajni ludzie w codziennych sytuacjach, wymagało dużej wyobraźni i kultury.

W tamtych latach sztuka płaciła daninę ideologii. Kiedy więc Teatr im. Jaracza na pięćdziesiątą rocznicę Wielkiej Socjalistycznej Rewolucji Październikowej wystawiał *Przełom* Borysa Ławreniewa, aktorom nie przyszło do głowy, by protestować. Zwłaszcza że Karol Adwentowicz w tym samym łódzkim teatrze wystawiał ten sam utwór prawie dwadzieścia lat wcześniej. Dramat z 1927 roku o „Aurorze" i szturmie na Pałac Zimowy wykorzystywał wiedzę historyczną, jak i fikcję literacką. Autora interesowały postawy zarówno marynarzy na sławnym statku, jak i ludności Petersburga wobec historii.

W spektaklu brało udział prawie sto osób, ważne były sceny zbiorowe odgrywane na platformie gigantycznego pancernika z wielkimi działami, zaprojektowanej przez filmowego scenografa Bolesława Kamykowskiego. Reżyserował Feliks Żukowski, on też zagrał jednocześnie dowódcę krążownika, kapitana Biersieniewa, który nie bez wewnętrznych wahań przyłączył się do szturmujących mas. Bardzo trudno wyróżnić się w scenicznym tłumie, a to młodemu aktorowi się udało. „Miczmani: Janusz Gajos i Maciej Małek są zabawnie czupurni, wzbudzają sympatię" – zauważył Roman Łoboda (*Odgłosy* nr 48/1967).

Kolejna rola w teatrze i znów półtora zdania w recenzjach. „Janusz Gajos, początkowo zamaszysty i junacki w roli Jaśka, ze szczerą rozpaczą konstatował potem, że »ostał mu się jeno sznur« pisał Mieczysław Jagoszewski (*Dziennik Łódzki* nr 35/1969). A Władysław Rymkiewicz dodawał: „Ponad wszelkie pochwały wydają mi się utalentowany Józef Łodyński jako Dziad i pełen chłopskiego wigoru Janusz Gajos" („Udziwnione *Wesele – Odgłosy* nr 6/1969). Chodzi oczywiście o rolę Jaśka w *Weselu* Stanisława Wyspiańskiego, przygotowanym przez rozpoczynającego wówczas pracę Jerzego Grzegorzewskiego. Reżysera, który od pierwszych przedstawień ujawniał swoją ogromną, oryginalną wyobraźnię teatralną. „*Wesele –* jak pisał w programie – jest nową próbą odczytania tego dramatu bezsilności, bez konwencji przedstawiania faktów ściśle przez pryzmat chaty bronowickiej".

Mój biedny *Marik* Arbuzowa
w Teatrze Jaracza w Łodzi
Maciej Małek, Joasia Jędryka i ja

Potraktował więc całość jako wizję Wyspiańskiego, jako ostrzeżenie przed postawą prowadzącą nieuchronnie do zatracenia poczucia rzeczywistości, czyli chocholego tańca. Zjawy służyły tu jedynie do kompromitowania osób dramatu, ich drugiego „ja". Jasiek należy do postaci planu realistycznego, ale w tej koncepcji reżysera aktor musiał znaleźć sposób, by zaznaczyć podwójny status bohatera. *Wesele* jednak nie porwało sprawozdawców i nie zmusiło ich do bardziej precyzyjnych analiz.

O tym, że Janusz Gajos krok po kroku zdobywał pozycję w zespole, świadczy następne zadanie. Niedługo po *Weselu* wszedł w próby *Pana Wołodyjowskiego*, i to w roli tytułowej. Przedstawienie pomyślane jako produkcja dla szkół, sądząc z recenzji, nie wyróżniało się specjalnym artyzmem. „Sceniczne *Ogniem i mieczem* kończy się *happy endem*, sceną spotkania Skrzetuskiego z Heleną. Z wielkiej tragedii dwóch narodów pozostały pojedynki, pogonie, fortele pana Zagłoby, których nie równoważy parę szczątkowych zdań Chmielnickiego i jedna, bodaj tylko, drwiąca kwestia Bohuna. Blaski i cienie zostały rozłożone niesprawiedliwie, młody widz zapamięta, kto kogo bił, zaś kto kogo krzywdził okrutnie, będzie musiała opowiedzieć mu pani nauczycielka na lekcji historii" – oceniał Jerzy Panasewicz (*Express Ilustrowany* nr 213/1967). Ale jego uwaga: „... a już zupełnie nijaki był Janusz Gajos jako pan Wołodyjowski – nakleił sobie maleńki ciemny wąsik i to zgubiło go do reszty, bo nawet młoda widownia miała trudności z rozpoznaniem swego ulubieńca" – nie świadczy o specjalnej przenikliwości. Może Gajos był nijaki, ale ten czarny wąsik, czyli chęć oddalenia się jak najbardziej od Janka Kosa, dobrze świadczy o aktorze. Słusznie chciał grać zupełnie inną postać, a nie powielać wizerunku ulubieńca młodzieży.

Lata spędzone w łódzkim teatrze nie przyniosły Januszowi Gajosowi nadmiernych sukcesów. Kilka zdań w gazetach na pięć lat pracy to niewiele. Można się domyślać, że rólki, jakie poza Wołodyjowskim dostawał, nie zaspokajały jego ambicji. W zespole Jaracza nie proponowano mu ani Hamleta, ani Kordiana, ani Konrada. Nie tylko dlatego, że go nie doceniano; wielkie role wymagają dłuższego skupienia i stałej obecności w teatrze, a częste wyjazdy do filmu taką pracę uniemożliwiały. Z wielu zatem powodów nie mógł się zmierzyć z naprawdę wielkim repertuarem. Przynajmniej na starcie.

Nie najgorzej wiodło mu się w kinie. W filmie *Mały* Juliana Dziedziny dostał rolę tytułową, młodego chłopca ze wsi, który postanawia zostać w Warszawie. Wprawdzie buduje mieszkania, ale w żadnym nie był. Nie zna nikogo poza współmieszkańcami pokoju w hotelu robotniczym o obyczajach dosyć swojskich. Dokucza mu samotność, czuje się obco w wielkim mieście, peszy go środowisko poznanej dziewczyny z dobrego domu, Natalii, w jakim dotąd nie bywał. Film nie rościł sobie pretensji do wielkiej sztuki, jednak jako jeden z pierwszych pokazywał koszty awansu społecznego nie od strony statystyki, tylko oczami sympatycznego młodego chłopca. Walczy on o lepsze życie, lecz liczyć może tylko na siebie.

Fot. z archiwum Filmoteki Narodowej

Z Magdą Zawadzką w hotelu robotniczym

„Janusz Gajos w roli Małego jest dynamiczny, wrażliwy, dojrzały życiowo, krytyczny, rozumny – słowem, pozytywny bohater w najlepszym sensie tego słowa" – przeczytać można w recenzji Stanisława Grzeleckiego (*Życie Warszawy* nr 293/1970). Czesław Michalski pokusił się o szerszą analizę roli. „Mocną stroną *Małego* jest niewątpliwie aktorstwo. Odtwórca tytułowej roli, Janusz Gajos, sympatyczny Janek z serii telewizyjnej *Czterej pancerni i pies*, ma tu rolę bez porównania bogatszą, i co za tym idzie – znacznie trudniejszą. Ale jego zbuntowany bohater – postać psychologicznie bardzo złożona, pozornie nawet przeintelektualizowana w zamyśle autorskim – jest prawdziwy w każdej scenie, mimo że niektóre, jak na przykład nagły wybuch gniewu w rozmowie z Anią (Anna Nehrebecka), groziły przejaskrawieniem, inne znów, jak pierwsze spotkanie w hotelu robotniczym z Natalią (Magdalena Zawadzka), narzucały niejako pewną nienaturalność. Gajos szczęśliwie uniknął tych wszystkich zasadzek – jego Mały jest postacią absolutnie wiarygodną" (*Gazeta Pomorska* nr 299/1970).

Pozytywne opinie ukazały się po premierze filmu, czyli w końcu roku, zaś sezon teatralny kończy się przed wakacjami. Gajos, ufny w swe umiejętności, pragnął dostać się do lepszego teatru, a te były w Warszawie. Wiedział, że jest znany. Na *Wesele* Grzegorzewskiego specjalnie do Łodzi przyjechał Erwin Axer, by zobaczyć na scenie Janusza Gajosa, którego rekomendował mu Jan Kreczmar. Niestety, trafił na spektakl, w którym Jaśka grał kolega (ze względu na serial były dublury). Z angażu do Teatru Współczesnego nic nie wyszło. Nie było etatu. W innych warszawskich teatrach panowała opinia, że bohater *Pancernych* jako aktor jest spalony, albo nie da sobie rady w innym emploi. Poczuł się, co trafnie określi po latach Kazimierz Kutz, jak ktoś „przepędzony z salonów".

To, co najtrudniejsze – komedia

Cztery lata w akademiku, sześć lat w domu aktora przy Teatrze Jaracza, kilkanaście ról w filmach i teatrze oraz ogromna popularność po *Pancernych* – to bagaż doświadczeń dziesięciu lat życia w Łodzi. Na tyle duży, by uwierzyć w siłę charakteru i dobrą passę, i podjąć ryzyko dalszej walki. Aktorstwo zawsze przypomina ruletkę. Niczego nie można przewidzieć, sukcesy i upadki przychodzą niespodziewanie, ale dobre rzemiosło nigdy nie zaszkodzi. Szlifować je warto pod okiem mistrzów, a tych w Łodzi za wielu nie było. Janusz Gajos cały materialny dobytek spakował więc do starego volkswagena i ruszył na podbój stolicy. Tam jednak wiele drzwi okazało się przed nim zamkniętych.

Znalazł w końcu przystań na warszawskim Żoliborzu. Etat w Teatrze Komedia ledwie pokrywał koszty wynajęcia mieszkania, na resztę trzeba było zarobić dodatkowo. Wiedział, że będzie trudno, ale chyba nie przypuszczał, że aż tak bardzo. Telefon uparcie milczał. Jeśli już się odzywał, to z propozycjami udziału w filmach dla młodzieży i bynajmniej nie w głównych rolach.

Aktora nie stać było na odmowę. Jedyne, co mógł robić, to wykonywać każde zadanie jak najlepiej. W serialu Stanisława Jędryki *Wakacje z duchami* zagrał studenta; u Pawła Komorowskiego, z którym robił *Stajnię na Salwatorze,* w telewizyjnym filmie *Kocie ślady,* jako porucznik Milicji Obywatelskiej przejmuje śledztwo w sprawie szajki przemytników drogich kamieni; u Marii Kaniewskiej dostał epizodyczną rolę, znowu milicjanta, w *Zaczarowanym podwórku*, filmie dla młodzieży według Hanny Januszewskiej. Walentyna Maruszewska obsadziła go w *Darach magów* według O' Henry'ego, kameralnym filmie o młodym małżeństwie, które mimo biedy, obdarza się na Wigilię prezentami. Zagrał tam z Martą Lipińską (żona) i Niną Andrycz (matka), co było miłe i pouczające, lecz sytuacji zawodowej nie poprawiło. *Pancerni* kładli się cieniem na karierze.

Pewien reżyser powiedział mi wprost: Nie mogę cię zaangażować, bo za bardzo kojarzysz się z Jankiem. – Cóż można odpowiedzieć na ta-

kie dictum*? Nic oczywiście. Później zacząłem żartować, że nikt mnie nie
może w roli Kordiana obsadzić, bo co zrobić z psem. Ale wtedy wcale
nie było mi do śmiechu.*

Miłym wyjątkiem był Jerzy Gruza – dostrzegł w Gajosie aktora, a nie postać Janka Kosa. I zaproponował mu w *Czterdziestolatku* rolę Antka (brata
Madzi Karwowskiej), badylarza z fortuną milionera, a manierami prostaka.
To był maleńki przełom, ponieważ Gajos znalazł się pośród ekipy dobrych
aktorów, którzy chętnie brali udział w komponowaniu dialogów. Poczuł, jakby wyrosły mu skrzydła, i swoją rolę zagrał świetnie. To znaczy ujawnił, że
potrafi uważnie obserwować ludzi i z tych obserwacji skorzystać, lepiąc postać i śmieszną, i groźną. Być może właśnie Antek utorował mu drogę do
głównej roli w *Milionerze.*

Czy w teatrze było lepiej? Niezupełnie. Wprawdzie nikt Gajosowi nie mówił,
z kim się kojarzy, ale pamiętajmy, że aktorstwo jest sztuką zbiorową. Przedstawienie udane uruchamia dobrą energię wszystkich wykonawców; złe – popada
w niepamięć, ale dręczy jak kac. Wysiłki poszczególnych aktorów nie uratują
rzeczy źle pomyślanej czy wyreżyserowanej. Komedia była teatrem drugiej ligi,
gdzie o wielkiej sztuce się raczej nie mówiło. Aktorzy nie tyle tworzyli, ile pro-
dukowali rozrywkę...

Piękna Helena Offenbacha (libretto, napisane przez znaną spółkę Milha-
ca i Halévy'ego, przerobił i znacznie uwspółcześnił Janusz Minkiewicz) nie
przełamała tej opinii. Choć podkreślano, że próba przeniesienia słynnej operet-
ki na deski teatru dramatycznego powiodła się, została starannie opracowana re-
żysersko przez Stefanię Domańską, było to przedstawienie z gatunku użytko-
wych. Janusz Gajos doczekał się jednego pochlebnego zdania – „(nasz pancer-
ny) tym razem przekonująco grał rolę stale *zawianego* Oresta" (Andrzej Mar-
kiewicz – „Piękna Helena" – *Trybuna Mazowiecka* nr 236/1970). Dobrze, ale
przecież nie sukces.

Druga premiera w teatrze na Żoliborzu *Twój na wieki* była przede wszystkim popisem Aliny Janowskiej. Zbierała pochwały za rolę trzydziestoletniej
samotnej kobiety, usiłującej wyjść za mąż. Janusz Gajos zagrał jednego
z dwóch konkurentów do jej ręki – Janka. Wprawdzie decyzją czeskiego autora Otto Zelenki rękę bohaterki zdobywa ten drugi – Piotr, to można było przeczytać: „Przecież aktorsko pojedynek ten wygrywa zdecydowanie Janusz Gajos" (Zofia Sieradzka – *Głos Pracy* nr 142/1971). Podobnie wyraziła się Maria
Kosińska: „Nieprzejednanych wrogów małżeństwa, później *zalotników,* grają
Józef Łotysz i Janusz Gajos – ten ostatni zabawny w trikowej wersji męża sa-
fanduły!" (*Życie Warszawy* nr 128/1971). Nawet surowy zwykle Stefan Pola-
nica napisał: „Aktora Janka Kreta z wdziękiem kreuje bohater *Czterech pancernych i psa* Janusz Gajos („Twój na wieki" – *Słowo Powszechne* nr
127/1971). W sumie trzy zdania, ale trzech recenzentów to więcej niż jedna
wzmianka po poprzedniej premierze.

Komedia *Twój na wieki,* przedstawiająca w konwencji małego realizmu małżeństwo na wesoło, bawiła publiczność wiele miesięcy. Gajos zdawał sobie jed-

Fot. F. Myszkowski, Teatr Komedia

Gwiazda
Teatru Komedia
– Alina Janowska –
w moich ramionach

Twój na wieki
Otto Zelenki

nak sprawę, że im dłużej będzie tkwić w tym teatrze, tym pewniej zostanie w szufladce z napisem: aktor komediowy. Nie lubił szufladek, któż zresztą je lubi. Na tyle poważnie traktował swój zawód, by wciąż ryzykować, zgodnie ze starą zasadą – żeby wygrać, trzeba kupić los na loterię. Po dwóch sezonach w Komedii podjął próbę zmiany teatru. I trafił z deszczu pod rynnę.

W Teatrze Polskim atmosfera w zespole była o wiele gorsza niż na Żoliborzu. Panowały tu jakieś przedziwne stosunki łączące strach z policyjną niemal dyscypliną.

Na domiar złego przedstawienia zbierały zasłużone cięgi od krytyków. Oliwer w *Jak wam się podoba* Szekspira to zadanie znaczące, ale... „W tym smutnym i zupełnie zbędnym przedstawieniu bronił się jedynie talent Bronisława Pawlika (Jakub), aczkolwiek i on także był jeno własnym cieniem. Reszcie wykonawców mogę jedynie serdecznie współczuć udziału w spektaklu, którego są ofiarami. Chodzenia na *Jak wam się podoba* do Polskiego należy zabronić młodzieży i wojskowym. Nie z uwagi na homoseksualne aluzje, lecz w obawie przed wyrobieniem w młodym pokoleniu przeświadczenia, że William Szekspir był grafomanem i idiotą!” (Andrzej Hausbrandt, „Młodzieży wstęp wzbroniony” – *Express Wieczorny* nr 278/1972). Nie ma powodu cytować dalej recenzji w tym stylu, niemniej uświadamiają one, jak może czuć się świeżo zaangażowany aktor, czytając podobne opinie o swoim teatrze.

Niestety, nie był to tylko wypadek przy pracy. Molierowskiego *Świętoszka* wydawałoby się trudno zepsuć – toż to jeden z najdoskonalszych dramatów w dziejach świata, szczytowe osiągnięcie geniuszu Moliera i tak dalej. Dla znakomitych aktorów samograj. Helmut Kajzar – reżyser, takich dostał: Tartuffe – Michał Pawlicki, Orgon – sam Władysław Hańcza, Kleant – Jan Kobuszewski, pani Parnelle – Seweryna Broniszówna, Elmira – śliczna Anna Nehrebecka i Janusz Gajos – Walery. Niestety, całość nie wzbudziła aplauzu. Zważywszy, że

67

Pierwszy z lewej –
jakiś potwór

Świętoszek Moliera
w Teatrze Polskim
w Warszawie

był to spektakl przygotowany na trzechsetną rocznicę urodzin Moliera, należałoby mówić nie tyle o wątpliwościach, ile o klęsce.

Stało się to przede wszystkim za sprawą adaptacji, bowiem poza daleko idącym uwspółcześnieniem klasycznego przekładu Boya pojawiły się w tekście cytaty z *Zemsty* Fredry, *Dziadów* Mickiewicza, z Wyspiańskiego, a nawet z *Czarodziejskiej góry* Manna. Jakby *Świętoszek* nie był wspaniałą komedią, lecz traktatem o zakłamaniu ideologicznym. Reżyser zagubił się w tej przedziwnej mieszance stylistycznej, podobnie jak aktorzy, którzy bronili się przed eksperymentem – jak kto umiał. „Nieoczekiwanie bliski Molierowi, i to pojętemu wcale niekonwencjonalnie, okazał się Walery Janusza Gajosa" (Michał Misiorny, „Eurypides i Molier" – *Trybuna Ludu* nr 74/1973). Czy to znaczy, że aktor zagrał, brzydko mówiąc, „na czuja", bo go niezbyt pilnował reżyser, czy też wbrew reżyserowi, dziś nie rozstrzygniemy. To jednak wystarczyło, by stworzył postać wyrazistą i nie wzbudzającą protestów jak Tartuffe Pawlickiego.

Cztery sezony spędzone w warszawskich teatrach trudno uważać za udane. Raczej czekał na role, a jeśli już je grał, to w przedstawieniach raczej marnych. Ratował się występami estradowymi, mówił wiersze, monologi w różnych składankach, z którymi występował po kraju. Wreszcie trafił do kabaretu *Pod Egidą* Jana Pietrzaka, w połowie lat siedemdziesiątych przeżywającego apogeum popularności. Dość wspomnieć, że autorami *Egidy* byli Jonasz Kofta, Marek Ryszard Groński, Jan Tadeusz Stanisławski, Jan Pietrzak i wielu innych. Celem ich satyry były oczywiście absurdy życia w epoce Edwarda Gierka – nie tylko obyczajowe, choć te także. Główne ostrze zwrócone było w stronę ideologii i polityki. Epoka propagandy sukcesu uprawiała je z zapałem, za to nie dość uważnie przyglądając się obywatelom, ich myślom i odczuciom. *Pod Egidą* aktor spotkał także plejadę świetnych kolegów – Piotra Fronczewskiego, Wojciecha Pszoniaka, Ewę Dałkowską; przeskoczył na odmienną orbitę humoru, zaczął grać dla innej, bardziej wyrobionej publiczności.

Fot. z archiwum TVP

Kabarety, kabarety...

Niekiedy publiczności dość specyficznej, kabaret Pietrzaka bowiem wyjeżdżał na zaproszenia Polonii. W tamtych latach wyjazdy zagraniczne same w sobie były rzadkością i atrakcją. Wyjazdy *Egidy* połączone były z pracą – sympatyczną i nieźle płatną. W ten sposób Gajos objechał pół świata – od Stanów Zjednoczonych przez Kanadę po Australię, co zawsze przewietrza głowę, skłania do porównań. Czasem staje się też okazją do nieoczekiwanych spotkań.

> *Któregoś dnia, w Ditroit, po występie, wpada ogranizator do garderoby: – Ubieraj się szybko, bo ktoś na ciebie czeka! – Moi koledzy z kabaretu, na przykład Stefan Friedmann, prawie w każdym mieście za granicą mieli znajomych, ja nie, więc pytam: Czy na pewno o mnie chodzi! – O ciebie, idź szybko! – Ujrzałem panią w średnim wieku, suto obwieszoną złotem, która po chwili wyciągnęła moje stare zdjęcie, jeszcze ze szkoły średniej. Ciekawsza była jego druga strona – rozpoznałem własną ręką napisane wyznania miłosne, dla niej. No i co z takim faktem można zrobić?*

Pewnie nic, ale zdjęcie wróciło do sportretowanego.

Kiedy zapadła decyzja o powołaniu na ulicy Czackiego Teatru Kwadrat, w miejsce Małej Sceny Teatru Współczesnego, Janusz Gajos od razu się tam przeniósł. Predestynowały go do tego i warunki, i rodzaj talentu. Już nie był wdzięcznym, szczupłym efebem, o zadziornym spojrzeniu błękitnych oczu, nadającym się do ról chłopców i romantycznych kochanków. Przytył, przekroczył trzydziestkę. Był dojrzałym mężczyzną i, co najważniejsze, w wielu spektaklach i filmach udowodnił, że potrafi nie tylko być, ale i grać. Przede wszystkim role charakterystyczne, z czym widocznie się pogodził, przynajmniej na użytek publiczny. „Z aktora serialowego stałem się dobrym aktorem komediowym" – mówił w wywiadach.

Scenę przy Czackiego od 1974 roku przez następne dziesięć lat prowadził Edward Dziewoński. Aktor (niezapomniany Dzidziuś Górkiewicz w *Eroice* Andrzeja Munka, Goebbels w *Karierze Artura Ui* Brechta we Współczesnym Erwina Axera), reżyser, a nade wszystko człowiek z poczuciem humoru. Jego dewizą było przekonanie, że „Życie bez poczucia humoru nie miałoby żadnego sensu. Poczucie humoru jest czymś absolutnie podstawowym".

Edward Dziewoński – pozwolę sobie na dygresję – to postać wyjątkowa. Oprócz talentu wyróżniał się elegancją i własnym stylem bycia. W szarych czasach PRL-u oznaczało to, że nie był pupilem władzy, choć urzędnicy wysokich szczebli po prostu uwielbiali go oglądać. Zwłaszcza w założonym w roku 1965 słynnym kabarecie Dudek, który regularnie, przez dziesięć lat, występował w kawiarni Nowy Świat. Wśród plejady doskonałych aktorów byli: Magdalena Zawadzka, Wojciech Młynarski, Wiesław Michnikowski, Wiesław Gołas, Irena Kwiatkowska, Anita Dymszówna, Barbara Rylska, Jan Kobuszewski, Stanisław Tym, Jeremi Przybora, Jerzy Wasowski. Obejrzenie *Dudka* równało się spotkaniu z inteligencją w stanie wrzenia, a miejsc, gdzie podobnych uczuć można by doświadczyć, nie było wiele.

Jako wybitny kontynuator tradycji kabaretu przedwojennego (legendarnego *Qui pro Quo*, gdzie występowały: Hanka Ordonówna, Zula Pogorzelska pod wodzą niezrównanego konferansjera Fryderyka Jarosy'ego) Dziewoński przyswajał zapomniane wartości i typ humoru wysokiego. Wyraźnie angielsko-surrealistyczny, o posmaku dobrej whisky w klubie dżentelmenów. Podobny rodzaj humoru i wyobraźni można było odnaleźć w *Kabarecie Starszych Panów*, tyle że u Wasowskiego i Przybory było więcej piosenek, u *Dudka* zaś skeczy. Jego kreacje, a właściwie miniatury dramatyczne, jak słynny *Rapaport* czy *Kuszelas*, pozostały w pamięci paru pokoleń jako arcydzieła aktorstwa. Postępował zgodnie z dewizą – nie nudzić. W kilka minut potrafił stworzyć krwistą postać, opowiedzieć jej losy, często i śmieszne, i tragiczne. Stefania Grodzieńska, wielka dama i autorka kabaretu, powtarzała o Dziewońskim: „To intelektualista, który jest aktorem komediowym. A w środku jest człowiekiem smutnym i samotnym".

Toteż jemu właśnie powierzono dyrekcję Kwadratu, a tym samym misję odnowienia zapomnianej scenicznej tradycji. Prowadził więc scenę o bardzo określonym profilu repertuarowym – wystawiał komedie i farsy, przede wszystkim francuskie i anglosaskie, dbając o ich aktualność. Na jego zamówienie powstawały także komedie polskie, rejestrujące śmieszność i absurd współczesnego życia. Aktorom, którzy się pod jego dyrekcyjną i reżyserska ręką znaleźli, nie mogło się zdarzyć nic lepszego. Samo obcowanie z Dziewońskim było szkołą życia i bycia, ale też nieustanną podróżą w krainę absurdu i wyobraźni, w czasy przedwojennego obyczaju i manier. Nie lekceważyłabym w biografii mojego bohatera miejsca, jakim był prowadzony przez Dziewońskiego teatr – enklawa, gromadząca ludzi o podobnym poczuciu miary rzeczy.

Po remoncie Kwadrat nabrał przytulności, zostały zamontowane miękkie fotele, a ponieważ było ich zaledwie 215, nie było nigdy problemów z frekwencją. Publiczność kupowała bilety w kasie, a nie dostawała ich, jak to było w tym czasie, z komórki socjalnej, która istniała przy każdym zakładzie pracy, by „ukulturalniać załogę”. Zwolennicy podkreślali, że to był jeden z nielicznych teatrów pracujących wtedy w systemie kapitalistycznym. Złośliwi powiadali, że nietrudno zapełnić małą widownię najpopularniejszym i najchętniej przez widzów oglądanym repertuarem. Prawda pewnie leży, jak zwykle, pośrodku. Wystarczy porównać, jakiej klasy literaturą komediową i jakimi sposobami „artystycznymi” walczą dziś o widza niektóre teatry.

Ale prawdą też jest, że dla publiczności, zasiadającej w owych miękkich fotelach, teatr Szajny, Grotowskiego, Kantora to były propozycje tyleż trudne, nieoswojone, co niedostępne. Grotowski żył raczej w legendzie, on sam i jego aktorzy prowadzili staże za granicą albo pod Wrocławiem. Ostatnie przedstawienie *Apocalipsis cum figuris* pokazywano w Starej Prochowni przy ulicy Boleść w Warszawie jesienią 1971 roku. Zespół Kantora dopiero tworzył legendarną *Umarłą klasę* i *Wielopole*, a później prezentował je częściej na zagranicznych festiwalach niż w kraju. Najwybitniejsi krytycy poświęcali swe pióra Grotowskiemu czy Kantorowi oraz Staremu Teatrowi w Krakowie, gdzie swe największe przedstawienia tworzyli Konrad Swinarski, Jerzy Jarocki i Andrzej Wajda. Kwadrat Edwarda Dziewońskiego nie budził podobnych emocji, znajdował się poza głównym nurtem zainteresowań i krytyki, i elitarnej publiczności.

Ówczesne opinie o aktorstwie Janusza Gajosa nie grzeszą ani wnikliwością, ani kunsztem literackim. Są to lakoniczne wzmianki, w równie lakonicznych recenzjach. Innych nie ma. Przejrzenie ich pokazuje jednak, jak Gajos, z roli na rolę, staje się aktorem coraz bardziej w zespole potrzebnym i ważnym. Lecz nie od razu. Pierwsza premiera Kwadratu okazała się raczej falstartem. *Prawdziwy mężczyzna,* sztuka Jamesa Thurbera i Elliota Nugenta, napisana w latach czterdziestych, okazała się cokolwiek zwietrzała. Sytuację ratowali aktorzy, celnie ukazujący postawy swoich bohaterów i konflikty środowiskowo-rodzinne sprowokowane polityczną nagonką na profesora amerykańskiego uniwersytetu. Janusz Gajos jako Meyers, jeden z kolegów bohatera, nie doczekał się pisanych opinii.

Natomiast zamówione specjalnie dla tego teatru *Rozmowy przy wycinaniu lasu* Stanisława Tyma stały się sukcesem. O Gajosie pisano wręcz entuzjastycznie – „wyborny”, „potrafi prowadzić absurdalny dialog, przekazać publiczności specyfikę humoru Tyma, autora STS-u”, „prezentuje świetny talent komediowy”, a nawet „jest małą rewelacją aktorską”. Zdarzały się próby opisu roli, co jest zjawiskiem równie rzadkim jak księżyc w nowiu.

W tej sztuce surrealizm miesza się z obserwacją obyczajową, a obyczaj jest taki, jakie czasy. Czterech drwali metodycznie wycina las po to, by zasadzić na jego miejscu kapustę, kapusta zwabi zające, a kiedy jej zabraknie, zające zabiorą się do obgryzania drzew owocowych, a kiedy drzewa uschną – nie będzie klęski urodzaju. I o to chodzi, bo z urodzajem tylko skaranie boskie, owoce zbierać trzeba, sprzedawać itd. Drwale wycinają las, ale w przerwach – długich – gadają o życiu, o karpiu, którego od dziesięciu lat nie mogą złapać, o *Hamlecie* i Dostojewskim. Ujawniają zasady życia w najweselszym baraku z obozu państw socjalistycznych. „Aktorzy czują ten rodzaj humoru i, jakby bawiąc się nim, prowadzą dialog w tonie kabaretowym. Celnie puentują kolejne dowcipy i sytuacje. Prym wiedzie wśród nich Janusz Gajos jako Bimber – gorliwy czytelnik *Hamleta* oraz *Zbrodni i kary,* który na wszystkie wydarzenia reaguje z namysłem i nieśpiesznie. Jego opóźnione reakcje są nieodparcie zabawne także przez to, że Gajos utrzymuje je w tonacji absolutnie serio. Kiedy Bimber, Zyzol (Włodzimierz Press), Maruga (Andrzej Fedorowicz) i Dunlop (Włodzimierz Nowak) dywagują w kwartecie na temat „rzeczy, o których się nie śniło nawet filozofom – zabawa jest pyszna!" (Barbara Osterloff, „O karpiu, lesie i kapuście rozmowy w *Kwadracie*" – *Teatr* nr 10/1975). Opóźnianie reakcji nie jest w rolach komediowych wynalazkiem nowym; bardzo starym, co nie znaczy złym. Przeciwnie. Zamierzona safandułowatość Bimbra pozwoliła aktorowi budować jego „poważne" rozważania na kontrze, więc wypadały śmiesznie tym bardziej, im bardziej serio były traktowane.

Po dwudziestu latach sztukę zrealizował w Teatrze Telewizji sam autor Stanisław Tym, i choć obsada się zmieniła, Janusz Gajos znów bawił rolą Bimbra. Był jakby jeszcze bardziej wyciszony, reagował jeszcze wolniej (niby skupiony na lekturach) i jeszcze bardziej śmieszył. Nie zapomniał ponadto o surrealistycznej proweniencji tej postaci: gdy pobiegł z chłopakami popchnąć motor Siekierowego, po powrocie na łąkę jeszcze długo wypuszczał z ust dym, którego się nawdychał. Efekt prosty, a celny. Takie role nie zdarzają się jednak często. Codzienność aktora nie składa się z samych wydarzeń artystycznych. Kiedy Witold Skaruch wyreżyserował klasyczną farsę Francisa Vebera, recenzenci narzekali: „*Podłużna walizka* jest raczej pusta i należałoby ją oddać do przechowalni i zgubić kwit". „Na uznanie zasługuje Kowalewski (Franciszek) i Gajos (Ralf) – obaj ci artyści mają wyraźny instynkt komediowy, tworzą zabawne figury, które mają i ręce, i nogi, i głowy" (Michał Misiorny, „Pusta walizka" – *Trybuna Ludu* nr

U Tyma Bimber służy do czytania Dostojewskiego.
Rozmowy przy wycinaniu lasu Stanisława Tyma w Teatrze Kwadrat

Fot. L. Myszkowski, Teatr Kwadrat

Fot. L. Myszkowski, Teatr Kwadrat

Oskar
w Kwadracie

Oskar
Clauda Magniera

77/1975). Lecz nawet ich wysiłki nie ożywiły tej starej już farsy, do czego powołany został w końcu ten teatr.

Podobnie nie udała się – pełna zamienionych walizek, narzeczonych i zabawnych sytuacji, okraszonych szczyptą prawdziwej miłości – stara farsa Clauda Magniera *Oskar*. Tytułową rolą głupkowatego amanta-kierowcy Janusz Gajos umocnił swą pozycję w zespole, ale trudno powiedzieć, by odniósł sukces podobny jak Louis de Funés w filmowej przeróbce owej farsy sprzed lat.

Tu pozwolę sobie na intermedio kabaretowe, od komedii do kabaretu wszakże jeden krok. W roku 1975 Teatr Buffo, po trzynastu latach, wznowił działalność programem *Kabaretro, czyli salon zależnych*. Tytuł w jawny sposób nawiązywał do sławnego, a tępionego przez cenzurę kabaretu studenckiego – *Salonu niezależnych* Jacka Kleyffa, Michała Tarkowskiego i Janusza Weissa. Janusz Gajos, jako zdolny artysta komediowy, został zaproszony do udziału w inauguracyjnym programie Buffo z dwoma monologami *Nuda* i *Dylemat,* ale w kompanii Gozdawy i Stępnia długo nie zabawił.

Być może w Kwadracie przy ulicy Czackiego Gajos czuł się słabo wykorzystany, skoro szukał innych zajęć. Być może chciał się uwolnić od etykietki aktora tylko komediowego i spróbować innego *emploi*. W Starej Prochowni, kierowanej przez niezmordowanego Wojciecha Siemiona, przygotował wraz z Polą Raksą sztukę o problemach małżeńskich, wyrastającą z małego realizmu – *Alfa Beta* Edwarda Anthony'ego Whiteheada. „W ich interpretacji sztuka brzmi czysto, bez zbytecznego patosu, miejscami zaś z przejmującą prawdą. Na szczególne zainteresowanie zasługuje rola Janusza Gajosa, którego szeroka publiczność zna raczej z dość jednostronnego repertuaru, tu zaś ukazuje on nowe i zaskakujące możliwości swego aktorstwa: bardzo prawdziwie rysuje postać przegranego mężczyzny, bezskutecznie walczącego o rozwikłanie krępującego go węzła życiowych spraw, przypominając w tym aktorów angielskiego filmu lat sześćdziesiątych. Jeśli przypomnimy, że wówczas największe triumfy święcili Albert Finney i Tom Courtenay, porównanie to mówi samo za siebie" (Maciej Karpiński, „Z Off-Warszawy" – *Sztandar Młodych* nr 11/1976).

Porównanie z wybitnymi angielskimi aktorami nie wydaje się tu tylko czczym komplementem. Karpiński trafnie zauważył inny *genre* aktora. *Alfa Beta* utrzymywała się na afiszu dwa sezony, ale głównym smaczkiem była jej obsada. Gajos wraz z Polą Raksą grali tu skonfliktowane małżeństwo, dojrzałe do nienawiści, podstępnych gier i wzajemnych upokorzeń. Stanowili parę zupełnie odmienną od tej naiwnej, zakochanej, którą stworzyli w *Pancernych* jako czołgista Janek i sanitariuszka Marusia. Recenzenci i publiczność z upodobaniem oglądali to nowe wcielenie ulubionej pary filmowych bohaterów. Aktor tak się zrósł z obrazem swego Janka, że nawet po latach dopisywano dalszy ciąg jego biografii.

Tymczasem w Kwadracie przygotowano klasyczną polską komedię *Damy i huzary* Fredry – dla publiczności przede wszystkim polonijnej, ponieważ teatr dostał zaproszenie do Stanów Zjednoczonych i Kanady. Fakt ten przesądził o zastąpieniu dekoracji polskimi flagami, o pięknych napoleońskich kostiumach i o sposobie gry. Niezbyt odkrywczym, skoro pisano, że „jeden tylko Janusz Gajos marnuje się w roli Kapelana" (Edward Dziewoński grał Majora, Jan Kobuszewski – Rotmistrza, a Gabriela Kownacka – Zosię). Spektakl, utrzymany w najbardziej tradycyjnym stylu, budził jednak wzruszenie w sercach Polonusów.

Zagraniczne tournée to trochę święto, trochę wakacje od codzienności. Normalne życie aktora polega na tym, że raz wchodzi na scenę jako lokaj, jak to miało miejsce w farsie *Wstrętny egoista* François Dorina, innym razem jako lord, hrabia czy niewierny kochanek. Farsę Dorina wyreżyserował Jan Kobuszewski i zagrał rolę tytułową – starego kawalera Lionela. Można było przeczytać, że: „Bratnią mu duszę – lokaja Wiktora – kreuje z dużym powodzeniem i poczuciem humoru Janusz Gajos" (pa – „Uroczy egoista" – *Życie Warszawy* nr 30/1977).

Powoli Gajos stawał się filarem zespołu. Choć nie brak było w nim zdolnych aktorów w podobnym wieku, jak Krzysztof Kowalewski, Andrzej Fedorowicz czy Bogdan Łazuka – to on coraz częściej dostawał główne role. *Za rok o tej samej porze* Bernarda Slade'a to niemal samograj, ale dla wszechstronnych akto-

Fot. L. Myszkowski, Teatr Kwadrat

Za rok o tej samej porze – spotykaliśmy się z Haliną Kowalską co wieczór.

Za rok o tej samej porze Bernarda Slade'a w Teatrze Kwadrat

rów. Opowiada o romansie pewnej pary, która od dwudziestu czterech lat spotyka się w tym samym hotelu, o tej samej porze roku. Sztuka, wychodząc od schematu bulwarówki, zmierza ku całkiem poważnej analizie uczuć ludzi, związanych ze sobą może intensywniej niż w związkach oficjalnych.

„Doskonałym partnerem jest Janusz Gajos – amerykański mężczyzna, pracowity i uparcie pnący się w górę, który jednakże jest prosty, mało skomplikowany i łatwo daje się zdominować. Atutem Gajosa jest swoisty wdzięk i typ powściągliwego, ciepłego komizmu, który czyni tę postać niezwykle sympatyczną" – pisał Michał Misiorny („Bulwar serio" – *Trybuna Ludu* nr 245/1978). Krystyna Gucewicz zaś, czytając tę sztukę jako komedyjkę, miała do aktorów pretensje o zbyt mało efektów: „grali ponad stan tej sztuki, zbyt poważnie" (*Ekspres Wieczorny* nr 230/1978). Niezbyt to słuszny zarzut. Raczej na plus policzyć można wykonawcom – Halinie Kowalskiej (Doris) i Januszowi Gajosowi (George) – że ich aktorstwo podnosiło rangę sztuki, a nie pogrążało ją w banalnych chichotach.

Dyrekcja teatru, mając aktora o szerokiej skali wyrazu, stara się go wykorzystać, szukając odpowiednich sztuk. Co najmniej od czasu *Bliźniaków weneckich* Goldoniego wiadomo, że role podwójne – bliźniaków, sobowtórów pisano dla aktorów najlepszych. Pomysł ten wykorzystał francuski dramatopisarz Gabriel Arout w komedii *On i nie on*. Akcja obraca się wokół sobowtóra pewnego kompozytora, który okazuje się o niebo lepszy od niego samego, co prowadzi do wielu nieporozumień, a w końcu do morderstwa. Już samo powierzenie Gajosowi tej roli było wyróżnieniem, a okazało się także sukcesem. „Niełatwa to rola, oparta na dwoistości i o dwoistości ludzkiej natury mówiąca. I rzeczywiście Gajos jest on i nie on, zdołał zaznaczyć różnicę między fajtłapowatym Julianem i doskonałym pod każdym względem Dawidem. Właśnie tylko zaznaczyć. Gdyby bowiem zbyt wyraźnie zróżnicował swych bohaterów, całość okazałaby się kompletną bzdurą" (Renata Wojdanówna, „On i nie on" – *Nasza Trybuna* nr 157/1979).

...i jeszcze
za to płacą...

On i nie on
Gabriela Arouta
z Ewą Borowik
w Teatrze Kwadrat

Fot. L. Myszkowski, Teatr Kwadrat

Podzielali to zdanie inni recenzenci. „Odcieniami gry, zaznaczającej podobieństwa i różnice, uwydatnia się siła aktorstwa, zakres jego oddziaływań. Gajos wyrasta w naszych oczach na wybitnego artystę komediowego. Myślę, że nie tylko na tym ono polega, że wykonawca otrzymuje efektowną i dobrze doń przylegającą rolę. Raczej na tym, że takich okazji nie chybia, że daje w nich swą pełnię" (Wojciech Natanson, „Ciuciubabka" – *Życie Warszawy* nr 159/1979). Aktor, któremu poświęca się w krótkiej recenzji tak długie akapity, może się czuć doceniony. Ale może nie chciałby pozostać li tylko przy lekkiej muzie.

Granie dość jednorodnej literatury wyjaławia i prowadzi do sztampy. Celnie opisał efekty owego procesu Adam Kreczmar: „Teatr Kwadrat wie, jak należy grać do śmiechu, nauczony pasmem olśniewających sukcesów fars francuskich i anglosaskich. Tzw. reakcje publiczności ocenia się tu wedle starych, dobrych reguł: może być *szmerek*, *brawko*, a najlepiej *sik*. Jeśli publiczność, nie daj Boże, cichnie i zaczyna jakby się zastanawiać nad tekstem, a nawet, wstyd powiedzieć, myśleć trochę ona zaczyna – to w żadnym wypadku nie jest »reakcja«, i w takim momencie należy rzecz dośmieszyć, pogrepsować, dołożyć akcji scenicznej" (*Szpilki* nr 4/1979). Uwagi Adama Kreczmara wydają się bardzo istotne. W ironicznej formie wyraził on opinię wielu widzów, którzy omijali teatr adresowany do szerokiej publiczności, szukającej rozrywki w niezbyt trudnych sztukach, a nie poważniejszych refleksji. Estetyka przedstawień dostosowana do owego powszechnego gustu pozostawała bardziej konwencjonalna niż na innych scenach, szukających nowych form wyrazu.

Dla Janusza Gajosa pobyt w Kwadracie, mimo wszelkie zastrzeżenia, był doskonałą szkołą zawodu; nie ma bowiem lepszego treningu niż komedia czy farsa, a zwłaszcza kabaret. Sprawdzian jest natychmiastowy – albo się ludzie śmieją, albo nie. Tu nie można oszukać, schować się za kostium, scenografię, głębię tekstu. Tu trzeba pokazać najwyższe zawodowe umiejętności, zgodnie z maksymą starego Diderota, autora *Paradoksu o aktorze* – „Aby poruszyć widzów, samemu trzeba pozostać niewzruszonym". Wielu ta umiejętność wystarcza. Wydawać się mogło, że Janusz Gajos pozostanie mistrzem komedii i kabaretu, jak Jan Kobuszewski, Krzysztof Kowalewski, Stefan Friedmann czy Edward Dziewoński. Pośród śmiechu i rzęsistych braw potrafił on jednak wyczuć rutynę. I przed nią uciec.

Sam mówi o magmie, jaka go otaczała przez mniej więcej dziesięć lat, z której powoli zaczął się wydobywać. W filmach grał postacie coraz bardziej złożone psychologicznie, dramatyczne, w teatrze wciąż te rysowane prostą, komediową kreską. Bardzo trudno aktorowi przełamać taki schemat, ponieważ to on zawsze czeka na zaproszenie do tańca. Nigdy sam sobie nie jest sterem, żeglarzem i okrętem jak pisarz czy malarz.

Warto też uświadomić sobie, jak wygląda dzień pracy aktora. Od dziesiątej do drugiej – próby w teatrze, od trzeciej do szóstej nagrania w telewizji – bardzo często odbywają się także w soboty i niedziele, od siódmej do dziesiątej przedstawienie, a później kabaret, który kończy się późną nocą. W tym czasie, jeśli ktoś ma propozycje zagrania w filmie, to wyjeżdża na kilka dni, lecz później odrabia zaległości.

Aktor ma być punktualny i zawsze w formie, nikogo nie obchodzą jego bóle duszy ani głowy. Trzeba samemu znaleźć jakiś mądry środek, proporcje pracy i odpoczynku, refleksji i uczuć. Nie wszyscy to potrafią, nie wszyscy też są w stanie utrzymać się w tej, wyniszczającej psychikę, profesji. Wystarczy sobie przypomnieć nazwiska błyszczące przez jakiś czas, a później zapomniane. Sukces i porażka są tu i widowiskowe, i spektakularne. Stąd też wielu szuka w alkoholu odskoczni przed presją i bardzo często przed samotnością. Udane życie rodzinne to kolejna rzadkość w tym zawodzie, stresy i napięcia bowiem przenoszą się do domów i rodzin. Janusza Gajosa, który pracował wyjątkowo intensywnie, nie ominęły ani kłopoty małżeńskie (rozwodził się i żenił parokrotnie), ani poczucie niespełnienia. Zawsze jednak poważnie traktował to, co robił, i stawiał sobie kolejne progi do pokonania. Coraz wyższe. Czy samodyscyplina uchroniła go przed pogrążeniem się w sztampie? Czy tak zwane wyższe ambicje? Talent czy łut szczęścia? Trudno powiedzieć. Pewnie wszystko po kolei i wszystko razem.

Telewizja to nie tylko rozrywka

Dla aktorów rozpoczynających karierę w latach sześćdziesiątych telewizja stała się bardzo ważnym medium. Nie tylko jako producent seriali, które po sukcesie *Pancernych* zaczęły powstawać niemal lawinowo, obejmując swą tematyką zarówno historię, jak i współczesność. W tym czasie został zrealizowany pomysł na Teatr Telewizji, czyli udostępniania masowej widowni najwybitniejszych dzieł polskiej i światowej dramaturgii zarówno klasycznej, jak i współczesnej, w możliwie najlepszym wykonaniu. Co poniedziałek tysiące widzów zasiadały przed szklanym ekranem na dwie godziny obcowania z wysoką kulturą. Żaden zespół teatralny nie liczył tylu aktorów, ilu właśnie Teatr Telewizji, żaden też nie był w stanie zaangażować tak znakomitych reżyserów i scenografów. Nie mówiąc już o tym, że widownia tego teatru jednego wieczoru przekraczała liczbę widzów we wszystkich polskich teatrach razem wziętych w ciągu kilku miesięcy, a nawet roku.

Ten osobliwy wynalazek polskiej telewizji rozrastał się – mnożyły się dni, kiedy na ekranie pojawiał się dramat, komedia, kryminał, czyli słynna Kobra, spektakle poetyckie, spektakle dla dzieci – i spełniał niezwykłą rolę edukacyjną. Powstawały specjalne kluby fanów, nagradzające najlepsze przedstawienia, o których się dyskutowało. Aktorom zaś, poza możliwością zarobienia dodatkowych pieniędzy, stwarzał szansę przyspieszonego rozwoju. Sprawdzenia się w wielu gatunkach, estetykach teatru, o czym w teatrze mowy być nie mogło, oraz zdobycia popularności, o jakiej również żaden aktor teatralny nie mógł nawet marzyć.

Przygoda Janusza Gajosa z Teatrem Telewizji zaczęła się na długo, zanim został zawodowym aktorem. Ponieważ po maturze nie dostał się do szkoły teatralnej, pracował przez dwa sezony w Teatrze Dzieci Zagłębia w Będzinie. Kiedy w roku 1958 uruchamiano Katowicki Ośrodek Telewizyjny, zaproszono teatr kierowany przez Jana Dormana, by na inaugurację zagrał *Baśń o zaklętym kaczorze*. Janusz Gajos, ubrany w czarny trykot, zasłaniając się przezroczystą tarczą, wystąpił jako Słońce.

Spektakl był grany na żywo, więc wszyscy poszliśmy do telewizji bardzo, bardzo spięci. Już samo wnętrze studia, po przejściu całej plątaniny korytarzy, robiło niesamowite wrażenie. Kamery stały na ogromnych trójnogach, zajmując wiele miejsca, poza tym miały wielkie, przekręcane obiektywy. Przebierać trzeba się było gdzieś w kącie i tak się poruszać po studiu, żeby nie wejść w pole widzenia kamery, jeśli się nie brało w danej scenie udziału. Pamiętam, jak realizator Raj-Zawadzki niezwykle przejęty krzyczał: „Proszę państwa, to jest technika, proszę się skupić. Uważać!!!". Światła, tumult, jego głos brzmiał tak, jakby sam Pan Bóg dowodził. Miałem wrażenie, jak zresztą wszyscy, że dotykam innego świata. Po powrocie do domu – gdzie nie było oczywiście telewizora, a ojciec namiętnie słuchał radia – opowiadam, że byłem w telewizji, w jakiejś innej rzeczywistości, jak na stacji kosmicznej. Ojciec się skrzywił: – Eeee tam, w radiu jakbyś zagrał, toby było coś!

Można to nazwać różnie – przeznaczeniem, wyrokami losu, przypadkiem – ale faktem pozostaje, że telewizja stała się dla Janusza Gajosa medium bardzo przyjaznym. Ale też i on dołożył swoją cegiełkę – dziesiątki wybitnych ról – by Teatr Telewizji stał się tym, czym był w swych najlepszych latach. A był dumną wizytówką X Muzy, jakiej zazdrościli nam przedstawiciele innych telewizji w wielu krajach. Niektórzy mówią nawet, że był najważniejszym zjawiskiem kulturalnym drugiej połowy XX wieku. Niestety, dziś świetność tego zjawiska należy do przeszłości. Dość porównać dane statystyczne: w najlepszych latach, siedemdziesiątych i osiemdziesiątych, produkowano rocznie 120 spektakli; dziś powstaje ledwie dwadzieścia kilka, a repertuar uzupełniany jest powtórkami. W archiwach znajduje się ponad cztery tysiące siedemset widowisk.

Teatr Dzieci Zagłębia w telewizji, Katowice 1958

Początki kariery Gajosa na małym ekranie były jednak skromne. Popularność serialu wszechczasów, czyli *Pancernych,* nie zaowocowała wielkimi rolami w Teatrze Telewizji. Przynajmniej na początku. Jako aktor łódzkiego Teatru im. Jaracza trafił do łódzkiego studia telewizji, gdzie spektakli nie nagrywano jak dziś na taśmę, tylko „szły na żywo". Pierwszym, już zawodowym spotkaniem z tego rodzaju teatrem, była niewielka rola w poetyckiej sztuce Marcela Aymé *Księżycowe ptaki,* po którym nie została żadna taśma, ani też żadna recenzyjna wzmianka, tylko data debiutu – 2 marca 1969 roku. Następny

80

występ, trzy tygodnie później, to główna rola w sztuce Irwina Shawa *Zamach* w reżyserii Romana Sykały, o której również nic nie potrafię powiedzieć z braku materiałów.

Za to kolejna tytułowa rola w widowisku *Młodość Jasia Kunefała,* według autobiograficznej powieści Stanisława Piętaka (adaptacja Tadeusza Papiera), została zauważona. Obok krytycznych uwag pod adresem scenariusza, recenzent pisma *Ekran* pisał: „Dla jednej z nich warto było otworzyć telewizor – dla sceny rozmowy Jasia Kunefała z ojcem, gdy nad szklanką wódki nawiązuje się nić zaufania i porozumienia. Ojca zagrał znakomicie Janusz Kłosiński, jednocześnie reżyser przedstawienia. Kilka słów o odtwórcy roli tytułowej Januszu Gajosie. Ten młody aktor (...) pokazuje się coraz częściej w telewizji, i to w nader różnych rolach. Poprzednio oglądaliśmy go jako Chopina, teraz w roli Jasia stworzył ciekawą postać wiejskiego chłopaka, któremu upór pozwala przezwyciężyć trudności na niełatwej drodze awansu kulturalnego" (Jan Szumski – „Młodość Jasia Kunefała" – *Ekran* nr 24/1969). Powieść Piętaka opowiada o losach ambitnego chłopca z podtarnowskiej wsi, który uporem i pracą uniezależnia się od otoczenia, zdobywa wiedzę i możliwości wypowiedzi artystycznej. Została nagrodzona w 1938 roku przez Polską Akademię Literatury za autentyzm w pokazywaniu środowiska i skomplikowanej drogi twórczej bohatera – chłopskiego dziecka walczącego o równe prawa w międzywojennej Polsce. Od młodego aktora rola wymagała sporej wyobraźni, z realiami powieści bowiem, czyli przedwojenną nędzą polskiej wsi, pozbawiającą jej synów możliwości awansu, się nie zetknął.

Zamach Irwina Shawa w Ośrodku Telewizji Łódź – jeszcze na żywo

Po przeprowadzce do Warszawy w 1970 roku telewizyjne losy Gajosa nie układały się pomyślnie; kilka lat trwało oswajanie się z nowym środowiskiem. Był wprawdzie aktorem już bardzo popularnym, ale jak już pisałam, w jego przypadku była to raczej przeszkoda niż przepustka na mały ekran. Wielu reżyserom wydawał się zbyt określony, i nawet udane role filmowe, zupełnie odmienne od Janka Kosa, nie zmieniły szybko tej opinii. Na początku dostawał epizody, niewielkie rólki. Zagrał lekarza w *Mgle* Zofii Lorenz, sztuce współczesnej o nudzących się z braku zajęć, czyli wypadków, lekarzach w szpitalu, wyreżyserowanej przez Marię Kaniewską. Później rosyjskiego żołnierza Ilię Drakina w widowisku Stefana Szlachtycza według powieści Leonida Leonowa *Idź z nami w tamte dni*, opisującej dramatyczne przeżycia wiejskiej społeczności w latach wojny, która w walce ze złem kieruje się odwiecznymi normami moralnymi. Poza tym zagrał komiczną postać Juana Ribeiry, konstruującego pas cnoty dla żony dyplomaty, w polskiej współczesnej komedii Jana Zakrzewskiego *Porwanie*, opowiadającej o porwaniu dyplomatów, czyli o świecie bliskim autorowi, zważywszy, że na placówkach zagranicznych spędził wiele lat, a potem był komentatorem wydarzeń politycznych w telewizji. U Jana Bratkowskiego w *Pierwszym dniu wolności* Leona Kruczkowskiego jako Karol znalazł się w doborowej obsadzie – obok Kazimierza Opalińskiego, Henryka Borowskiego, Gustawa Lutkiewicza, Anny Seniuk i Ewy Szykulskiej. I to chyba była pierwsza rola w poważnym repertuarze, wówczas już klasycznym. Spektakl usiłował wydobyć uniwersalność tego tekstu. Akcentował pojęcie wolności, jej niejednokrotnie zdumiewających sensów, rozumianych inaczej przez każdego z bohaterów.

Sam aktor określa ten okres jako bardzo trudny: „Nie było zapotrzebowania na moje usługi". Dlatego „właziłem w maliny i potem sam z nich musiałem wyłazić". Te maliny to zgoda na wszystkie pojawiające się propozycje, żeby istnieć w zawodzie, a także dlatego, żeby się utrzymać, gdyż zarobki w teatrze nigdy nie były wielkie. Szukał każdej pracy, występował w kabaretach, na estradach, starał się jak najlepiej wykonywać swój zawód. Dopiero angaż do teatru przy ulicy Czackiego sprawił, że jego kariera telewizyjna nabrała przyspieszenia.

Teatr Kwadrat był integralnie powiązany z telewizją, można powiedzieć, że powstał dla jej potrzeb. Stał się sceną, na której można było szlifować – na co w telewizji nie ma ani czasu, ani warunków – spektakle, w większości przenoszone na szklany ekran. Teatr Telewizji to teatr najbardziej masowy, a jednocześnie jest najgorzej opisany, zwłaszcza w pierwszych dwóch dziesięcioleciach działalności. Redakcje gazet uważały za swój obowiązek odnotować, choćby w kilku zdaniach, każdą premierę w teatrze czy w kinie, lecz o Teatrze Telewizji pisano rzadko i mało. Z czasem gazety codzienne oraz pisma specjalistyczne zaczęły poświęcać mu więcej uwagi, ale wciąż trudno się oprzeć wrażeniu, że była to, i jest nadal, dziedzina traktowana przez recenzentów po macoszemu.

Do wielu spektakli z lat siedemdziesiątych nie można dziś dotrzeć. Nawet jeśli tak zwane taśmy matki istnieją, to zapisane są w starym systemie, więc przegranie ich na taśmy wideo pozostaje albo niemożliwe, albo bardzo skomplikowane technicznie. Jedno wiadomo na pewno. Janusz Gajos stał się aktorem telewizyjnym w pełnym tego słowa znaczeniu. To znaczy bardzo, bardzo popularnym. Ale też coraz sprawniejszym zawodowo. „Kto umie grać komedię, umie grać wszystko" – mówi stara teatralna maksyma. Wielu aktorów podkreśla, że swego fachu nauczyli się, grając w farsach.

Dziś, bez obycia przed kamerą, aktor właściwie nie może istnieć. Jednocześnie telewizja wymaga zupełnie innego rodzaju umiejętności niż w teatrze. Wprawdzie na scenie aktor musi grać cały czas, to w telewizji rola bywa budowana jak w filmie, małymi ujęciami, ale za to w zbliżeniu widać wszystko. Żaden gest, grymas twarzy nie może być fałszywy, a nade wszystko przerysowany.

Nadmiar jest w telewizji grzechem głównym. Poza tym, o czym się mówi rzadko, w telewizji pracuje się szybko. Nie ma czasu na wątpliwości ani dyskusje artystyczne. Aktor musi być gotów i w formie, bo każde ujęcie to premiera. Co kamera zarejestruje, widz zobaczy.

Kamera jednak nie wszystkich lubi, nie wszyscy są fotogeniczni, ale to nie dotyczy Gajosa. Toteż pojawiał się w Teatrze Telewizji coraz częściej, i to nie tylko w przenoszonych z Kwadratu spektaklach. Specjalnie dla telewizji w tym okresie wiele przedstawień zrealizował Edward Dziewoński. Dla swojego aktora znalazł epizody w *Operze za trzy grosze* Bertolta Brechta, utrzymanej w estetyce ekspresjonizmu lat dwudziestych, zwłaszcza w kostiumach i charakteryzacji aktorów, oraz w sztuce *Fraulein Doktor* Jerzego Tepy, dziennikarza, spikera radia we Lwowie, opowiadającej dzieje kobiety – szpiega w służbie wywiadu niemieckiego, działającej na frontach I wojny światowej, nie mniej fascynującej niż Mata Hari.

Jednak prawdziwej satysfakcji dostarczyła aktorowi rola Szczastliwcewa w *Lesie* Aleksandra Ostrowskiego. Jedna z najlepszych komedii tego mistrza humoru i przenikliwego krytyka dziewiętnastowiecznego społeczeństwa, ma doskonale napisane role. „Edward Dziewoński zaprosił do roli dziedziczki Gurmyskiej wielką aktorkę sceny krakowskiej – Zofię Jaroszewską. Z kolei obok niej wystąpili aktorzy odnoszący ostatnio duże sukcesy w kolejnych kabaretach Olgi Lipińskiej – Jan Kobuszewski i Janusz Gajos. Z tym większą satysfakcją śledziliśmy ich ciekawy i udany występ w wielkim repertuarze, z mocnym i wzruszającym finałem, w którym dwaj wędrowni, prowincjonalni aktorzy mówią gorzką prawdę w oczy bogatej krewniaczce i jej marnemu otoczeniu" (Zofia Sieradzka – *Głos Pracy* nr 62/1978).

„Większe zdolności transformacji ma Janusz Gajos, który grając Szczastliwcewa, nie przypominał żadnego ze swoich innych telewizyjnych wcieleń, włącznie z najnowszym – woźnego Tureckiego w kabarecie Lipińskiej – w przeciwieństwie do Kobuszewskiego, który przypominał wcielenie Pana Janeczka z tegoż kabaretu" (Romana Konieczna, „Teleimpulsy" – *Trybuna Odrzańska* nr 69/1978).

Jak widać las – Arkadij Szczastliwcew (ja) i Gienadij Nieszczastliwcew (Jan Kobuszewski) *Las* Aleksandra Ostrowskiego

Fot. z archiwum TVP

I jeszcze ważny głos Jerzego Andrzejewskiego, pisarza wyraźnie poruszonego spektaklem. „Wczoraj w Teatrze Telewizji *Las* Aleksandra Ostrowskiego w świetnej, bardzo zresztą teatralnej reżyserii Edwarda Dziewońskiego i z wielką Zofią Jaroszewską w roli Raisy Pawłowny Gurmyskiej. Wspaniałe przedstawienie. Arcydzieło Ostrowskiego przez dwie godziny żyło pełnym blaskiem genialnego tekstu. I jak bezbłędnie przez wszystkich wykonawców było grane: zwłaszcza Jan Kobuszewski (Gienadij Nieszczastliwcew), Janusz Gajos (Arkadij Szczastliwcew) i Damian Damięcki (Aleksiej Bułanow) jak najświetniej zrealizowali świetność ról. Pod każdym względem znakomity wieczór" (Jerzy Andrzejewski, „Z dnia na dzień" – *Literatura* nr 12/1978). Niewykluczone, że pisarz, jak wielu starszych widzów, pamiętał owe słynne dialogi Nieszczastliwcewa i Szczastliwcewa w wykonaniu Władysława Krasnowieckiego i Jana Kurnakowicza z przedstawienia w Teatrze Narodowym w 1952 roku.

Padło w recenzjach słowo: kabaret. Tak jest, nowe wcielenie Janusza Gajosa – woźny Turecki z cyklicznego programu Olgi Lipińskiej – pokonało wszystkie inne stworzone w tym czasie na małym ekranie. Przyniosło mu nową falę zasłużonej popularności. Postać Tureckiego łączyła w sobie tradycje purnonsensownego humoru rodem z teatrzyku „Zielona Gęś" Konstantego Ildefonsa Gałczyńskiego, nadwiślański język Wiecha, dostosowany do realiów epoki Gierka, z tak zwanym chłopskim rozsądkiem prostych ludzi oraz ironiczno-poetycką tradycją STS-u.

Najsłynniejszy woźny PRL-u prezentował dumnie spod robotniczej kufajki koszulkę z napisem „I am Turecki". Do tego zawsze miał czarny berecik z antenką, kolorowy szaliczek i szarmancki wąsik. Maniery cokolwiek swojskie. Trochę Edka z *Tanga* Mrożka, a trochę Piszczyka. Kompleks niższości i wyższości w jednym czyniły tę postać bliską i śmieszną, tym bardziej że aktor z lubością odsłaniał całe pokłady absurdu. Woźny Turecki miał niebywałe pole do popisu: albo gryzł kawę, albo ją mielił językiem, bo młynek ukradli, albo wy-

„Szmelc grupa"
w kabarecie
Olgi Lipińskiej

Fot. M. Stankiewicz

dzielał każdemu 30 centymetrów papieru toaletowego, bo sklepy były niedoto-warowione (sic!). Tłumaczył nowej dyrekcji kabaretu zamianę kisielu na jajko, jajek na kurze łapki, łapek na kawę, kawy na pół litra, czyli obowiązujący właś-nie system kartek. Jego powiedzonka: „Możesz mi pan skoczyć na pukiel" albo „na puklerz", ćwierćinteligenckie „par excellence", dodawane jako przerywnik często bez sensu, szły w Polskę. Ludzie w tych smutnych czasach bawili się po-stacią zadufanego w sobie prostaczka, co to i dyrektora szturchnie, i artystów ustawi, nikogo się boi, bo prosty i szczery człowiek jest.

Wcześniejszy *Gallux show* za sprawą nowych aktorów – Janusza Gajosa, Ja-na Kobuszewskiego, Marka Kondrata, Piotra Fronczewskiego – przekształcił się w kabarecik Olgi Lipińskiej, czyli odrębne zjawisko artystyczne. Główną jego cechą, poza bazarowo-surrealistycznymi strojami łączącymi najprzeróżniejsze fragmenty modnej garderoby, był i jest nadal sposób narracji. Wspomagany czę-stymi cięciami montażowymi, nieoczekiwanym zestawieniem kadrów podkreśla absurdalny typ humoru skeczy i piosenek.

Właśnie leci kabarecik, kurtyna w górę, czyli mają państwo napuszenie, fan-faronadę, głupotę i chamstwo w całej krasie. Z baletem, piórami i przytupem. W krzywym zwierciadle satyry? A cóż w tym złego? Satyra to ostra broń i śmie-chem można sporo zdziałać. Można obśmiać zarówno socjalistyczne ideały – że żyje się nie dla pieniędzy, lecz dla pasji – jak i absurdy życia. Nade wszystko głupotę, brak wyobraźni i frazesy serwowane przez władze. *Kabarecik* sięgał po dobre wzory, ale i klisze mentalne, utrwalone w popularnych utworach literac-kich, w lekkiej formie mówił o sprawach dotkliwych. A że posługiwał się pasti-szem, parodią, przerysowaniem i groteską, to jego dobre prawo. Bawił i uczył, ośmieszał i głowy otwierał, no i był bardzo popularny. Niezbyt lubiany przez prezesów telewizji; rzadko zgadzał się z obowiązującą linią propagandy. I tak jest do tej pory: zmienili się wykonawcy, ale nie formuła i typ humoru. Głupota i zadufanie, fanfaronada i blaga, jak widać, mają się świetnie w każdym ustroju. Popularność miała jednak dla aktora także złe strony.

> Olga Lipińska zaproponowała mi w połowie lat siedemdziesiątych udział w Kabareciku, co się spotkało, brzydko mówiąc, z ogromnym od-zewem społecznym. Dostawaliśmy zarys scenariusza, taką watę, i stara-liśmy się zrobić z tego prawdopodobne postacie. Tak wiarygodne, że się coraz bardziej ludziom podobały. Ale to była kolejna pułapka. Zaczęto do mnie coraz częściej na ulicy mówić: panie Turecki. Kiedy pan doktor po operacji powiedział: Obudź się pan, panie Turecki – zrozumiałem, że trzeba uciekać, że to kolejna szufladka, z której mi będzie bardzo ciężko wyskoczyć. Nie była to uliczka, w którą chciałem wejść, ale wszedłem, i wcale niełatwo się było od Tureckiego uwolnić. Był to program cyklicz-ny, więc jego zniknięcie musiało zostać jakoś zaplanowane. Długo po odejściu z programu byłem dla wielu ludzi Tureckim. Także dla reżyse-rów, co było bardziej bolesne.

Olga Lipińska z kolei mówi, że do programów zapraszała ludzi, którym „roś-nie kwiatek na głowie". Nie tylko utalentowanych i inteligentnych, ale przede wszystkim twórczych, zdolnych do improwizacji na planie. Przy tworzeniu kabaretu umiejętność odnajdywania w otaczającej rzeczywistości absurdu, patrzenia na nią zezem, jest niezbędna wszystkim. Nic więc dziwnego, że gdy Lipińska reżyserowała przedstawienia dla Teatru Telewizji, także sięgała po swoich aktorów „z kwiatkiem na głowie". Z takich spotkań powstawały spektakle pełne wdzięku, wyczucia stylu i poczucia humoru.

Urocza komedia Alfreda de Musseta *Świecznik* wyjątkowo się do takiej zabawy nadaje. Safandułowaty mąż (Wojciech Pokora), pełna temperamentu młoda żona (Joanna Żółkowska) i ten trzeci – przystojny oficer Clavaroche (Janusz Gajos). Scenografia podkreśla detale z epoki – bokobrody, loczki, epolety. Sielankowo-romantyczne kostiumy, empirowe mebelki we wnętrzach. Aktorzy bawią się miłosną intrygą nie nazbyt serio, za to dbając o zachowanie salonowych manier. Za ich parawanem coraz trudniej ukryć temperamenty, uczucia i późniejsze rozczarowanie. Clavaroche Gajosa to człowiek cokolwiek zmanierowany powodzeniem u dam, cyniczny i zakochany w sobie. Z zachwytem przegląda się w lustrze albo zajada orzeszki, nie bacząc na innych. Wprawdzie podboje przychodzą mu łatwo, ale równie łatwo przegrywa z prawdziwym uczuciem i partnerki, i młodego chłopca zakochanego w niej naprawdę. Jednak od perypetii miłosnych ważniejsze okazało się wyczucie przez aktorów stylu francuskiej romantycznej komedii owych konwencjonalnych spojrzeń, westchnień, słówek. Spektakl zasłużenie znalazł się w „Złotej setce", czyli grupie wytypowanych przez widzów stu najlepszych przedstawień Teatru Telewizji.

Kolejny wyreżyserowany w 1985 roku przez Olgę Lipińską spektakl ze „Złotej setki", to *Przedstawienie Hamleta we wsi Głucha Dolna* Ivo Brešana. Sztuka obrosła swego rodzaju legendą. Wystawiona została w Warszawie przez Teatr na Woli; w roli partyjnego łajdaka wystąpił Tadeusz Łomnicki, ówczesny członek Komitetu Centralnego. Teatr ten był przez opozycyjnie nastawioną publiczność

Clavaroche – jeden z moich nielicznych klasycznych amantów

Świecznik Alfreda de Musseta z Joanną Żółkowską

bojkotowany, lecz gdy rozeszła się wieść, że przedstawienie zaraz zdejmą, bo niecenzuralne, bo dokłada władzy, zamknięte pokazy – stawiła się tłumnie. Rzeczywiście, warto było obejrzeć i sztukę jugosłowiańskiego autora, i Tadeusza Łomnickiego. W roli prowincjonalnego kacyka, dla ukrycia malwersacji finansowych i zwyczajnej ludzkiej podłości, mistrzowsko posługuje się aparatem partyjnej propagandy, otumaniając wiejską społeczność. Próbując odwrócić uwagę mieszkańców wioski od własnych niecnych postępków, przewodniczący Bukara postanowił „w ramach intensyfikacji działań na polu oświaty i kultury" wystawić jakąś sztukę. Przypadek podyktował wybór Hamleta, którego ktoś widział „na delegacji" w Zagrzebiu. Analiza dramatu sprawia, że członkowie spółdzielni produkcyjnej, zaangażowani jako aktorzy, odnajdują w sztuce problemy, które dręczą ich samych: relacje między postaciami Szekspira i chłopami z dalmatyńskiej wioski w dużym stopniu się pokrywają.

Uczciwy księgowy zostaje zaszczuty przez klikę notabli i wiesza się w więzieniu. Jego syn, który właśnie dostał rolę Hamleta, próbuje bezskutecznie dojść sprawiedliwości. I chociaż w miarę rozwoju akcji Hamlet-Skoko wyjaśnia, kto zabrał pieniądze z kasy spółdzielni i tym samym doprowadził do śmierci ojca, sprawiedliwość wcale nie triumfuje. Przeciwnie, sztuka kończy się kołem, ludowym tańcem, który jak chocholi rytm *Wesela* rozmywa wszystko. Triumfuje Bukara, coraz bardziej pijany i coraz bardziej pewny siebie, bezkarny, bo ubezpieczony partyjnym frazesem, który paraliżuje pozostałych.

Przedstawienie Hamleta we wsi Głucha Dolna stało się autentycznym sukcesem teatru, zjednało mu publiczność i środowisko. I choć Łomnicki wiedział, że jako członek najwyższych władz ryzykował zaufanie towarzyszy, to jednak nie cofnął się. Zwyciężył jako artysta stający po stronie prawdy i autentycznych wartości. Niewątpliwą zasługę w zwycięstwie Łomnickiego-artysty miał Kazimierz Kutz, reżyser przedstawienia. Przeprowadzili niebywałą na owe czasy wiwisekcję duszy partyjnego karierowicza.

Świadomie tak dużo piszę o premierze *Hamleta...* na Woli, gdyż musiała być punktem odniesienia dla telewizyjnej realizacji Olgi Lipińskiej. Po pierwsze artystycznym, po drugie politycznym. Przez dwa lata 1984–1986 przedstawienie leżało na półce. „Nieprzyjemnie kojarzy się z aktualną sytuacją" – odpowiadali kolejni prezesi Radiokomitetu pani reżyser, dopominającej się o emisję gotowego spektaklu. Rzeczywiście, siła tego tekstu nie malała w dniach stanu wojennego. Pamięć o tamtym teatralnym przedstawieniu paraliżowała decydentów tym bardziej, że telewizyjne było jeszcze bardziej zjadliwe, bo bardziej śmieszne. Janusz Gajos w roli Bukary rozgrywał wszystkie przywary swego bohatera spokojnie i konsekwentnie. Precyzyjnie obnażał jego łajdactwo, posługiwanie się partyjnym frazesem dla własnych korzyści, tym bardziej perfidne, że wśród bardzo prymitywnych wieśniaków on był człowiekiem choć trochę wykształconym. Przyłapany na oszustwach, uciekał, nie jak Łomnicki, w pijaństwo, choć pił także sporo, ale w błazenadę. Rola Klaudiusza, nowego władcy Danii, okazała się doskonałym schronieniem. Pod warstwami kolorowej szminki Bukara stał się cyrkowym klownem grającym króla. To już nie partyjny dureń i szalbierz, ale kompletny błazen, kukiełka. Ktoś, kogo nie można nawet na serio oskarżyć. Zaprawiona goryczą diagnoza stała się zapewne przyczyną wstrzymania emisji spektaklu.

„Powoli buduje (Olga Lipińska – przyp. E. B.) nastrój tragedii ludzkiej, ostrożnie punktuje sytuacje komiczne, by doprowadzić całość do przeraźliwie gorzkiego finału. (...) Wszyscy tańczą, jak każe król Klaudiusz z *Hamleta*, a w rzeczywistości miejscowy sekretarz, który obezwładnia otoczenie bezwzględnością i prymitywnym cynizmem. W tej postaci tkwi cała siła i groza wynaturzeń możliwych za parawanem sloganów. Styl realistycznej groteski pozwolił na zarysowanie kilku świetnych kreacji aktorskich. Janusz Gajos koncertowo zagrał sekretarza. Jego autorytatywność, choć niedouczona i instynktowna, od pierwszej chwili tłumaczy bezkarność i swobodę działania tej postaci" (M. Garlicka, „Wiejski Hamlet" – *Rzeczpospolita* nr 62/1987).

„Szef wiejskiej kliki jest równie dobrym i jednocześnie bezwzględnym dyplomatą, jak był nim król Danii, z tą wszakże różnicą, że dokonuje swych manewrów w realiach i normach współczesnego życia chłopskiego. Gajos doskonale wykorzystał daną mu szansę komiczną, a jednocześnie potrafił przekonać widzów, z jak groźną figurą mamy tutaj do czynienia. W podobnej skali, bardziej już jednak gogolowskiej niż szekspirowskiej, zmieścili się pozostali aktorzy" (Grzegorz Sinko, „Miesiąc sumiennej roboty" – *Teatr* nr 6/1987).

„Ivo Brešan nie napisał, a Olga Lipińska nie wyreżyserowała ani żarliwej satyry politycznej, ani farsy archetypów. Zarówno w dramacie, jak i znakomitej inscenizacji emocje trzymane są na uwięzi. Trwa kalkulacja. Trochę jak u Brechta, trochę jak w kabarecie. Wcieleniem tej zasady jest kreacja Janusza Gajosa. Na odrębną analizę zasługiwałby plebejski nurt tej inscenizacji, który okazał się niezwykle pojemny, jednakowo sprzyjając zarysowaniu najszlachetniejszych jak i najohydniejszych spraw, jakie dzieją się we wsi Głucha Dolna" (Wacław Tkaczuk, „Emocje na uwięzi" – *Antena* nr 13/1987).

Dla Janusza Gajosa był to wspaniały czas, ale nie zapominajmy, że na ten sukces złożyły się także wcześniejsze role, często epizodyczne. Jak choćby Dziennikarza w *Kartotece* Tadeusza Różewicza wyreżyserowanej przez Krzysztofa Kieślowskiego, który w końcowej sekwencji pyta wieloimiennego Bohatera (Tadeusz Łomnicki) o jego poglądy. Jak choćby diabła Omnimora w *Igraszkach z diabłem* Jana Drdy, inspirowanych czeskim folklorem góralskim, które również znalazły się na liście stu najlepszych przedstawień Teatru Telewizji. Nie bez powodu. Reżyserował je Tadeusz Lis, Czech, który po ukończeniu Szkoły Filmowej w Łodzi osiadł w Polsce na stałe, skąd w latach osiemdziesiątych wyjechał do Kanady. Reżyser bardzo dobrze czuł poetykę tej naiwnej baśni opowiadającej o dobru i złu, i karze za grzechy, pełnej ludowego praśnego humoru i fantazji. Rzecz bowiem dzieje się na ziemi i w piekle, a diabły czyhają z widłami na zbłąkaną ludzką duszę. Marcin Kabat (Marian Kociniak), bohater *Igraszek,* naiwny prostaczek, wyprowadza diabły w pole i nawet niebo przeciąga na swoją stronę. To on, weteran dragonów, trafia do czarciego młyna, spotyka rozbójnika Sarkę-Farkę napadającego na podróżnych i razem zaprowadzą sprawiedliwość. Udaje mu się wyciągnąć z piekła dwie naiwne dziewczyny, księżniczkę i jej służkę, które w zamian za szybkie i bogate zamęście podpisały cyrograf z diabłami. Janusz Gajos zagrał diabła ze świty Belzebuba. Jego Omnimor miał ogromną perukę z kędzierzawych włosów, diabelskie rogi, zabawnie się jąkał, a nadto z rozkoszą grał w mariasza. Rólka niewielka, ale zrobiona precyzyjnie, jak na takiego aktora przystało.

W połowie lat osiemdziesiątych Gajos jest już aktorem, który dostaje duże role, choć przede wszystkim z repertuaru komicznego. Zdobywa nagrody, ale przede wszystkim uznanie publiczności. Dlaczego ludzie chcą oglądać tego, a nie innego aktora? Odpowiedź prosta i banalna – bo jest dobry. To znaczy wiarygodny, prawdziwy, przekonujący. Ale takich aktorów jest wielu, bardzo profesjonalnych, znakomitych,

U Tadeusza Lisa grywałem takich amantów

dlaczego jednak wygrywa ten, a nie inny? Tajemnica talentu, zapewne. Jednak jest chyba coś jeszcze, co wydaje się ważne, szczególnie przy oglądaniu teatru na małym ekranie. W domu, w najbardziej prywatnych kapciach, gdy jesteśmy sami ze sobą albo z najbliższymi, obcujemy z aktorem niemal intymnie. Ulegamy złudzeniu, że oto on do nas przyszedł, albo sami go zaprosiliśmy. W takiej sytuacji wolimy oglądać człowieka bez pozy, bez koturnu, który mówi do nas i tylko do nas. Wprawdzie doskonale wiemy, że każdy występ aktora to tworzenie nieistniejącej postaci w nieistniejącej naprawdę rzeczywistości i że wraz z nami oglądają go miliony, to jednak pragniemy, by rozmawiał z nami ściszonym głosem i w sposób jak najbardziej naturalny. Każdy nieprawdziwy gest, sztuczny grymas odbieramy jako coś udawanego, konwencjonalnego, co nas razi i drażni. Zmęczeni rolami, jakie narzuca nam życie, we własnym domu chcemy być sobą. Tym samym liczymy na kontakt z tak samo prywatnym człowiekiem na ekranie. Wcale nie doskonałym, przeciwnie, sami nie jesteśmy doskonali i właśnie w domu nie musimy tego ukrywać. Jesteśmy tacy, jacy jesteśmy. Trochę mądrzy i trochę głupi, raczej dobrzy, a jeśli postępujemy źle, to zawsze mamy na to jakieś usprawiedliwienie. Wiele pragnień chronimy przed światem i obcymi. Ale w szlafroku ze szklanką herbaty w ręku chętnie byśmy o tym z kimś pogadali. Tylko rzadko mamy okazję, kogoś, przed kim można by się naprawdę otworzyć, kogoś, kto by nas wysłuchał.

Myślę, że Janusz Gajos doskonale zrozumiał, jakie obszary ma do wypełnienia. Przestrzeń ludzkich marzeń, samotności, nieudanych czy tylko powikłanych losów. I potrafił to wykorzystać. Jak? Nie wiem. Może nawet bardziej intuicyjnie niż świadomie, może taki się urodził albo tak został wychowany. W każdym razie, oglądając jego bohaterów, widzę, że ich nie ośmiesza, nie szydzi, tylko stara się zrozumieć motywy działania. Wtapia się w graną postać absolutnie i rzadko ją potępia, choć potrafi poddać autokompromitacji. On nią jest w każdym ruchu, intonacji głosu, jakby zapomniał o sobie. Jest śmieszny, zabawny, tragiczny, ironiczny, nigdy nie stara się być mądrzejszy od postaci, choćby jej głupota biła w oczy. Daje jej szansę, pozwala błądzić, mylić się, robić głupoty, a potem się z tego wydobywać. Albo nie. Tworzy ludzi raczej zagubionych w świecie niż ludzi sukcesu, samotnych, przegranych, niezdarnie poszukujących szczęścia. Niosą w sobie, czasem beznadziejnie, wiarę, że mimo nieudanych związków, fatalnych szefów jakoś da się żyć. Jego bohaterowie są trochę jak Chaplin, trochę jak Fijewski, niezbyt fartowni, ale bardzo sympatyczni i pełni wdzięku.

Dobrze ilustruje to pewna historia z *Mgiełką* Józefa Hena. Było tak. Poszłam któregoś dnia do redakcji Teatru Telewizji, by wypożyczyć kasety z nagranymi spektaklami, nie można przecież pisać, nie oglądając ich na świeżo. Nie wszystkie widziałam, a te, które widziałam ileś lat temu, zatarły się w pamięci. Kiedy poprosiłam o *Mgiełkę*, usłyszałam: – Jak to, nie znasz *Mgiełki*? To jak możesz pisać o Gajosie, nic o nim nie wiesz! On tam był wspaniały!!! – Przecież był wspaniały w wielu innych spektaklach, filmach, skąd zatem entuzjazm i rozmarzenie w oczach redaktorek? Wieczorem, po obejrzeniu kasety w domu, zrozumiałam. Gajos zagrał ni mniej, ni więcej, tylko ideał mężczyzny, o jakim marzą kobiety bez względu na wiek, stan cywilny czy inne przypadłości.

Historyjka jest prosta. Pewien naukowiec przeżywa kryzys rodzinny i zawodowy. Właśnie został wyrzucony z ministerstwa, ponieważ już nie jest potrzebny jako doradca Osoby Wysoko Postawionej. Z człowieka, który wszystko potrafi i może załatwić w mgnieniu oka, staje się osobą pozbawioną wpływów. Jego przyjaciel Sewek (Piotr Fronczewski), który właśnie u niego szukał protekcji, podaje pomocną dłoń. Zaprasza do siebie. Pojawiają się zabawowe dziewczęta z Białegostoku. I oto poważny naukowiec zakochuje się w jednej z nich, Fince (Marta Klubowicz). Milton, bo tak go nazywali na studiach, skupiony na robieniu kariery, od dawna nie myślał o uczuciach. Nic dziwnego, że młoda, ładna dziewczyna zawróciła mu w głowie do tego stopnia, że nie zauważa ani jej ograniczenia, ani cynizmu, z jakim go jawnie oszukuje. On chce kochać, bo oto uświadomił sobie, że wiedza naukowa i kariera pozbawiły go czegoś bardzo w życiu ważnego. Nie zauważał żony ani syna, a tu nagle zakochał się jak smarkacz w głupiutkiej spryciuli, która wodzi go za nos. Tym gorliwiej, że właśnie przyjeżdża wybrany przez rodziców narzeczony, porucznik. Finka weźmie z nim ślub, a Milton powróci do mądrej i tolerancyjnej żony (Pola Raksa).

Nie w scenariuszu tkwi jednak siła tego spektaklu, a w rolach aktorskich. Gajos uruchomił tu całe pokłady wdzięku i *charme'u*, by stworzyć na ekranie postać zakochanego mężczyzny. Uśmiechnięty do swojej „Mgiełki", czuły i męski, przystojny i dobrze wychowany. Do tego nieszczęśliwy w małżeństwie, nic, tylko się nim zająć, pomóc, otoczyć opieką. W kapitalnej scenie zbierania potłuczonego kieliszka, żeby Finka sobie nie pokaleczyła nóżek, aktor ujawnił, że żadnego ośmieszenia się nie boi, od wizerunku *macho* ważniejsze okazuje się uczucie. Jaka kobieta nie chciałaby spotkać na swej drodze takiego ideału?

Recenzje dają o tej roli blade pojęcie – „zagrał wyjątkowo przekonująco", „stworzył kreację", „kolejny raz dowiódł, iż jest aktorem wszechstronnym, o olbrzymiej skali talentu", czy nawet „genialna rola Gajosa" – to jakiś erzac... Ileż więcej emocji budził w kobietach Milton Gajosa. Tych przed telewizorami, które w czasie zarezerwowanym dla Teatru Telewizji mogły zobaczyć na ekranie swoje marzenia, swój ideał. Można chcieć więcej?

Historia z *Mgiełką* miała kontynuacje. Kiedy opowiedziałam aktorowi reakcje redaktorek, uśmiechnął się ciepło.

> *Nie wiem, co było w tej roli, ale moja żona kiedyś wyznała, że oglądała ten spektakl, kiedy się jeszcze nie znaliśmy, i pomyślała sobie: „O, takiego faceta mieć w domu!". No i ma, ale ja przecież w domu nie jestem aktorem, prywatnie jestem inny. Oczywiście opowiedziałem o reakcji swojej żony Józefowi Henowi, autorowi powieści, bardzo się ucieszył i teraz, jak mi powiedział, na spotkaniach z czytelnikami opowiada, jak to dzięki niemu mam taką świetną żonę. No, tak...*

Nie tylko kobiety reagowały pozytywnie na aktorstwo Gajosa. W roku 1984 po raz pierwszy pojawia się w prasie próba portretu, sumująca dorobek przede wszystkim ról filmowych i telewizyjnych artysty. „Gajos, taki, jakim go znamy z ostatnich lat, to aktor o niesłychanej wyrazistości i sile komicznej, gra dawne swoje postaci, na które jakby teraz patrzył z dystansu – z niedowierzaniem, że to on jest, a nie kto inny. Rodzi się w ten sposób drugie „dno" jego kreacji, parodystyczne, złośliwe i satyryczne w stosunku do pierwowzoru. (...) Gajos przezwyciężył naiwny wdzięk Janka Kosa, jest aktorem dojrzałym, który niejedną jeszcze niespodzianką może nas zaskoczyć" – napisał Janusz Skwara (*Ekran* nr 4/1984).

I tak się stało. Aktor zaskoczył nas jeszcze niejednokrotnie, ale w połowie lat osiemdziesiątych nie wszyscy byli o tym przekonani tak, jak dzisiaj. Dla wielu był to wykonawca zdolny, użyteczny, obdarzony dużą siłą komiczną i niejako automatycznie umieszczany w szufladce – charakterystyczny. Realistyczna faktura aktorstwa pozornie wydawała się wyczerpywać jego możliwości w innych gatunkach, choć nieraz, w małych rólkach, dawał dowody, że stać go na więcej. Ale to drugie „dno" jego postaci widzieli tylko nieliczni. Blisko dwadzieścia lat po debiucie wciąż był raczej aktorem z przyszłością niż aktorem spełnionym. Długo trzeba było wierzyć, że lepsze czasy nadejdą. Pracować i się nie załamywać. Niby łatwe, lecz nie wszyscy owe najprostsze wartości porafią urzeczywistnić.

Pan powinien być w naszym teatrze

Któregoś wiosennego dnia 1980 roku zadzwonił telefon. Znany wszystkim głos Gustawa Holoubka zapytał: „Panie Januszu, ktoś mi powiedział, że ja jestem tępy, bo nie wpadłem na to, że pan od dawna powinien być u nas w teatrze. Co pan na to?". W ten oto sposób Janusz Gajos, aktor komediowy, przeniósł się z Teatru Kwadrat do Teatru Dramatycznego. Jednego z najlepszych wówczas zespołów w kraju. Tu byli znani aktorzy: Gustaw Holoubek, Marek Kondrat, Piotr Fronczewski; wybitni reżyserzy: Jerzy Jarocki, Maciej Prus, Witold Zatorski. Przedstawienia zapraszano za granicę na gościnne występy. Wielu artystów marzyło o tym, by pracować w bocznym skrzydle Pałacu Kultury. To był dobry adres. Aktor z tego teatru był inaczej postrzegany zarówno przez publiczność, jak i przez środowisko.

Niewykluczone, że wiele propozycji, jakie Gajos dostał w tym czasie w filmie i telewizji, odbiegających wyraźnie od ról kabaretowo-komediowych, miało związek ze zmianą adresu. Chociaż sam aktor uważa, że to nieprawda.

To, co się robi w teatrze, nie ma żadnego związku z tym, co się robi w filmie. Role w filmie rozdziela się trochę pocztą pantoflową, ktoś komuś powie: „jest taki aktor, on to umie, to go weź". Skąd wiem? Gdy zagrałem jednego czy drugiego dygnitarza, to potem dzwonił telefon: „Stary, zagraj takiego samego jak u X, Y". Takiego samego to nie chciałem grać, bo już zagrałem. Ale wiem, że role w filmie „chodzą" raczej takimi drogami. Ludzie z tych telewizyjno-filmowych rejonów, poza kilkoma wyjątkami, rzadko oglądają spektakle, a jeszcze rzadziej zastanawiają się nad rozwojem czy możliwościami aktora. Oni są z innej bajki, za daleko, za wysoko, żeby się takimi sprawami zajmować.

W teatrze natomiast te zależności są wyraźniejsze. Dobry dyrektor powinien obserwować aktora, planować jego rozwój. Stawiać kolejne, coraz trudniejsze zadania, czyli sprawdzać w różnych gatunkach i estetykach. Wtedy aktor mógłby liczyć na awans, na to, że jeśli ciekawie zagra jedną rolę, to dostanie inną, wymagającą umiejętności z jeszcze wyższej półki.

Niewątpliwie doświadczenia zdobyte na próbach procentują w pracy przed kamerą, gdy brak czasu na tak zwane twórcze dyskusje. Aktor sprzedaje w ciągu paru minut to, czego się dopracował na scenie przez długie tygodnie. Próby na scenie są dla aktora tym, czym laboratorium dla chemika albo biologa – miejscem doświadczeń i eksperymentów. Czasem bywają ważniejsze niż same spektakle, bo droga okazuje się ciekawsza niż miejsce, dokąd prowadzi. Im lepszy reżyser i partnerzy, tym bywa ona bardziej inspirująca. Albo przynajmniej wiedzie w odmiennym kierunku, skąd roztaczają się, inne niż dotąd, perspektywy. Dla Gajosa owa zmiana miała zasadnicze znaczenie. Bardzo chciał się wydobyć z szufladki, tym razem komediowej. Ale i w Dramatycznym nie stało się to od razu.

Jesień 1980 roku była okresem niezwykle burzliwym politycznie. Teatr życia wyprzedzał wszystko, co mogło pojawić się na scenie. Uwagę społeczeństwa przykuwały wydarzenia w Stoczni Gdańskiej, a przez wiele późniejszych miesięcy – powstanie i działalność Solidarności. Teatr nie opustoszał, ale na pewno w stosunku do tego, co działo się dookoła, pozostawał w tyle. Dla wielu włókł się w ogonie życia, dla innych stawał się pewnego rodzaju odskocznią, miejscem poważniejszej refleksji niż gazety i przekazy telewizyjne, pełne treści dotąd zakazanych, cenzurowanych. Niespotykany wybuch wolności stał się tłem wszystkiego, co działo się w sztuce. Szczelnie zamknięte dotąd drzwi, oddzielające nas od wolnego świata, zostały otwarte i nigdy już nie dało się ich dokładnie zamknąć.

Błazen filozofem

Jak wam się podoba
Wiliama Szekspira

Fot. M. Holzman, Teatr Dramatyczny

Dramatyczny też podążył tropem wolności i wystawił Szekspirowską komedię *Jak wam się podoba* w przekładzie Czesława Miłosza, którego nazwisko zostało wymazane na kilka dziesięcioleci z polskiej literatury. Dziś te manifestacje wolnościowe mogą wydać się wręcz śmieszne, lecz w tamtych burzliwych miesiącach nawet drobny gest odstąpienia od zapisów cenzury się liczył. Sztuka weszła w próby jeszcze przed przyznaniem poecie nagrody Nobla, premiera zaś zbiegła się prawie z jej wręczeniem.

Stary, pochodzący jeszcze z lat czterdziestych, przekład Miłosza, który – jak pisano – „jest popisem bogactwa językowych odcieni", okazał się jednym z głównych walorów przedstawienia. Niestety, nie zostało ono podpisane na afiszu nazwiskiem żadnego reżysera, zamiast tego widniała formułka – reżyseria zbiorowa. Słusznie więc recenzenci podkreślali brak jasnej koncepcji i niezborność całości. W sytuacji bezkrólewia każdy z aktorów ratował się jak mógł i proponował, co umiał.

W spektaklu, którego kanwę stanowiły miłosne perypetie Rozalindy (Jadwiga Jankowska-Cieślak) z zamianą płci łącznie, Gajos został wyraźnie zauważony. „Jeszcze jedna para zachwyca, niestety, tylko skeczowym walorem w rozpełzającym się widowisku, mianowicie Janusz Gajos i Liliana Głąbczyńska jako błazen i wiejska dziewczyna. Pozostali mogli się zdobyć tylko na numery ściśle solowe" – pisał Jerzy Zagórski („Co się nam podobało?" – *Kurier Polski* nr 260/1980). Również Agnieszce Baranowskiej ta para podobała się bardziej niż główny trójkąt miłosny Rozalinda – Celia – Orlando. „Być może – pisała – odrobinę erotyzmu w wydaniu wiejskim, rubasznym i zabawowym, zachowało się w duecie błazna (Janusz Gajos) i wiejskiej dziewczyny (Liliana Głąbczyńska)". („Iluzje sztuczności i pozory" – *Kultura* nr 1/1980). „Janusz Gajos – zauważył Wojciech Natanson – jest wybornym aktorem komediowym. Ale raczej w repertuarze współczesnym. Choć kunsztowna sofistyka błazna znalazła sprawny wyraz, zabrakło swobody oraz sugestii, że trefniś wyraża prawdy głębsze, ukryte pod pozorami paradoksów" („Rozalinda" – *Życie Warszawy* nr 289/1980).

Na pewno debiut aktora w Teatrze Dramatycznym mógł być większym sukcesem, ale o zmianie *emploi* komediowego nie można mówić. W następnym sezonie aktor otrzymał rolę, wprawdzie z górnej półki, ale wciąż z tej samej komediowej szuflady – Orgona w *Świętoszku* Moliera. Reżyser, Marek Walczewski, zgodnie z sugestiami Boya-Żeleńskiego zmienił tytuł sztuki na *Biedaczek vel Tartuffe*. Janusz Gajos zagrał Orgona w duecie z Gustawem Holoubkiem jako Tar-

Orgon
w *Biedaczku vel Tartuffe,
czyli Świętoszku* – Moliera

Fot. M. Holzman, Teatr Dramatyczny

tuffem właśnie. Do dziś mam w oczach ten spektakl, pełen humoru, swady i sztuczek komedii *dell arte* (reżyser wywiódł molierowską komedię z tej bogatej tradycji włoskiego teatru), opowiadający o obłudniku nad obłudnikami, pławiącym się w rozkoszach i hedonizmie, jak nie przymierzając najmożniejsi dygnitarze tego świata. Tartuffe nie ma żadnych przekonań ani ideałów, lecz jego działania pozostają skuteczne. Zdobywa pieniądze i władzę. Jego zaś przeciwieństwo – Orgon, człowiek pełen ideałów i zasad – przegrywa. „Orgon w interpretacji Gajosa to nie tyle fanatyk, ile prostak brutalny wobec słabszych, usłużny (lub zachwycony) wobec Biedaczka" – pisał Wojciech Natanson („Biedaczek wspaniały" – *Życie Warszawy* nr 8 /1982).

Premiera odbyła się 6 grudnia 1981 roku. Tak jak trzysta lat wcześniej, gdy Molier walczył z zakłamaniem dworu Ludwika XVI, tak i tydzień przed wprowadzeniem stanu wojennego każde słowo, które padało ze sceny, miało swoje drugie dno. Publiczność wychwytywała najmniejsze aluzje i niuanse polityczne. Teatr, choć posługiwał się zabawą, zabierał głos w sprawach całkiem poważnych. Nic też dziwnego, że po ogłoszeniu stanu wojennego, gdy teatry po dość długiej przerwie wznowiły pracę, publiczność kładła na scenie bukiety biało-czerwonych kwiatów i bijąc brawo, pokazywała palcami literkę V.

Dla aktorów był to czas niezwykły. Wprawdzie świadomie przestali występować w radiu i telewizji, ale spektakle w teatrze rekompensowały im ten gest odmowy. Nigdy później podobnych owacji, a tym samym niezwykłego porozumienia z widownią, nie doświadczali. Bojkot masowych środków przekazu był próbą sił i charakteru dla wszystkich. Środowisko się podzieliło, i te podziały, w skrajnych przypadkach, trwają do dziś. Dla całej rzeszy aktorów pojawił się także problem przeżycia, zarobki bowiem w teatrze nigdy nie były wysokie. To zawsze był zawód wolnej konkurencji, niejako kapitalistyczny, tyle że za socjalistyczne pieniądze.

W Teatrze na Woli pojawił się pomysł na interesujące przedstawienie, które przyciągnie publiczność. Arcydzieło Tołstoja *Wojna i pokój,* znane z wersji filmowych – amerykańskiej Kinga Vidora z Audrey Hepburn w roli Nataszy i rosyjskiej Siergieja Bondarczuka oraz dwudziestoodcinkowego serialu telewizyjnego, emitowanego w latach siedemdziesiątych – było zawsze chętnie oglądane. Nowej adaptacji podjęli się Andrzej Chrzanowski i Michał Komar. Tę sławną – Erwina Piscatora – którą w różnych teatrach, począwszy od Powszechnego w Warszawie w końcu lat pięćdziesiątych, po Teatr w Lublinie w połowie siedemdziesiątych, wystawiała Irena Babel, uznali za zwietrzałą. Co najmniej pochopnie, zwłaszcza jeśli porównać obie adaptacje.

Wojna i pokój w Teatrze na Woli została opatrzona podtytułem „Melodramat historyczny w dwóch częściach na motywach powieści Lwa Tołstoja". Mimo deklaracji adaptatorów – „powrotu do decydującej o kształcie tej powieści filozofii tołstojowskiej, w której wątki konserwatywne mieszają się z kultem wyidealizowanej ludowości, a heretycka postawa wobec dogmatów religijnych daje globalną wizję historii nieuniknionej, której sens odsłania się bohaterom jako pozór przypadku w nurcie żelaznej konieczności" – niewiele z tej filozofii pozostało.

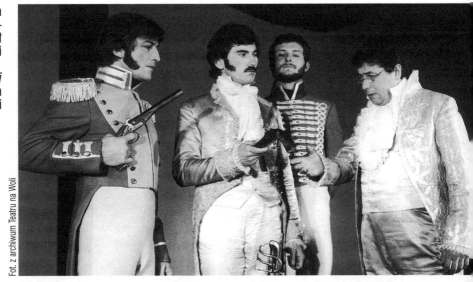

Przedstawienie z udziałem trzydziestu siedmiu aktorów i podobnej liczby statystów, mimo wszystko, przyciągało na ulicę Kasprzaka licznych widzów. Zachwycała scenografia i kostiumy z epoki wojen napoleońskich oraz udział wielu znanych i lubianych aktorów. Nataszę Rostową grała Ewa Wencel, jej matkę, hrabinę Rostową – Barbara Horawianka, księcia Andrzeja Bołkońskiego – Jerzy Zelnik, autora – Józef Duriasz, Piotra Biezuchowa zaś – Janusz Gajos, w okrągłych okularkach krótkowidza, jakim go stworzył autor. Z powieści Tołstoja pozostały głównie perypetie miłosne arystokratów, Nataszy i Andrzeja, rozgrywane w pięknych salonach, wojna zaś i refleksja o niej pojawiała się w dalekim tle. „Postać Piotra Biezuchowa w interpretacji Janusza Gajosa w miarę wiernie realizowała nasze wyobrażenia wyniesione z lektury dzieła literackiego" – taką konwencjonalną pochwałę zanotowała Joanna Kempińska (*Słowo Powszechne* nr 212/1982). Przedstawienie cieszyło się powodzeniem, grano je przez dwa sezony, być może dlatego, że oferta innych scen nie była bogatsza.

Jedną z najważniejszych premier Teatru Dramatycznego po 1981 roku, za dyrekcji Gustawa Holoubka, stały się *Dwie głowy ptaka*. Władysław Terlecki przystosował swoją powieść do potrzeb teatru, a ściślej, na jej kanwie napisał osobny dramat o Aleksandrze Waszkowskim, zapomnianej postaci powstania styczniowego. Zanim z nominacji Rządu Narodowego został ostatnim naczelnikiem miasta Warszawy, był czynnym działaczem niepodległościowym. Brał udział w napadzie na Kasę Główną Królestwa, a zdobyte pieniądze przekazał na potrzeby powstańców i konspiracji. W sztuce Terleckiego poznajemy go w chwili uwięzienia przez Rosjan i składania zeznań. Szczególnych, bowiem „załamał się w śledztwie", ale nikogo nie zdradził. Po prostu „stracił wiarę w sens tego wszystkiego, co zrobił". Skoro odzyskanie wolności stało się niemożliwe, postanowił, że on będzie ostatnią ofiarą walki o niepodległość. Nie walczył więc o siebie, tylko o to, by nikt więcej nie zginął.

Akcja sztuki działa się na zmianę albo w sali przesłuchań przed Komisją Śledczą osławionego pułkownika Tuchołko, pacyfikatora popowstaniowej Warszawy, albo w celi X Pawilonu Cytadeli, którą Waszkowski dzielił z młodym Rosjaninem, osadzonym za wspieranie polskiego spisku. Gmatwanina uników i prowokacji, logiki rozumu i serca, tego, co osobiste, z tym, co publiczne, pokazana została w fascynujących dialogach przez fascynujących ludzi, którzy dzięki aktorom uzyskali pełną skalę istnienia. Oglądaliśmy zawodowstwo najwyższej klasy, świetny był zarówno Waszkowski w skupionym wykonaniu Andrzeja Blumenfelda, jak i wyjątkowo inteligentny oficer z Petersburga, grany przez Piotra Fronczewskiego. Ten fanatyk policji działał również w konspiracji, by jak dwie głowy ptaka kontrolować wszystko, a tym samym umacniać potęgę władzy.

W tym wspaniałym spektaklu nie było złych ról, wszyscy wiedzieli, co grają i czemu służy jego wymowa. Przewrotna, bowiem na racje Waszkowskiego, czyli na kapitulację przed silniejszymi carskimi policjantami, publiczność nie chciała i nie mogła się w grudniu 1982 roku zgodzić. Rola prostego, brutalnego policmajstra Tuchołki, „któremu Janusz Gajos nadaje rysy ambitnego aparatczyka, dyspozycyjnego i operatywnego" (Teresa Krzemień, „Casus: Waszkowski" – *Tu i Teraz* nr 10/1983), przyniosła aktorowi uznanie. „Tuchołko – wedle Józefa Szczawińskiego – tak, jak go zagrał Janusz Gajos, to oprawca, skradający się, ukazujący tylko z dala pazury, zdradzający się nerwowym gestem" („Co to jest zdrada?" – *Słowo Powszechne* nr 42/1983). Tuchołko był bohaterem moralnie odrażającym, ale ciekawym. Pokazywał nowe możliwości aktora: siłę, pewność siebie i umiejętność budowania postaci pełnej okrucieństwa, groźnej. Nie wszyscy znali odłożony na półkę film Ryszarda Bugajskiego *Przesłuchanie,* który w nieoficjalnym obiegu krążył na kasetach, gdzie Gajos w roli ubeckiego majora zagrał kwintesencję stalinowskiego zła.

Władza stanu wojennego nie polubiła Gustawa Holoubka za *Dwie głowy ptaka*. Publiczność doskonale rozumiała, po co w obecnej sytuacji kraju wystawia się ten tekst, i biletów nie sposób było dostać. Zło uosabiał w tym spektaklu aparat carskiej policji, owi mundurowi obywatele państwa w państwie, silni swoją władzą, a jeszcze bardziej bezkarnością. Ale postawa Waszkowskiego, mimo całego jej tragizmu i heroicznego wyboru, była odczytywana jako bezsensowna rezygnacja z wytyczonego celu. Tak antyromantycznej postawy publiczność nie chciała łatwo zaakceptować.

Atmosfera wokół teatru zaczęła się zagęszczać. Któregoś dnia Gustaw Holoubek dostał wymówienie. Przestał być dyrektorem jednego z najlepszych polskich teatrów. Zespół jeszcze przez kilka miesięcy grał sztuki będące w repertuarze, aż w końcu się rozproszył. Na miejscu Dramatycznego powołano Teatr Rzeczypospolitej. Jego dyrektorem został Jan Paweł Gawlik, w latach siedemdziesiątych dyrektor oraz jeden z architektów wielkich sukcesów Starego Teatru w Krakowie. Liczono zapewne, że i tym razem mu się uda. Niestety. Sytuacja w teatrze i wokół niego uległa zasadniczej zmianie. Znani reżyserzy nie chcieli współpracować z mianowanym przez władze następcą Gustawa Holoubka, aktorzy angażowali się do innych zespołów. Zmieniła się również publiczność. Widzów zwożono autokarami z zakładów pracy, lecz po całodziennym zwiedzaniu stolicy sztuka nie obchodziła ich zupełnie. Na widowni dochodziło do gorszących incydentów – pijaństwa, chamstwa – kto mógł, uciekał z teatru. Janusz Gajos siłą inercji został, także dlatego, że nie miał innych ciekawych propozycji.

Ostatnia premiera, w jakiej wziął udział, nie przyniosła mu spodziewanej satysfakcji, choć dostał rolę tytułową w słynnej sztuce Pierre'a Augustina de Beaumarchais'go. *Wesele Figara,* wystawione jako pierwsza sztuka nowej dyrekcji, miało scalić rozbity zespół. To jednak okazało się za mało, jak na przesłanie artystyczne dzieła, od którego rozpoczęła się rewolucja francuska.

Figaro w opałach,
z Iwoną Głębicką

Wesele Figara
Pierre'a Beaumarchais'ego

„Śmiech kwituje monologi Figara tak samo jak 200 lat temu. I podobnie owacyjnie publiczność oklaskuje zjadliwe puenty, wymierzone przeciwko temu wszystkiemu, co zakres wolności ogranicza. W ogóle wesołości jest wiele: zarówno na widowni, jak i na scenie, gdzie oglądamy wspaniałego Figara – Janusza Gajosa, grającego w najlepszym stylu politycznego kabaretu" (F. Z. K., „Figaro" – *Szpilki* nr 47/1983).

Paweł Chynowski krytykował w tym przedstawieniu wszystko, z jednym wyjątkiem. „Słowem, miernie wyglądałoby to *Wesele Figara* w Teatrze Dramatycznym, gdyby nie... Janusz Gajos w roli tytułowej – ot, co nadaje temu spektaklowi właściwy wymiar i ponadczasowy wydźwięk. Może nieco przyciężki jako Figaro, może mało ruchliwy, a jednak to on trzyma całe przedstawienie. Jest w nim coś z Kubusia Fatalisty, jest i głębsza refleksja, jaką nosi w sobie dziś każdy Polak, ale nade wszystko – dźwięczy w jego interpretacji owa gorycz życiowego niespełnienia, gorycz Figara" („Gorycz Figara" – *Życie Warszawy* nr 268/1983).

Pełniejszą analizę roli dała Zofia Sieradzka, porównując dwóch wykonawców roli Figara, Marka Kondrata i Janusza Gajosa, odmienne i warte uwagi propozycje. „Figaro Janusza Gajosa jest oczywiście starszy, z wyraźnie przybraną postawą wesołka i lokaja. Charakterystyczny ton głosu i przerysowany gest to maska, pod którą kryje się osobliwy obserwator życia i filozof. Te partie sztuki, w których Figaro atakuje niesprawiedliwość i nierówność społeczną czy konkretne wynaturzenia praw, łaskawych dla uprzywilejowanych, a bezwzględnych dla maluczkich, wypowiada Gajos jak gdyby od siebie, wyraźnie odrzucając sceniczną pozę. Dzięki temu potrafi przekazać gorzką dojrzałość Figara i uprawdopodobnić wszystkie tyrady serio, tak wielką rolę odgrywające w tej komedii. (...) I właśnie Gajos – tak inny od dotychczas widzianych przeze mnie aktorów, pokazując Figara bez jego przysłowiowej lekkości i czaru, ale z pobłażliwym uśmiechem dla szaleństw i wynaturzeń świata – ostro zderzył przybraną pozę lokaja (może nawet chwilami nadto ją przerysowując) z długoletnim doświadczeniem i życiową mądrością Figara. Ten Figaro, nieco ociężały i leniwy, jest raczej opiekuńczy wobec Zuzanny, raczej partneruje, niż służy swemu panu. Zmienne układy losu narzuciły mu kolejną maskę, ale jak zawsze ukrywa się pod nią człowiek samodzielnie myślący" („*Figaro* w Dramatycznym" – *Teatr* nr 12/1983).

Niestety, ta dobra rola nie zaprocentowała kolejną propozycją. Po pierwszym sezonie wiadomo było, że dyrektor Gawlik nie zdoła wyprowadzić zespołu Dramatycznego na szersze wody. Środowisko ten teatr bojkotowało. Gajosowi znów groziło albo błąkanie się po jakichś manowcach, albo praca w rozbitym zespole. To już nie był teatr, do którego przyszedł i dzięki któremu awansował.

> *Gustaw Holoubek powtarzał zawsze, że aktorowi na scenie musi być wygodnie, musi znaleźć sobie taką sytuację, żeby czuć się w niej naturalnie i swobodnie. Nauczył nas takiego zachowania na scenie i za kulisami. Po jego odejściu już nie było o tym mowy. Chodziłem wokół Pałacu Kultury i nie wiedziałem, co ze sobą zrobić.*

Mogło być tylko gorzej. Trzeba było coś postanowić. Aktor zdecydował się zadzwonić do Zygmunta Hübnera, dyrektora Teatru Powszechnego.

Po raz pierwszy w życiu sam poprosiłem dyrektora teatru o rozmowę. Przedtem zawsze uważałem to za mało skromne, ale sytuacja wymagała ode mnie jakiegoś wyraźnego ruchu.

– Umówmy się u mnie w gabinecie jutro o dziesiątej – usłyszałem. Przyjechałem, usiedliśmy, obaj nie należeliśmy do gadatliwych, więc dłuższą chwilę milczeliśmy, potem on się odezwał: „No to chyba wiem, o czym będziemy rozmawiali". Ja na to – „Właśnie". On – „To ja się cieszę, a pan?". – „Ja też się cieszę". Mnie się to strasznie spodobało, bo niepotrzebne jest oblewanie się lukrem, wzajemne zapewnienia. Mówimy, że będziemy dla siebie pracować, i wierzymy, że będzie to owocowało dobrymi skutkami. I koniec, co tu dużo gadać.

Zygmunt Hübner nie wszystkich przyjmował do swego zespołu. Bardzo uważnie dobierał nie tylko talenty, różnorodne, zdolne pracować w wielu rejestrach, ale również charaktery. Po prawie dziesięciu latach miał zespół zgrany i okrzepły. Uformowany tak, by mogło być bez problemów wystawione *Wesele*, co wedle niepisanej teatralnej reguły jest ideałem aktorskiego zespołu. Janusz Gajos opowiada skromnie, ale gdyby nie był aktorem wybitnym i potrzebnym w Powszechnym, na pewno rozmowa z dyrektorem wyglądałaby inaczej. Umiał odmawiać w elegancki, lecz stanowczy sposób, o czym wiedzą ci, którzy nie tylko marzyli, ale i próbowali pracować na Pradze przy ulicy Zamojskiego.

Nareszcie poważne role

Lubimy narzekać – kiedyś było lepiej. Wyobraźmy sobie los aktora przed epoką filmu i telewizji. Jeśli mu się nie wiodło w teatrze, to mu się nie wiodło w ogóle. Dziś, jeśli na scenie ma okres chudy, to w kinie może mieć lepszy. Główna rola w *Milionerze* Sylwestra Szyszki tę prawidłowość potwierdza. Aktor, który lubi grać postacie od siebie odległe, poddawać się procesom transformacji, musiał już przy czytaniu scenariusza zobaczyć materiał dla siebie. Oto trzeba przeistoczyć się w chłopca ze wsi, kierowcę w bazie transportowej sprzedającego na lewo żwir i benzynę, który wygrywa w totolotka milion. A przede wszystkim szansę na lepsze życie. Józef Mikuła okazuje się człowiekiem trzeźwym. Nie zamierza przehulać wygranej, co pewnie najbardziej podobałoby się jego sąsiadom i narzeczonej. Postanawia postawić na nogi upadające gospodarstwo, a nawet dokupić płachetek ziemi i stać się rolnikiem pełną gębą.

I tu następują komplikacje. Sąsiadom wcale nie podoba się jego pomysł na życie. Zazdrość okazuje się silniejsza niż rozum, choć Józek Mikuła nie jest egoistą. Kupuje do świetlicy nowy telewizor, stawia wszystkim wódkę, ale to raczej miejscową społeczność rozwścieca, niż uspokaja. Chłopi opluwają telewizor, w barze dochodzi do bójki, nawet na wesele Józka nikt ze wsi nie przychodzi. Zawiść jest zapiekła, ktoś podpala mu siano na podwórku, truje kury, usiłuje utopić krowy.

Jedyną osobą, która Józka wspiera, jest stara matka. On darzy ją prawdziwym szacunkiem i miłością. Jednak za akty wrogości wobec syna ona płaci atakiem serca. Dopiero wtedy mieszkańcy wsi rozumieją, że doprowadzili do prawdziwego nieszczęścia. Czując się winni, wzywają pogotowie, próbują ratować matkę, biegną nad rzekę wyławiać topiące się krowy. Dopiero wtedy „przebaczają” synowi bogactwo, jakby uspokoiła ich myśl, że wobec nieszczęścia wszyscy są równi.

Film, utrzymany w konwencji komediowo-groteskowej, zawierał wiele prawdziwych obserwacji obyczajowych. Na tle ówczesnych produkcji odznaczał się pogłębionym psychologicznie portretem bohaterów, ujawniających mentalność polskiego piekła – nikt nie może się wychylić – spotykaną nie tylko na wsi, lecz w każdym środowisku. Wyróżniał się również dobrym aktorstwem, by wymienić nowobogackie maniery narzeczonej Zośki (Ewa Ziętek) czy skromność obejścia i kulturę osobistą matki (Jadwiga Andrzejewska).

Milioner stał się autentycznym sukcesem Janusza Gajosa. Przyniósł mu główną nagrodę na festiwalu w Gdyni i uznanie publiczności. Widać to po recenzjach, nareszcie nie tak zdawkowych jak dotychczas, choć etykietka „pancernego Janka" ścigać będzie aktora jeszcze długo. „Reżyser robi wszystko, żeby grający tę rolę Janusz Gajos błysnął pełnią talentu, był kimś innym niż dobroduszny Janek z *Czterech pancernych i psa*. Gajos precyzyjnie opracował swą rolę: jest w miarę butny, w miarę przebiegły, rzeczowy i zawadiacki, wyrachowany i zamaszysty. Pan pełną gębą" (Janusz Skwara, „Kłopoty milionera" – *Barwy* nr 10/1977).

„Kreacja Gajosa jest, bez przesady, rewelacją. Ten do niedawna specjalista od ról młodzieżowych prezentuje się oto jako aktor charakterystyczny o ogromnym doświadczeniu i zdumiewająco szerokiej skali wyrazu. Jego Józek nie jest bynajmniej postacią jednoznaczną. Prymityw, wiejski cwaniak – brutalny i chytry – odznacza się równocześnie wielką wrażliwością, nieprzeciętnym poczuciem osobistej godności. Żywiołowość i wyrachowanie, splot cech odstręczających i ujmujących, wzruszających i śmiesznych – wszystko składa się na osobowość bogatą, fascynującą, niełatwą do scenicznego oddania. Gajos radzi sobie z problemem po mistrzowsku. Budzi całkowite zaufanie każdym gestem, każdą intonacją głosu. Nie ulega wątpliwości, że mamy do czynienia z aktorem wielkiej miary" – pisał jeden z najciekawszych prozaików, Jan Józef Szczepański („Milioner" – *Tygodnik Powszechny* nr 41/1977).

Milioner film Sylwestra Szyszki – pierwsze Lwy Gdańskie 1977

Na zdjęciu z „narzeczoną" Ewą Ziętek

Fot. z archiwum Filmoteki Narodowej

Były też bardziej sceptyczne oceny filmu: „Janusz Gajos robi, co może, żeby w nie najlepszym filmie Sylwestra Szyszki wypaść przekonywająco. Gajos zapisał się nam w pamięci głównie jako Janek z *Czterech pancernych i psa*, ale już parokrotnie udowodnił, że ma talent nieco większy, że jest dobry w rolach charakterystycznych" (Dorota Terakowska, „Milioner" – *Gazeta Południowa* nr 210/1977).

„Jak zwykle wszystko ratują aktorzy. Wspaniała, boleściwa twarz-maska Jadwigi Andrzejewskiej. Gajos (zupełnie inny niż w *Czterech pancernych*) gra, można powiedzieć, ponad stan filmu. Widać, że reżyser podtyka mu sceny, żeby się mógł popisać ekspresją twarzy. Są to jednak tylko wydzielone momenty. Aktorzy stwarzają złudzenie jakiejś całości, jakiejś psychologii, której w tym filmie nie ma" (Tadeusz Sobolewski, „Z biedniaka milioner" – *Film* nr 37/1977).

Jerzy Płażewski, omawiając film głównie od strony scenariusza i jego znaczeniowej konstrukcji, zauważył jako jedyny z recenzentów – „wileński akcent w ustach Jadwigi Andrzejewskiej i już znacznie słabszy, ledwie wyczuwalny w ustach Janusza Gajosa (nieapetycznie tłustego i długowłosego)" (*Kino* nr 11/1977). Nikt jednak nie zwrócił uwagi, że oprócz akcentu, wskazującego na kresowe pochodzenie bohatera (wraz z matką przybył na ziemie odzyskane ze wschodu), tę rolę współtworzył właśnie kostium. Owe długie, zmierzwione włosy, wystające spod robotniczej czapki, brzuch obciśnięty sweterkiem ręcznej roboty czy prowincjonalna elegancja faceta wbitego w kremplinowy garnitur. Ruchy bohatera były równie niezgrabne, toporne, jak i jego pokraczne ubrania, co potocznie nazywa się ogrywaniem kostiumu. Trudno, aby rolę prostego chłopa aktor zagrał, i to w dodatku przekonująco, wymuskany i we fraku.

Przeważały opinie pochlebne: Gajos powrócił na ekran w „kapitalnej roli", „prawdziwej kreacji", jako „interesujący aktor charakterystyczny o bardzo naturalnym i przekonującym stylu gry" (Cezary Wiśniewski, *Sztandar Młodych* nr 212/1977). Dla jego przyszłości zawodowej udział w filmie Sylwestra Szyszki okazał się inwestycją dobrze oprocentowaną.

Przez kilka lat grywał role drugoplanowe, ale u coraz lepszych reżyserów. Nie lekceważyłabym tu spotkania Janusza Gajosa z Andrzejem Kondratiukiem, autorem kina osobnego, o własnej filozofii i specyficznych klimatach. Adresowanego do ludzi, którzy nie przepadają za filmami akcji, tylko lubią poddać się pewnej refleksji, zobaczyć w codziennej rzeczywistości niezwykłość albo po prostu zastanowić się nad sensem powszedniej krzątaniny. Pierwsze wspólne filmy – *Pełnia* i *Gwiezdny pył* – to dla Gajosa epizody znaczące, wykonane znakomicie. Zwłaszcza w pierwszym z nich, opowiadającym o architekcie, który uciekł przed zgiełkiem miasta na wieś, gdzie pośród przyrody i zwykłych ludzi odzyskuje równowagę ducha, aktor zagrał postać Janka, wiejskiego pijaczka-cwaniaczka. Notorycznie pijany, umykał (nieskutecznie) ze strachu przed żoną, która i tak umiała poznać, że pił. Janek Gajosa to człowiek o dużym wdzięku i fantazji, ale i jakiejś bezradności wobec świata, przed którym broni się przekleństwami albo pijacką euforią. Najpierw śmieszył, lecz ze sceny na scenę stawał się bardziej dramatyczny, coraz bardziej świadomy, że z alkoholizmu się już nie wyrwie.

Pełnia nie została w swoim czasie doceniona, a był to jeden z najoryginalniejszych filmów lat siedemdziesiątych, proponujący inne wartości niż wyścig po karierę czy dorabianie się nowych wynalazków cywilizacji. Kondratiuk jako jeden z pierwszych pokazał, że nie wszyscy chcą startować w tych konkurencjach. Dla swojej filozofii znalazł język poetyckiej ballady, tyleż przekorny co dowcipny, osadzony twardo w realiach wiejskiego życia, a jednocześnie zdolny unieść metaforę. Przesłaniem filmu nie jest powierzchowna krytyka miasta, spalin i głupich ludzi, lecz powrót do podstawowych wartości, jakie daje kontakt z naturą. Jej zrozumienie może przywrócić człowiekowi poczucie harmonii ze światem, dystansu do ważnych miejskich spraw, oczyszczenie. To film dla tych, co wolą „być" niż „mieć". Do jego sukcesu przyczyniły się piękne zdjęcia Witolda Leszczyńskiego. „Przyroda nigdy nie jest tu groźna, jest swojska, ściszona, życzliwa i jakby trochę bezradna" – pisała Wanda Wertenstein, broniąc balladowo-szopkowej poetyki tego filmu („Jasełka nad Narwią" – *Kultura* nr 3/1980).

„W tej jedności tonu – w jedności, choć *Pełnia* wywołuje miejscami dawno na polskim filmie niesłyszane salwy śmiechu (kapitalne sceny z udziałem Janusza Gajosa), a za chwilę potrafi wyciszyć roześmianą salę i narzucić jej przejmujące milczenie (pożegnanie z Tadeuszem Fijewskim), finał epizodu z Janem Świderskim" (Marcin Stachurski, „Bardzo długi urlop" – *Ekran* nr 45/1979).

Podobną filozofię jak w *Pełni* zawarł Kondratiuk w kameralnym filmie *Gwiezdny pył*. Bohaterowie, stare małżeństwo (Iga Cembrzyńska i Krzysztof Chamiec), w najprostszych czynnościach odnajdują radość bycia ze sobą i przyrodą. Mąż, budując wodną elektrownię, czyni rzekę posłuszną, ona zaś odpłaca

**Werk z planu *Pełni*
– z Andrzejem
Kondratiukiem
w Łasze**

Fot. z archiwum aktora

Dygnitarze...
z Tadeuszem Łomnickim w *Kontrakcie* Krzysztofa Żanussiego

cudownie, bo gdy zapalają się żarówki wokół domu, dwoje ludzi czuje powiew metafizyki. Janusz Gajos zagrał w tym filmie sąsiada, prostego chłopa, który nie jest ani tak głupi, ani tak prymitywny, na jakiego wygląda, w gumiakach i pokracznym kapeluszu. On z przyrodą obcuje zawsze, więc doskonale rozumie mężczyznę usiłującego ją poskromić.

Kolejną znaczącą rolą stał się Bolesław, ojciec Lilki, głównej bohaterki w *Kontrakcie* Krzysztofa Żanussiego. Film rozliczał epokę sukcesu, ukazując mizerię umysłową ludzi zamożnych, należących do elity. Reżyser posłużył się wielokrotnie już w literaturze wykorzystywaną figurą wesela, kiedy w sposób naturalny spotykają się przedstawiciele różnych warstw społeczeństwa. Gajos pojawia się na weselu córki, które się jednak nie odbywa – młoda para ucieka sprzed ołtarza. Kilkoma charakterystycznymi gestami buduje wiarygodną postać pełnego kompleksów nuworysza. Pieniądze dodają mu poczucia wartości, ale wobec eleganckiego towarzystwa czuje się zagubiony, stale spięty, by nie popełnić gafy.

Na przełomie lat siedemdziesiątych i osiemdziesiątych Gajos stał się niemal specjalistą od niewielkich ról dygnitarzy, przedstawicieli socjalistycznej burżuazji. Ludzi z awansu, którzy starając się ukryć chłopsko-robotnicze korzenie, wypełniają swe zadania bardziej gorliwie niż trzeba. Ale aktor starał się różnicować swoich bohaterów. Bolesław w *Kontrakcie* to człowiek aspirujący do elity kulturalnej. Postać zastępcy prezesa Radiokomitetu w *Człowieku z żelaza* Andrzeja Wajdy to wysokiej rangi aparatczyk, usiłujący zachować swoje stanowisko i apanaże. Namawia dziennikarza Winkla (Marian Opania), aby przygotował paszkwil kompromitujący Maćka Tomczyka, znanego działacza Solidarności. Gajos zagrał tu człowieka pewnego swych racji, ale przede wszystkim perfidnego: uwielbia manipulować i ludźmi, i faktami, bo jest silny swoim stanowiskiem i wpływami. Dzięki tej małej kreacji można było przeczytać, że Wajda „ostro i bez taryfy ulgowej rozlicza „stróżów porządku publicznego".

Maciek, redaktor naczelny gazety, w *Kung-fu* Janusza Kijowskiego, choć też partyjny dygnitarz, jest postacią odmienną. To niby kumpel i przyjaciel dziennikarzy, ale przecież niebezinteresowny. Dobrze wie, czym może się narazić władzy, i tego unika. Dając zgodę na reportaż demaskujący prowincjonalną klikę, pamięta, by po „przyjacielsku" powiedzieć Markowi (Andrzej Seweryn), gdzie są granice owej demaskacji. Film Kijowskiego – o perypetiach przyjaźni trzech kolegów ze studiów – nazywano manifestem pokolenia trzydziestolatków, które w zakłamanej rzeczywistości lat siedemdziesiątych nie umiało znaleźć swego miejsca.

Ciekawe, Gajos był obsadzany w rolach butnych i silnych polityruków, dygnitarzy, choć prywatnie jest człowiekiem nieśmiałym i bardzo skromnym. Tworząc na ekranie człowieka absolutnie odmiennego od siebie temperamentem, charakterem i mentalnością, robił to wiarygodnie, zawsze dodawał jakiś rys dramatyczny. Bohaterowie zewnętrznie pozostają silni, pewni siebie, ale choćby przez moment zdradzają strach i niepewność. Aktor starał się nie powtarzać tych samych środków, tylko każdą postać konstruował z nieco odmiennych elementów.

Udało mu się zaprezentować portrety przedstawicieli polskiej elity władzy tyleż zróżnicowane, co mało pociągające. Są to dygnitarze swojskiego chowu, o szczególnych manierach i poczuciu ważności, jaką daje władza. Ten typ ról i epizodów konsekwentnie budował pozycję Gajosa jako aktora wszechstronnego, wykorzystującego talent komediowy do podkreślania ułomności postaci, wydobycia innej barwy dramatyzmu.

A jednocześnie aktor nie porzucił dawnych swoich wcieleń charakterystycznych. W filmie z gatunku *science fiction* pt. *Wojna światów – następne stulecie* Piotra Szulkina, dedykowanym pisarzowi Herbertowi Wellsowi i reżyserowi Orsonowi Wellesowi, postać Gajosa, „jak z życia wzięta", pełniła rolę znaczeniowego kontrapunktu. Szulkin, posługując się historią najazdu Marsjan, pokazał wszechwładność mediów w sterowaniu bezwolnym społeczeństwem. Gajos, jako pracownik wodociągów, z niekłamaną ironią komentował telewizyjne przemówienie głównego bohatera, zaprzedanego telewizji Irona Idema, ocalając zdrowy rozsądek prostego człowieka i poczucie przyzwoitości.

Podobnie złożona psychologicznie pozostała postać robotnika Kutschmerka w filmie Filipa Bajona *Limuzyna Dajmler-Benz,* opowiadającym o fascynacji faszyzmem młodych chłopców w Poznaniu. Tam, podobnie jak na Śląsku, słowo patriotyzm miało wiele odcieni znaczeniowych. Bohater Gajosa to postać epizodyczna, ale dzięki aktorowi rozumiemy, że prosty człowiek, szykanowany i przesłuchiwany, także potrafi się zdobyć na akt heroizmu i ocalić swą godność.

Janusz Gajos stał się aktorem coraz chętniej angażowanym, bo niezawodnym. Nawet niewielkie zadanie potrafił wykonać perfekcyjnie. Jednak rolę główną dostał dopiero po kilku latach od *Milionera*, tym razem w telewizyjnym filmie zrealizowanym przez Filipa Bajona. *Wahadełko* powstało między sierpniem 1980 a grudniem 1981 roku, kiedy społeczne protesty osłabiły ucisk cenzury. W tym okresie swobody powstało kilka filmów – *Dreszcze* Wojciecha Marczewskiego, *Matka królów* Janusza Zaorskiego, *Przesłuchanie* Ryszarda Bugajskiego – podejmujących próbę rozliczenia się ze stalinizmem. *Wahadełko* Bajona ukazuje ten historyczny okres nie od strony kultu wodza, widowiskowych pochodów, lecz od strony ludzkiej psychiki. Bolesny cierń tkwi w duszy nawet tych, którzy wówczas, jak bohater filmu Michał Szmańda, byli dziećmi. Matka, zamiast normalnie wychowywać dzieci, poświęciła się wspieraniu jedynie słusznej ideologii. Potrafiła wypracować 500 procent normy, ale, by tego dokonać, syna oddała na święta Bożego Narodzenia do sanatorium. Wiara matki w socjalizm położyła mroczny cień na życiu chłopca.

Michał, gdy go poznajemy, jest człowiekiem trzydziestoparoletnim. Wiele czasu spędza w łóżku, ponieważ cierpi na depresję. Mieszka z matką rencistką (Halina Gryglaszewska), która nadal chętnie bierze udział w spotkaniach z załogami fabryk jako dawna przodownica pracy. I z siostrą (Mirosława Marcheluk), starą panną, czas po pracy w biurze wypełniającą podawaniem bratu lekarstw oraz hodowaniem roślinek w kuchni. Ta trójka egzystuje na peryferiach rzeczywistości w przedziwnym splocie miłości i nienawiści.

W pokoju straszą trofea matki – puchary, ozdobne talerze, proporczyki. Stary telewizor Wisła, biedne sprzęty korespondują z dość niechlujnym wyglądem Michała, z jego rozpiętym szlafrokiem, pospolitymi koszulami i krawatami. Jednak tamte lata nadal tkwią w psychice wszystkich trojga. Najbardziej traumatycznym wspomnieniem Michała jest Wigilia w sanatorium, gdy prezenty rozdawał Dziadek Mróz z twarzą Stalina, przygarniając go jak czuły ojciec. Ta scena śni mu się po nocach i jest ważniejsza niż – „Proust, Musil, Broch i Joyce" razem wzięci, jak powie, pokazując ich książki na półce. Był przecież, wzorem matki, działaczem organizacji młodzieżowej, wstąpił do partii, ale nie wytrzymał tego psychicznie. Zwariował.

Janusz Gajos zagrał tu wyraźne studium szaleństwa, rozłożone na poszczególne etapy. W pierwszych scenach filmu jego bohater zachowuje się spokojnie, jest nawet apatyczny, odwrócony do świata plecami. Później jednak byle drobiazg wprowadza go w rozdrażnienie. Pamięć dzieciństwa wraca w snach, po-

Poza nawiasem normalności

Wahadełko film Filipa Bajona

Fot. z archiwum Filmoteki Narodowej

woduje silną psychozę i lęki. Kolejna kłótnia z matką kończy się drastycznym atakiem epilepsji. Ważniejsza jednak od objawów pozostaje przyczyna schorzenia – okaleczone dzieciństwo. Michał Szmańda drogo zapłacił za złudzenia matki. Na jego przykładzie dobrze widać, jak wysoka była cena społecznej wiary w jedynie słuszną ideologię.

„Skoro za pomocą ruchów wahadełka można u człowieka wywołać atak epilepsji, czy nie podobnie dzieje się ze społeczeństwem? Czy za pomocą pewnych psychospołecznych działań w pewnej sytuacji nie wywołuje się masowych konwulsji, masowej hipnozy? Czy ten kult nie był jednostką chorobową? – pyta w swoim filmie Filip Bajon" (Tadeusz Sobolewski, „Praca domowa *Wahadełko*" – *Gazeta Wyborcza* nr 137/1988).

Film pokazano w telewizji bez wcześniejszej zapowiedzi, późnym wieczorem 11 grudnia 1981 roku, czyli dwa dni przed stanem wojennym. A potem na kilka lat powędrował na półkę jako niecenzuralny. Dopiero jesienią 1984 roku trafił na festiwal w Gdyni, gdzie został nagrodzony.

Dla Janusza Gajosa był szczególnym doświadczeniem zawodowym, nie tylko dlatego, że ekipa korzystała z pomocy lekarza psychiatry, by nie popełnić błędu w obrazie choroby psychicznej. Zagranie ataków epilepsji wymagało przekroczenia pewnej bariery, nie tyle może psychicznej, co zawodowej.

„To jest rodzaj scen – powie po latach Gajos – *których nie lubię grać, bo graniczą z ekshibicjonizmem, z odkrywaniem fizyczności. To jest bardzo krępujące. (...) Ciało, ciało, to, jak się ciało porusza, że są drgawki. żeby to zrobić, trzeba przekroczyć w sobie jakąś barierę. Przekraczanie barier jest konieczne i należy do mojego zawodu, ale są momenty, których nie lubię. W takich scenach włącza się samoobserwacja, widzę siebie na podłodze, w drgawkach, i wstydzę się, że tak wyglądam. (...) Nie przepadam za tym".* („Podróżowałem dookoła Pałacu Kultury" – rozmowa z Katarzyną Bielas, *Magazyn Gazety Wyborczej,* 16 maja 2002).

W tej samej rozmowie Janusz Gajos mówi o kolejnej swojej roli – majora Zawady w *Przesłuchaniu* Ryszarda Bugajskiego. Filmie, do którego zdjęcia zakończyły się 12 grudnia 1981 roku, ale dzień później zaczęła się jego dziwna historia zakończona premierą... siedem lat później. Dla aktora przetrzymywanie filmu jest tym bardziej trudne, że po latach odbiór się zmienia, przychodzi już inna publiczność z innymi emocjami. I naprawdę nie można być pewnym, czy film się jeszcze obroni.

Major „Kąpielowy", podobnie jak Michał Szmańda, wymagał pokonania zahamowań, tylko nieco innej natury.

„Dostałem dobry scenariusz i wiedziałem, że to ma być bardzo ważny film, zastrzyk bolesnej wiedzy. Bardzo nie podobała mi się jednak postać majora Kąpielowego, którego miałem zagrać. Była ohydna, jednoznacznie zła, po prostu sztandar zła. (...) Miałem też obawy, że będę postrzegany przez ludzi jako ktoś bardzo zły, że będą na mnie pluli na ulicy, a to zaszkodzi mojemu wizerunkowi. Nie było też we mnie zgody na to, że daję własne ciało, psychikę, własnego ducha takiemu właśnie człowiekowi.

*To, co w tej chwili mówię, świadczy, że myślałem jak amator. (...)
Oczywiście, jak większość z nas, za mało mam wiedzy na temat pochodzenia zła. Faktem jest jednak, że źli ludzie i zło istnieje. Uważam, że najpierw trzeba się przyjrzeć jego formie.*

Myślałem: major Kąpielowy ma jakąś żonę, pewnie dzieci. Prawdopodobnie na ulicy nikt nie wie, że on zawodowo kopie kobiety w brzuch. (...) W scenariuszu Przesłuchania *niewiele było materiału na pokazanie, jaka idea przyświeca Kąpielowemu. Ale nie podejrzewam, żeby tacy ludzie wykonywali swoją pracę, jakby obsługiwali maszynę, musiało być w nich przekonanie, że działają w dobrej sprawie.*

Wypowiedź aktora pokazuje sposób jego myślenia o roli i obawy, jakie budziła. A także sposób budowania postaci, drążenia tematu, szukania jakiegoś szczegółu, zachowania, reakcji, które charakteryzują człowieka. Takim szczegółem były zatemperowane ołówki, pedantycznie układane na biurku, jakby w tym porządku major szukał równowagi. Takie role nie zdarzają się często, bo też zło w tak czystej postaci pojawia się w wyjątkowych okolicznościach. Jak każde dzieło sztuki *Przesłuchanie,* choć oparte na faktach i relacjach świadków, jest także uogólnieniem prawdy historycznej, a nie jej dokumentalnym zapisem. Aktor właśnie swoją rolą musi takie uogólnienie skonstruować i uwiarygodnić. Bez talentu Janusza Gajosa przerażająca metafora stalinizmu nie osiągnęłaby aż takiej siły wyrazu.

Major rzeczywiście jest postacią odrażającą, ale o tym przekonamy się w trakcie akcji. Na pierwszy rzut oka wygląda elegancko – tenisowy garnitur, starannie zaczesane włosy, układny. Mówi spokojnie, grzecznie przekonuje aresztowaną dziewczynę, że lepiej dla niej będzie niczego nie taić, tylko wyczerpująco odpowiadać na pytania. W każdym razie dość długo nie daje się wyprowadzić z równowagi. Doświadczenie śledczego podpowiada, że dobrocią – pozorną – osiągnie lepsze efekty. Dopiero reakcje młodej piosenkarki, jej bunt, ironia doprowadzą go do szału. Nic tak nie boli jak ośmieszenie, a major jest wystarczająco inteligentny, by wiedzieć, że Tonia ma rację. Wykpiwa pytania po-

Fot. z archiwum Filmoteki Narodowej

**Major Zawada „Kąpielowy" –
symbol zła**

Przesłuchanie
film Ryszarda Bugajskiego

zornie neutralne i te coraz bardziej intymne, prowokacje i kłamstwa o jej kochankach i mężu. Kiedy major kopie ją w brzuch, upokarza składaniem zeznań nago, z pistoletem przystawionym do głowy, ona się nie poddaje. I to go kompromituje bardziej niż zamroczenie ideologią, nakazujące wydobywanie zeznań.

Major postępuje tym brutalniej, im wyraźniej Tonia obnaża swoją naiwność. Dobrze wie, że ta lekkomyślna dziewczyna jest niewinna, że nie ma nic wspólnego z przestępczą szajką. Reaguje agresją, aby ukryć swoją słabość. To ona dyktuje mu pomysł zastraszania Toni, najpierw psychicznego, a później fizycznego. Major będzie polewał ją strumieniem zimnej wody, później zostanie umieszczona w piwnicy z wodą, która podpływa pod jej usta, grożąc utopieniem, wreszcie oprawca każe zainscenizować na jej oczach rozstrzelanie innego więźnia. Wszystkie te wymyślne tortury stosuje bez jakichkolwiek widocznych wahań. Opór i niezłomność dziewczyny prowokują go do agresji, bo zdaje sobie sprawę, że to ona w tym układzie jest silniejsza. Z dnia na dzień z głupiej gąski staje się istotą świadomą rzeczywistości, w jakiej żyła do tej pory, i coraz bardziej zdeterminowana walczy o swoją godność.

Tonia Dziwisz została przez Krystynę Jandę zagrana świetnie. Widz w naturalny sposób utożsamia się z ofiarą systemu, przyjmuje jej perspektywę. Ale przecież bez Gajosa Janda nie zagrałaby tak doskonale. Wzajemna tortura tych postaci, jego przewaga i jej osaczenie, jego bezwzględność i jej wrażliwość, jego cynizm i jej „naiwna" walka o prawdę pozostają dwiema stronami paranoicznego układu. Jak awers i rewers chorego od ideologii świata.

Przesłuchanie prowokowało do zastanowienia się nad sposobami przełamywania wewnętrznych oporów, jakie napotyka aktor, realizując skomplikowane zadania. Tym samym wybiegłam dość daleko w przyszłość. Pamiętajmy o tym, że film Ryszarda Bugajskiego powstawał w bardzo nietypowych warunkach. Dzień po ukończeniu zdjęć wprowadzono stan wojenny. Życie uległo zawieszeniu.

Jakimś trafem Wytwórnia Filmów na ulicy Chełmskiej nie została zamknięta, tam spotykali się filmowcy. Na początku, żeby pogadać o tym, co się działo dookoła, ale później, niejako z nudów, zaczęto myśleć o pracy. W styczniu, nie całkiem legalnie, zespół zrobił kilka potrzebnych dokrętek i Ryszard Bugajski zaczął montować film. W kwietniu 1982 roku odbyła się kolaudacja w Ministerstwie Kultury i Sztuki. Film okazał się całkowicie niecenzuralny, nawet pewien reżyser, członek komisji kolaudacyjnej proponował, by zniszczyć negatyw, ale, o dziwo, urzędnicy resortu wyrazili zgodę na wykonanie kopii wzorcowej, która powędrowała na półkę filmów zakazanych. Reżyser został ukarany najniższą notą artystyczną, co dla debiutanta oznaczało oblanie egzaminu i brak dyplomu.

Okazało się jednak, że film krąży po Polsce, i to w niejednej kopii. Był pokazywany nieoficjalnie, a to w wybranych jednostkach wojskowych, a to na zebraniach ważnych działaczy, o czym dowiedzieli się jego realizatorzy. Reżyser wydobył ukrytą taśmę i skopiowawszy kilka kaset, uruchomił tak zwany drugi obieg. Film wiódł więc potajemne życie w dwóch nieoficjalnych obiegach. W roku 1985 Ryszard Bugajski zdecydował się na emigrację; w ślad za nim opuściła kraj kaseta z *Przesłuchaniem*. W Kanadzie została opatrzona angielskimi dialogami i film rozpoczął jeszcze jedno życie – był pokazywany na różnych zebraniach polonijnych, a nawet w 1987 roku trafił na festiwal filmowy do Rotterdamu.

Oficjalna premiera *Przesłuchania* odbyła się już po zmianie ustroju – 13 grudnia 1989 roku w warszawskim kinie „Skarpa", z udziałem Bugajskiego, który po raz pierwszy od chwili wyjazdu pojawił się w Polsce, ale... jako reżyser kanadyjski. Ambasada tego kraju wydała specjalny bankiet na cześć „swojego" artysty. W maju następnego roku film został wysłany na festiwal do Cannes, gdzie rola Krystyny Jandy zdobyła najwyższe uznanie jury i została uhonorowana Złotą Palmą.

Rola ofiary przyćmiła rolę kata. Choć mówi się, że zło jest bardziej fotogeniczne niż dobro, to o tej wielkiej roli nikt nie chciał pisać. Tylko Zdzisław Pietrasik w *Polityce* zauważył – „Gajos był wspaniały". To tłumaczy obawy aktorów przed graniem złych charakterów. Budzą one odrazę i strach tak wielki, że uznanie zawodowych umiejętności trudniej się przebija.

Na szczęście recenzje nie są miernikiem zawodowych sukcesów. We wrześniu 1990 roku odbył się w Gdyni Festiwal Polskich Filmów Fabularnych, który Janusz Gajos może zaliczyć do swoich największych triumfów. Właśnie wtedy został pokazany, jako ostatni zwolniony „półkownik", film Ryszarda Bugajskiego, jak również film Wojciecha Marczewskiego *Ucieczka z kina „Wolność"* (Gajos w głównej roli Cenzora). Za obie role aktor otrzymał najwyższe trofeum – „Złote Lwy Gdańskie" – zgromadzona zaś publiczność zgotowała mu długą, kilkunastominutową owację na stojąco. Wprawdzie od kilku lat, zwłaszcza po telewizyjnych spektaklach: *Opowieści Hollywoodu, Ławeczce, Hamlecie we wsi Głucha Dolna* mówiło się, że jest aktorem znakomitym, wybitnym, ale po tym festiwalu stał się aktorem wielkim.

Warto zastanowić się, jak wyglądałaby kariera aktora, gdyby *Przesłuchanie* nie zostało zatrzymane na siedem lat. W chwili powstania było obrazem demaskatorskim, otwierającym zakazane dotąd obszary historii, natomiast w roku 1990 było jej bolesnym podsumowaniem, zamknięciem pewnego etapu. W roku 1990 rzeczywistość niejako przerosła nadzieje, nikt się przecież nie spodziewał, że komunizm rozpadnie się tak szybko i przestanie istnieć cenzura. Fakt, że w nowej epoce film nie przepadł, tylko przeciwnie – zdobył nagrody, był zasługą świetnej roboty ekipy i aktorów. Choć, i jak mówił reżyser w wywiadach – „w filmie zawarta jest cała frustracja mojego życia w PRL-u" – w chwili oficjalnej premiery zachował on moc moralnego oskarżenia i klasę dzieła sztuki.

Rzeczywistość wyprzedziła również film Wojciecha Marczewskiego, zrodzony z poczucia absurdu życia w PRL-u, a szczególnie z protestu wobec stanu wojennego. Przypomnijmy, że *Ucieczkę* od ostatniego filmu reżysera *Dreszczy*, dzieli dziewięć lat milczenia. Długi czas twórczych zwątpień, wahań i depresji, które artystyczny wyraz znalazły w jego filmie *Ucieczka z kina „Wolność"*. Owej groteskowej, filozoficznej bajce o „oporze materii".

Otóż bohaterowi przydarza się osobliwa przygoda. W czasie projekcji filmu *Jutrzenka* w kinie Wolność postacie przestały grać swoje role. Najpierw rozma-

Scenariusz przeczytałem jednym tchem...
Ucieczka z kina „Wolność" film Wojciecha Marczewskiego

wiają ze sobą o marności scenariusza, jaki przyszło im grać, a później z widzami o różnych problemach. Cenzor, zmęczony życiem pięćdziesięcioletni mężczyzna, wpada w przerażenie, a widząc, że postaci z ekranu przemawiają także do niego, słabnie. Przed kinem ustawia się tłum ludzi i on, jako osoba odpowiedzialna za praworządne myślenie, musi zapobiec „buntowi materii". Poleca wykupienie wszystkich seansów, ale fakt, że film idzie przy pustej widowni, sprawy nie rozwiązuje. Kiedy Cenzor wraca odebrać zostawiony w kinie płaszcz, jedna z bohaterek pyta, dlaczego podjął się tak wstrętnej pracy, skoro był kiedyś poetą i krytykiem teatralnym. I to jest moment jego duchowej przemiany, ale na drugą stronę ekranu przechodzi później, gdy cenzor wyższej instancji poleca mu spalić dziwną taśmę. „Być świnią, a być mordercą, to zupełnie co innego" – odpowiada. Skoro postacie filmu uzyskały samodzielny byt – rozumuje – nie można ich unicestwiać, bo są jak żywi ludzie. Cenzor namawia je do ucieczki z kina i sam wyrusza z nimi w wędrówkę po dachach, rezygnując z dalszej kariery. Ale w czasie tej wędrówki spotyka osoby, którym zniszczył życie.

Obok oryginalnego scenariusza – podejmującego finezyjną grę z filmem Woody Allena *Purpurowa róża z Kairu* – o sukcesie filmu zadecydowała właśnie kreacja Janusza Gajosa. Swoim powściągliwym aktorstwem potrafił uprawdopodobnić ten dziwny sen? marzenie? przeczucie? bohatera. Jego cenzor, pozostając w każdym odruchu prowincjonalnym urzędnikiem, odsłania swe niespełnione ambicje literackie, nieważne, że raczej niskiego lotu. Tacy jak on, bezwolni oportuniści, podpory systemów przemocy – a znajdą się w każdym środowisku, grupie zawodowej – nie zyskują szczęścia. Cenzor Gajosa jest człowiekiem wyraźnie zawiedzionym, praca skazuje go na ostracyzm, stąd w rozmowach unika spojrzenia prosto w oczy. Nie przynosi ona ani specjalnego dostatku – sądząc po skromnym zadymionym mieszkaniu – ani satysfakcji. Wciąż czuje się zmęczony, boli go głowa i chętnie sięga po kieliszek. Gajos pokazuje, jak w niezbyt lotnym człowieku budzi się jeśli nie sumienie, to wrażliwość, sublimując niegdysiejsze artystyczne ambicje w akt świadomego wyboru wolności. Ponadto aktor przenosi swego bohatera ze sfery realistycznej w obszar fantazji i z powrotem z taką łatwością, jakby były one utkane z jednej materii. Wodzi nas za nos, przeprowadza z jednej strony rzeczywistości na drugą.

Na gdyńskim festiwalu spotkały się filmy z dwóch różnych epok. Oba wybitne, z wybitnymi, choć jakże odmiennymi rolami Gajosa. Można sobie pomyśleć – przecież gdyby nie polityka, moglibyśmy mieć aktora wielkiego już wcześniej. Pod warunkiem, że powstawałyby wybitne filmy. Niestety, lata osiemdziesiąte dla wszystkich chyba twórców okazały się okresem trudnym.

Za najlepszy z tego okresu biografii aktora należałoby uznać *Nieciekawą historię* (1983), bardzo piękny, głęboko filozoficzny film Wojciecha Hasa, będący adaptacją noweli Antoniego Czechowa. Janusz Gajos wystąpił w nim jako narzeczony Lizy, córki starzejącego się profesora. Profesora, pogrążonego w rozważaniach nad sensem minionego życia, zagrał Gustaw Holoubek i na nim spoczywał ciężar filmu. Janusz Gajos zaś budował, Aleksandra Gnekkera świadomie, jako postać kontrastową wobec nobliwego Profesora. Już sam jego strój zdradzający gust prowincjusza – monstrualne bokobrody, spodnie w kratkę, fulary – wprowadzał dysonans w atmosferę kulturalnego mieszczańskiego domu. Jeszcze większy niepokój Profesora budził jego umysł i charakter. Pretendent do ręki Lizy ujawniał podejrzane koneksje albo nieprawdziwe informacje o swoim pochodzeniu i bogactwie, pretensjonalnymi zaś wypowiedziami o sztuce i muzyce obnażał marny intelekt. W kapitalnej scenie obiadu, kiedy to przy stole spotyka się cała rodzina, Janusz Gajos każdym ruchem, każdym odezwaniem się brawurowo kompromitował swego bohatera. Stworzył figurę obmierzłego, lepkiego karierowicza, który licząc na naiwność zakochanej panienki z dobrego domu, funduje sobie dostatnie życie. Nic dziwnego, że mądry Profesor reagował alergicznie na jego pokraczne maniery i hucpę. Tak kontrastowe postacie aktorzy tworzą w duecie; czasem się mówi, że jeden pracuje na drugiego. Tu spotkali się partnerzy doskonali, świadomi swoich umiejętności. Powstał więc wybitny film Wojciecha Hasa, gdzie Gajos był już postacią wiodącą.

Stan wewnętrzny, przeciętny obraz debiutanta Krzysztofa Tchórzewskiego, próbował uchwycić atmosferę pierwszych dni stanu wojennego i środowiska związanego z ruchem Solidarności. Młoda kobieta, Ewa (Krystyna Janda), wyrusza w samotny rejs dookoła świata, żegnana przez przyjaciół, byłego męża (Jan Englert) i zakochanego w niej Jakuba (Janusz Gajos), który zadbał o doskonałe wyposażenie jachtu. Samotną żeglarkę dosięga wiadomość o wprowadzeniu stanu wojennego. Odcięta od kraju – jej rozmowę z Jakubem kontroluje oficer, więc niczego naprawdę się nie dowie – postanawia wrócić.

Znani aktorzy starali się oddać atmosferę tamtych gorących dni, pełną entuzjazmu dla zmian, jak i poczucia zagrożenia. Emocje bohaterów, związane z ich sympatiami politycznymi, udało się przekazać bardziej wiarygodnie niż te psychologiczne między postaciami. Film, zrealizowany na przełomie 1982/1983 roku, oficjalnej premiery doczekał się dopiero po siedmiu latach, co znów miało spore konsekwencje dla odbioru i oczywiście dla aktorów. Oglądało się ten obraz z zadumą i niejaką nostalgią w stosunku do dobrze zachowanej „ikonografii" tamtego czasu, ale brak dobrze napisanych ról widoczny był chyba bardziej niż w czasie jego powstania.

Nakręcony rok później film *Przemytnicy* również nie przyniósł Gajosowi wielkiego sukcesu, mimo że wystąpił w głównej roli Józka Trofidy. Szefa gangu przemytników, który po wyjściu z więzienia wraca w rodzinne strony, w rejon Karpat, by podjąć przemytniczą robotę. Podczas jego nieobecności powstał silny rodzinny gang Aleńczuków, i Józek musi walczyć o odzyskanie swego terytorium. Wprawdzie nadal demonstruje z upodobaniem ułańską fantazję (wraca z więzienia do domu dorożką, szampan leje się strumieniami) i maniery króla Janosików, rozdającego pieniądze i dobra wedle własnego uznania, to nie jest już królem kontrabandy. Konkurenci walczą zacięcie; Józek wpada w zastawioną przez nich pułapkę, łamie nogę i w końcu przegrywa.

Gajos dał tu pyszny portret prowincjonalnego kanciarza, utracjusza z charakteru i pijusa, który dla dobrej zabawy gotów poświęcić wiele fatygi i pieniędzy, ale w gruncie rzeczy jest szlachetny i sprawiedliwy, zwłaszcza gdy stosuje w praktyce zasady złodziejskiego kodeksu. Film powstał na podstawie powieści *Kochanek Wielkiej Niedźwiedzicy* Sergiusza Piaseckiego, autora po wojnie raczej nieobecnego, co miało być jego atutem. Nie było. Scenariusz oparty na schemacie znanym z popularnych powieści międzywojnia, nie wnosił do znanych legend wiele nowego. Nie bardzo było wiadomo, kto co przemyca, dlaczego akcja dzieje się na granicy polsko-rumuńskiej. Pomysł na kino popularne czy przygodowo-historyczne w postaci ekranizacji trzeciorzędnych powieści dwudziestolecia okazał się w połowie lat osiemdziesiątych anachroniczny.

Zupełnie innej klasy film zrealizował natomiast Andrzej Kondratiuk. Jego telewizyjny *Big Bang* opowiada o ludziach prostych, którzy oprócz tego, że pracują na roli albo w gminnym sklepiku, potrafią się zastanawiać nad strukturą świata. Mieszkańcy podwarszawskiej wioski, sprowokowani lądowaniem kosmitów na przywiślańskich piaskach, zadają sobie wcale fundamentalne pytania.

Gajos zagrał tu krewniaka bohaterów. Ponieważ to on dostrzegł późnym wieczorem statek kosmitów na polu wuja, staje się *spiritus movens* całej przygody. Organizuje wódkę i zagrychę, budzi w nocy sklepową, zmusza wujostwo do wydania przyjęcia dla kosmitów, którzy się nie pojawią, ale zamiast nich w wiejskiej chałupie zbierze się lokalna społeczność i zacznie dyskutować o życiu i wszechświecie. Oprócz doskonale podpatrzonych realiów obyczajowych,

116

...bo stół się kończy tu,
a gdzie się kurna
kończy kosmos?

Big Bang film
Andrzeja Kondratiuka

prawdziwych dialogów prowadzonych niby gwarą, aktorom udało się wznieść postacie na wyższy poziom refleksji.

> *Po raz pierwszy zetknąłem się z takim zadaniem w filmie. Na pierwszy rzut oka mój wieśniak to postać zwyczajna. Ale Andrzej chciał, żeby to był ktoś, kto się nie tylko dziwi światu, ale ten świat próbuje rozumieć, komentować. Powtarzał: Nie graj mi patałacha, tylko faceta, który mnie fascynuje. Dopiero po kilku dniach znaleźliśmy stosowną formę. Moja postać została ociosana do wymiaru, jaki chcieliśmy pokazać, że zwykłe życie może być cudem zdziwień, że może być podszyte metafizyką. Człowiek wie, gdzie kończy się stół, ale gdzie kończy się kosmos...*

Wieśniacy z *Big Bangu*, na naszych oczach wyrastają na filozofów, nie przymierzając jak górale z Łopusznej opisani przez księdza Tischnera. Być może, dzięki tej czułej i mądrej postawie wobec prostych ludzi, filmy Andrzeja Kondratiuka zwyciężyły w niedawnej ankiecie *Polityki* na najlepsze filmy telewizyjne, przeprowadzonej z okazji pięćdziesiątych urodzin firmy.

Jaśniejszym punktem trudnych lat osiemdziesiątych był w karierze Janusza Gajosa sędzia Laguna w *Piłkarskim pokerze* Janusza Zaorskiego. Film pokazywał różnego rodzaju machinacje, typowo mafijne oszustwa, jakie za plecami zawodników, pracowicie biegających po boisku, rozgrywają skorumpowani działacze, bogacąc się i opływając w zaszczyty. Bohater Gajosa, były zawodnik, międzynarodowy sędzia to człowiek, który w tym gangsterskim światku stara się być uczciwy, choć nie naiwny. Rolą Jana Laguny aktor zaskarbił sobie ogromną sympatię wielbicieli piłki nożnej, nawet tych, którzy uważali, że w rzeczywistości świat piłki nożnej wygląda o wiele gorzej niż ten pokazany na ekranie. I re-

Sędzią być... *Piłkarski poker* film Janusza Zaorskiego

cenzentów – „świetna rola Janusza Gajosa, mającego wspaniałą passę", „koncertowo kreował rolę sędziego".

Zdarzały się też poważniejsze analizy roli. „Sędzia Laguna – pisała Maria Malatyńska, wnikliwy krytyk i raczej nie fanatyczka piłki nożnej – w ciepłym, choć iście diabelskim wizerunku Janusza Gajosa, jest przede wszystkim głównym graczem. To on rozgrywa tytułowego pokera, z całym mistrzostwem, z całą matematyczną precyzją, z inteligentną bezwzględnością i z prawdziwą radością z samej gry. Jest inteligentniejszy od wszystkich, ale jest równocześnie jedną z nielicznych tu postaci ludzkich. Jest ciepły i zdolny do ludzkiego odczuwania rzeczywistości, poza samym pieniądzem i bezwzględną walką o sukces. I tu dochodzimy do tego, co jest myślowym, czy raczej moralnym przesłaniem filmu. Jest to w sumie wartość maleńka i prościutka, ale istniejąca wyraźnie w tym gwałtownie krytycznym filmie. Jest to obrona emocji piłkarskich, tych typu *chłopięcego*, *podwórkowego*, tych bez sędziowania i bez konkurencji" („Pokerzyści" – *Życie Literackie* nr 15/1989).

W wywiadach Gajos wielokrotnie mówił, że nigdy nie grał w piłkę nożną, nie był zagorzałym kibicem, co najwyżej ogląda mistrzostwa świata jako wielkie widowisko. To nie przeszkodziło widzom uwierzyć, że sędzia Laguna jest postacią z krwi i kości, i ta wiara sprawia aktorowi niespodzianki.

Zdarza się jeszcze dziś, po wielu latach, że żona odbiera telefony z prośbą o skomentowanie jakiegoś meczu albo wydarzenia w świecie piłkarskim. Kiedy odpowiada, że ja nie udzielam takich wypowiedzi, nie mam ani tytułu, ani nic do powiedzenia, słyszy: – No, jak to!? A sędzia Laguna! – Co by znaczyło, że na przykład, jeśli zagram dentystę, to mógłbym otworzyć gabinet stomatologiczny i zęby wyrywać? Strach pomyśleć. Najzabawniejsze, że dzwonią w tej sprawie dziennikarze...

Kilkadziesiąt epizodów i kilka głównych ról w ciągu dwudziestu lat – to dużo czy mało? Po błyskotliwym debiucie Janusz Gajos długo musiał potwierdzać swój talent i możliwości, aby osiągnąć dzisiejszą pozycję – mistrza przemiany. Wirtuoza metamorfozy, posługującego się starannie obmyślaną formą tak, by poszczególne gesty i zachowania postaci wywoływały pozór improwizacji i spontaniczności. By psychologiczna struktura bohaterów sprawiała wrażenie wydobytej z doświadczenia, z prawdy życia. Mistrza, posługującego się często formą statyczną – nieruchomym, starannie wymodelowanym wyrazem twarzy. Owa lapidarna forma, nakładana na postać jak maska, dyskretnie, a zarazem dobitnie unaocznia jej dramat, komplikacje moralne.

Role Józka Mikuły, Michała Szmańdy, majora Kąpielowego, Cenzora, Jana Laguny wytrzymują konkurencję z filmowymi osiągnięciami kolegów w skali nie tylko krajowej. Aktorów, którzy potrafią odnaleźć w sobie tak wielu i tak różnych ludzi, nigdzie nie ma wielu. Oglądając Dustina Hoffmana, Meryl Streep czy Ala Pacino, zachwycamy się, w jakim stopniu potrafią się na użytek postaci zmienić, jak wielu środków użyć, by wydobyć ich psychologiczną kunsztowność sposobami prostymi i powściągliwymi. Myślę, że aktorstwo Gajosa, nigdy nie eksponujące własnej osoby, poddane całkowicie charakterowi granej postaci, pozostaje najbliższe światowym wzorom. Szczyty zaś osiąga w rolach określających pełny zakres doznań i klęsk, pełny wymiar losu, jaki przypadł ludziom pod naszą szerokością geograficzną.

W teatrze Zygmunta Hübnera

Dla mnie, jak zresztą każdego aktora, znalezienie się w zespole Teatru Powszechnego to była ogromna nobilitacja, a z drugiej strony wyzwanie. Hübner wymagał od swoich aktorów dojrzałości nie tylko zawodowej, ale także światopoglądowej i moralnej. Miał jakieś niebywałe wyczucie ludzi, bo dobierał celnie i nigdy nikogo nie nauczał ani nie pouczał. Co nie znaczy, że z nami nie rozmawiał czy nie wpływał na pewne zjawiska, postawy. Tyle że robił to w sposób dość przewrotny. Pisał felietony drukowane w miesięczniku „Dialog"; kto chciał, to je czytał i rozumiał dyrektora lepiej. Nie był to najgorszy sposób rozmowy z zespołem.

Spotkanie z Zygmuntem Hübnerem każdemu, kto miał szczęście się z nim zetknąć lub pracować, pozostawiało silne uczucie obcowania z osobą wybitną. Sama byłam jego studentką w szkole teatralnej, więc dobrze wiem, że jego oddziaływanie nie polegało na sławie, popularności, tylko na specyficznym sposobie bycia. Raczej mało przystępnym. Na tle innych profesorów był człowiekiem oschłym, ale zajęcia z nim były pobudzające; wymagał od nas samodzielnego myślenia, a nie powtarzania książkowych formułek. Sam będąc inteligencją w stanie wrzenia, tych, którzy nie chcieli bądź nie umieli jej sprostać, po prostu lekceważył. Tych zaś, których cenił, otaczał opieką, proponował współpracę, umiał powiedzieć słowo uznania czy zachęty.

Nie przypadkiem miał opinię jednego z najlepszych dyrektorów w polskim teatrze. W środowisku artystów, ludzi nie wszystko traktujących z powagą, był człowiekiem serio, co nie znaczy pozbawionym poczucia humoru. Poważnie traktował i siebie, i swoją pracę. Teatr uważał za miejsce pracy twórczej, a nie za przedsiębiorstwo dostarczające towar czy usługi. W czasach, gdy cenzura uważnie przyglądała się tak zwanej wymowie ideologicznej sztuk, stale poszerzał obszary wolnej myśli. Już sam dobór repertuaru stanowił o formacie teatru. Intelektualnym i moralnym.

Wprowadził na swoją scenę teksty – nie zawsze były to dramaty – ważne dla polskiej inteligencji: *Dantona* Stanisławy Przybyszewskiej, *Rozmowy z katem* Kazimierza Moczarskiego, *Pana Cogito* Zbigniewa Herberta, *Spiskowców* według powieści *W oczach zachodu* Józefa Conrada, *Cesarza* Ryszarda Kapuścińskiego, *Lot nad kukułczym gniazdem* Kena Kessey'a i wiele innych. Przedstawienia w jego teatrze trzeba było oglądać, bo warto było o nie się spierać. Hübner sięgał po dramaturgię różnych epok i stylistyk, tak zwaną poważną i tak zwaną rozrywkową, ale zawsze po to, by za jej pomocą powiedzieć coś ważnego o współczesności. Mówiło się, że robił teatr dla dorosłych. To prawda. Uznawał teatr za miejsce wymiany myśli między sceną a widownią, za rodzaj rozrywki dla inteligentnych ludzi. Nie pytał – na co widzowie przyjdą? Sam proponował tematy warte zastanowienia.

Trzon zespołu stanowili koledzy zaangażowani w momencie tworzenia Teatru Powszechnego od podstaw, to znaczy w chwili oddania do użytku po remoncie budynku przy ulicy Zamojskiego w 1975 roku. Ja pojawiłem się prawie dziesięć lat później, kiedy teatr pod jego dyrekcją działał jak znakomicie naoliwiony mechanizm. Miałem nieco tremy, gdy znalazłem się w tych murach, ale wiadomo było, że dyrektor wiedział kogo i po co angażuje. Chcę to podkreślić, bo nierzadko angażuje się aktora, ponieważ jest popularny, ogólnie zdolny, więc się do czegoś przyda, albo z innego, równie mało merytorycznego powodu. Hübner doskonale wiedział, jaki aktor do czego mu będzie potrzebny. W jego działaniach nie było żadnego przypadku, improwizacji, mając zawsze w zespole obsadę „Wesela", co jest klasycznym określeniem liczebności i różnorodności dobrego zawodowego zespołu, uzupełniał zespół nadal pod kątem planowanych sztuk.

Jeśli powiem, że mnie to bardzo odpowiadało, będzie to prawda, ale zabrzmi banalnie. Posłużę się przykładem. W wydrukowanym w jubileuszowym programie liście Hübnera przeczytałem jego opinię, że może wystawić „Wujaszka Wanię" Czechowa, bo nareszcie ma Gajosa do roli Astrowa. Mnie tego nigdy nie powiedział, tylko któregoś dnia zobaczyłem swoje nazwisko w obsadzie „Wujaszka Wani".

Dyrektor w ogóle był człowiekiem mało wylewnym, raczej surowym, o nienagannych manierach, w każdym razie żaden brat łata. Jeśli już coś mówił do aktorów, to zwięźle i treściwie. Ale potrafił zaskoczyć ciepłem i zrozumieniem. W połowie lat osiemdziesiątych miałem trudny okres w życiu osobistym, rozwodziłem się, trochę balowałem, słowem, nieciekawie. Raz nie przyszedłem na przedstawienie, drugim razem coś nawaliłem. Na dobrą sprawę powinien mnie wyrzucić, nawet jeśli mnie cenił. W jego teatrze był porządek. Ale któregoś dnia powiedział tylko: „Bardzo pana proszę, żeby pan to jakoś ogarnął, bo nie chciałbym pana stracić!". On, taki surowy i niedostępny, użył ciepłego słowa! Nie za ładne oczy, tylko dlatego, że cenił to, co robię. Tym jednym zdaniem tak mnie zmobilizował, że natychmiast postawiłem się do pionu.

122

Pierwsza rola w Powszechnym i od razu skok na głęboką wodę, zważywszy że *Zapisz to Miron* nie jest tradycyjną sztuką z dialogami, podziałem na akty, sceny itd. Scenariusz, ułożony przez reżysera Ryszarda Majora z późnych tekstów prozatorskich Mirona Białoszewskiego oraz fragmentu z *Pamiętnika z Powstania Warszawskiego,* był tu tylko partyturą działań aktorskich. Zarówno forma sceniczna, jak i sens poszczególnych postaci musiały zostać stworzone w trakcie prób. Z odgłosów rzeczywistości, szumów codzienności, jakie zapisywał poeta wbrew obowiązującym w „normalnej" poezji regułom, aktorzy musieli odtworzyć tę rzeczywistość. Białoszewski z ułamków słów, z westchnień, intonacji, okruchów mowy usłyszanej w tramwaju, kolejce podmiejskiej, na ulicy, w sklepie, gdziekolwiek zresztą, stworzył jeden z najbardziej przejmujących, bo nieoszlifowanych literacką konwencją surowych zapisów ludzkiego życia. Także własnego. Zmieniającego się pod wpływem przeprowadzki, choroby, wizyt w przychodni, pobytu w szpitalu, gdzie wielkim wydarzeniem stają się odwiedziny matki, przyjaciół. Zapisem życia, w którym poeta realizował swą osobną i bardzo prywatną filozofię, stawiającą autentyzm przeżyć i wzruszeń nad wielkie zbiorowe uniesienia, choćby najsłuszniejsze. Dlatego w spektaklu pojawia się poeta (Władysław Kowalski) i jego wieloletni przyjaciel Leszek, Le (Janusz Gajos) w otoczeniu bliskich, rodziny, przypadkowo spotkanych ludzi, mieszkańców bloku na Saskiej Kępie itd. Postaci przywoływanych do istnienia przez aktorów kilkoma słowami, jednym gestem, jakąś znaczącą sytuacją, intonacją głosu. Pojawia się ich wiele, bo scenki są króciutkie, epizody liczne jak rozbłyski świadomości, uchwycone na różnych jej poziomach.

Nie było to pewnie przedstawienie proste do zbudowania, ale efekty chyba nie najgorsze. „Trafnie został obsadzony w roli malarza Leszka, przyjaciela po-

Poezja prozą – *Zapisz to Miron* wg Mirona Białoszewskiego w Teatrze Powszechnym z Władysławem Kowalskim

ety, Janusz Gajos. Le pojawia się na scenie najczęściej razem z Mironem, zasadniczo ma być jego przeciwieństwem. Gajos pokazuje go jako ociężałego, ale energicznego, przewidującego i praktyczniej od poety nastawionego wobec życia. To na nim raczej spoczywa ciężar prowadzenia akcji, podczas gdy Kowalski gra więcej z pozycji obserwatora. Gajos zaznacza także te cechy Le, które zadecydowały o porozumieniu malarza z poetą: wrażliwość, umiejętność życia na własny rachunek i ocalania na co dzień prywatności spojrzenia" (Barbara Riss, „Stróż rzeczywistości" – *Kierunki* nr 32/1985).

Nie podobało się to przedstawienie recenzentce *Teatru*. „Na ich (innych aktorów – przyp. E. B.) tle niezmienni pozostają protagoniści – Miron (Władysław Kowalski) i Leszek (Janusz Gajos). Swoją postawą zaświadczają, tak można sobie wyobrazić intencje reżysera, że udaje się zachować osobność, mimo nachalnie pchającej się rzeczywistości. I w efekcie mamy w przedstawieniu złożonym z luźno powiązanych scenek – rezonerów z dziewiętnastowiecznego teatru. Komentują, interpretują, formułują nauki płynące z ukazanych zjawisk, słowem, wyręczają reżysera. Inna poetyka, inny świat" (Iwona Libucha, „Wszyscy wychodzą, znaczy będzie koniec" – *Teatr* nr 10/1985).

Cytuję ten głos wyraźnego sprzeciwu przeciw poetyce przedstawienia, chociaż sama inaczej je zapamiętałam. Na Małej Scenie Powszechnego powstał barwny dywan ludzkiego życia, niby bezładnej krzątaniny wokół małych spraw, zakupów, kolejek, które z perspektywy wielkich idei wydają się nieistotną miazgą, lecz bez których nie da się żyć. W każdym razie fizycznie. Życie, co spektakl dobitnie unaoczniał, jest mieszaniną tego, co wielkie i małe, wzniosłe i pospolite. Białoszewski uważał, że w codziennych zachowaniach, w gestach zrozumienia, współczucia dla innych, wyrażanych nawet nieudolnie, realizuje się nasze człowieczeństwo, nie w głoszeniu wielkich haseł czy szczytnych idei. Dlatego kaleki język, tak bliski życia, starał się wiernie przenieść do poezji. Psychologizm, o jaki Iwona Libucha oskarża aktorów, nie przeszkadzał. Z prostego powodu – aktor nie może być lingwistyczny, strukturalistyczny, semiotyczny, tylko mały albo duży, gruby albo chudy, i zawsze gra człowieka, czyli prawdę przeżyć.

Kolejnym zadaniem Gajosa w Powszechnym stała się rola Ekarta w *Baalu* Bertolta Brechta. Sztuce napisanej przez autora we wczesnej młodości, wielokrotnie przerabianej, lecz ze względu na obyczajowe drastyczności, tudzież niemile widzianą w NRD poetykę ekspresjonistyczną, rzadko granej. Tekst, na użytek tego przedstawienia, skompilowany z kilku wersji sztuki, stworzył tłumacz Robert Stiller. Dziś już dyrektorzy teatrów bardzo rzadko kuszą się o przywracanie scenie takich znalezisk, o nowe przekłady, polskie prapremiery po sześćdziesięciu kilku latach itd. To sprawa innej epoki w kulturze, ale także rangi dyrektora, który dba o rozwój swoich aktorów. *Baal* został wystawiony, gdy pojawił się w zespole Zbigniew Zapasiewicz.

Zagrał tytułową rolę. Człowieka, który umacnia swoje *ego* w buncie nie tylko przeciw wszelkim normom, prawom, powinnościom. Ten bunt objawia się niepohamowaną chęcią życia i użycia, zwłaszcza że Baal wiedzie bogate życie towarzyskie, erotyczne, ale także twórcze. Jest postacią tyleż fascynującą, co odrażającą, więcej niż inni umie, wie, także kobiety chętniej się z nim zadają niż z innymi. Jednocześnie jest prymitywny, wulgarny i bezwzględny. A nade wszystko cyniczny, traktuje ludzi, zwłaszcza kochające go kobiety, instrumentalnie. Sprośne żarty, obrazoburcze teksty są częścią jego jestestwa. Jest sam dla siebie zachłanny, grzeszny i w tym wszystkim wielki, ponieważ ma talent. Śpiewa pieśni, songi, tworzy poezję równie łatwo w tawernie czy artystycznym salonie. Budzi odrazę i ciekawość, tym większą, że niczego się od innych nie domaga, poza wódką. Jego niekonwencjonalność przekracza granice na tyle, że bunt już przestaje być tylko buntem, ociera się o anarchię. Lecz ta mu nie przeszkadza, choć grozi tragedią. W drugiej części widzimy starego, otyłego Baala błąkającego się po knajpach i szpitalach w oczekiwaniu na śmierć. W ostatnich wędrówkach towarzyszy mu najwierniejszy przyjaciel Ekart, którego zabije.

„Znakomity Janusz Gajos alkoholizm Ekarta umiał przenieść w wymiar egzystencjalny. Mimo jednak wspaniałej gry obu aktorów druga część *Baala* robi wrażenie smutnej i ciągnącej się w nieskończoność" (Agnieszka Baranowska, „O uwodzeniu aniołów" – *Kultura* nr 28/1985).

„A przedstawienie? Z pewnością należy ono do interesujących zjawisk nowego sezonu. Zbigniew Zapasiewicz jest u szczytu formy, zdumiewa nas od nowa jego potencjał artystyczny, skala możliwości. Kontrast Baala agresywnego i Baala cierpiącego, poniżonego, staje się w jego ujęciu bardzo wyrazisty. Na drugim miejscu Janusz Gajos w roli Ekarta: ładny to i nowy ton w dorobku tego aktora. Czy jednak Ekart jest jednocześnie Mefistem Baala? Czy sam Baal jest

W takiej sytuacji po raz pierwszy na żywo zobaczyła mnie żona

Ze Zbigniewem Zapasiewiczem w *Baalu* Bertolta Brechta w Teatrze Powszechnym

Fot. R. Pajchel, Teatr Powszechny

raczej człowiekiem dojrzałym, zmierzającym w stronę starości? – to tajemnice reżyserii Piotra Cieślaka". (Michał Misiorny, „Brecht, jakiego nie było" – *Trybuna Ludu* nr 287/1985).

Najpełniej opisała to przedstawienie Bożena Winnicka. „Zapasiewicz gra Baala, który ani nie prowokuje, ani nie demonstruje. Nawet nie sprawdza zła tego świata. On wie, że żyje w plugawym trzęsawisku, a ludzie taplają się w nim, równie plugawi i obrzydliwi. (...) Jego amoralność nie jest buntem. To postawa. Czym jest bowiem w istocie człowiek? Odrażającym potworem, który na domiar złego żyje złudzeniami: bawi się życiem, żąda szczęścia, pragnie wolności. I wierzy, że to już ma lub osiągnąć może. W rzeczywistości zaś żyje między gwiazdami a bagnem. Głupotą jest patrzeć w gwiazdy, nie zauważając bagna. Baal Zapasiewicza wie, że szczęście nie istnieje, wolność jest niemożliwa, życie zaś upływa w gorzkiej świadomości nieustannego przemijania i ciągłego nienasycenia.

Są wprawdzie jakieś *zielone pola*, po których błądzi Ekart. Świetna to rola Janusza Gajosa. Ściszony, skupiony, niemal nieruchomy, w jego wewnętrznym spokoju tkwi pewność, że dobro jest, istnieje, ma smak wolności, która jest szczęściem. Baal musi więc zabić Ekarta – jedyny dowód, że jego wyzywający nihilizm może być pomyłką. Jako filozofia i jako sposób na życie także" (Bożena Winnicka, „Między gwiazdami a bagnem" – *Życie Literackie* nr 10/1986).

Przytoczyłam tak długie fragmenty opisu przedstawienia nie bez powodu. Pokazują bowiem skalę i rangę problemów, jakże różną od tych zawartych w sztukach bulwarowo-rozrywkowych, które dominują na naszych scenach. Klasa literatury dramatycznej przesądza o klasie aktorstwa, a przynajmniej stawia wysokie poprzeczki. To też nie jest mało.

Z następną rolą, a właściwie dwiema, zdarzyła się aktorowi pewna przygoda.

Kiedyś Hübner wezwał mnie do gabinetu i dał dwa teksty – „Ławeczkę" Aleksandra Gelmana i „Nawróconego w Jaffie" Marka Hłaski – do wyboru. Bardzo się poczułem dowartościowany; już miałem ponad czterdzieści lat, a wciąż mi się wydawało, że jestem młody. W każdym razie nikt jeszcze mnie tak elegancko, po partnersku nie potraktował. Przeczytałem uważnie obie sztuki i powiedziałem, że jeśli już mogę wybierać, to wolałbym zagrać Roberta u Hłaski, ponieważ wydaje mi się postacią ciekawą, trochę zwariowaną, jakiej jeszcze nie grałem. No dobrze, odpowiada Hübner, zagra pan obie role. On wiedział, że Hłasko daje materiał na interesujące i potrzebne wtedy przedstawienie i chciał je dać do roboty młodemu reżyserowi. Jednocześnie wiedział też, że „Ławeczka" będzie hitem. Miał rację, ludzie przez pięć lat walili jak do kościoła, zagraliśmy to 250 razy, a potem jeszcze nagraliśmy specjalnie dla telewizji.

Ławeczka Aleksandra Gelmana to historia z pozoru banalna. Dwoje bohaterów w czasie wolnym, gdy praca nie wypełnia pustki godzin i dni. Ona przychodzi na ławeczkę, by kogoś spotkać, na jedną noc, najchętniej na zawsze. On także plącze się po parku wieczorową porą, szukając łatwych zdobyczy. Ona rozeszła się z mężem i sama wychowuje dorastającego syna. Pracuje jako kontroler-

Kto napisze
współczesną
Ławeczkę?

Z Joanną Żółkowską
w *Ławeczce*
Aleksandra
Gelmana
Teatr Powszechny

Fot. R. Pajchel, Teatr Powszechny

ka jakości w fabryce skarpetek. O nim pozornie wiadomo mniej, poza tym, że jest kierowcą w bazie transportowej. Posługuje się zmyślonymi imionami – Jura, Kola, Aleksy, Fiedia – i dopasowuje do nich biografie. Ale i tak, im bardziej chce ukryć domowe perypetie z żoną i dziećmi, tym bardziej się odkrywa. Akcję zaś posuwa jej dociekliwość. Prowokuje, pyta wprost, łapie za słowa, próbuje zedrzeć kolejną maskę. Zwłaszcza gdy rozpoznaje w nim faceta, z którym spędziła już noc jakiś czas temu. Spoza gry pozorów wyziera coraz bardziej ich samotność. Wyłania się zdegradowana egzystencja ludzi, którzy mimo wysiłków niewiele mogą w swym życiu zmienić.

Na Małej Scenie odrapana ławka, obok połamany kosz na śmieci i Ona (Joanna Żółkowska) w pretensjonalnej bluzce, pali papierosa. On (Janusz Gajos) pojawia się wejściem dla widzów, przeciskając się pomiędzy rzędami, czemu towarzyszy melodia niegdysiejszego przeboju – „Kaczuszki". W obcisłych dżinsach, skórzanej kurtce i szpanerskich okularach. W stanie wyraźnie wskazującym na spożycie: nie całkiem skoordynowane gesty, częste poprawianie fryzury. Przesadna elokwencja prowincjonalnego Don Juana. W miarę rozwoju parkowego romansu trzeźwieje. I staje się coraz bardziej tragiczny. Coraz bardziej zaplątany we własne kłamstwa, w gry z kobietą na ławce i zapewne podobne gry z żoną czy innymi. Coraz bardziej samotny, świadom, że jest autorem własnych niepowodzeń. Nie potrafi już tego zmienić. Nie wyprowadzi się z domu. Nadal będzie zdradzał żonę, by odreagować jej zaborczą dominację. Nadal będzie poszukiwał w parku łatwych zdobyczy, i nadal będzie siebie i innych oszukiwał. Ona wręczy mu klucz do mieszkania, ale on nie podejmie zobowiązań. Zbyt słaby, by stać się odpowiedzialny?

127

Mówiło się po tej premierze o mistrzostwie pary aktorów, o idealnych wykonawcach, fantastycznych rolach, kreacjach itd. Ale nie wszyscy byli tego zdania. „Dlaczego Fiedia kłamie, dlaczego coraz inaczej opowiada o swoim nieudanym życiu Wierze? Oglądając *Ławeczkę* w Teatrze Powszechnym, odnosimy wrażenie, iż wyłącznym powodem jest nieustanne pragnienie Fiedii, by ponownie i jak najprędzej znaleźć się z Wierą w łóżku. Powód taki oczywiście w sztuce istnieje. Ale każda z fantazji Fiedii posiada również *drugie dno*, każda odsłania jakąś część jego obolałej osobowości, co już w spektaklu przebija się z trudem. (...) Janusz Gajos pojawia się w czarnej skayowej marynarce, białej koszuli, okularach: jest miękki, kokieteryjny, kabaretowy. Wraz z jego wejściem, z sugerowanego przez autora autentyzmu od razu następuje przesunięcie akcentów w kierunku konwencji buffo. Dośmieszającej sytuacyjny komizm sztuki, lecz mało przydatnej właśnie dla ukazania złożoności postaci. Gajos prezentuje cały repertuar zdziwionych min, przeciągłych jedwabistych spojrzeń, lecz interpretacyjny klucz, którym mógłby otworzyć przed widzem powikłania osobowości Fiedii, najwyraźniej wymyka mu się z rąk" (Jerzy Niesiobędzki, „Dramat z pozorami farsy" – *Fakty* nr 45/1986).

„Poprzez kolejno nakładane maski – bezlitośnie zrywane przez partnerkę – Gajos prowadzi nas do prawdy o swym bohaterze, najpełniej odsłaniającej się w jednej z końcowych scen spektaklu, w przejmująco dramatycznym monologu. (...) Aktor – skulony na ławce, z łamiącym się od emocji głosem, kiwając się rytmicznie (jak to czasem można zaobserwować u osób psychicznie chorych) – gra człowieka świadomego życiowej porażki, pragnącego wyrwać się z dotychczasowych układów, człowieka, który jest jednak zbyt słaby, zbyt poobijany, by sam mógł w swej sytuacji cokolwiek zmieniać" (Andrzej Multanowski, „Przyjrzyj się, jak żyjesz, co robisz..." – *Teatr* nr 11/1986).

Który z krytyków ma rację, dziś rozstrzygnąć można, oglądając wersję telewizyjną spektaklu, nakręconą zresztą w prawdziwym parku. Niedawno, w cza-

Dla telewizji kręciliśmy *Ławeczkę* w prawdziwym parku

Fot. R. Pajchel, TVP

sie czatu z Januszem Gajosem w *Rzeczypospolitej*, widzowie pytali, dlaczego telewizja nie powtarza *Ławeczki*. No właśnie, dlaczego?

Druga z propozycji Zygmunta Hübnera – *Nawrócony w Jaffie* – nie stała się tak spektakularnym sukcesem, ale spora liczba przedstawień i późniejsze przeniesienie spektaklu do Poznania świadczą co najmniej o powodzeniu. Na pewno zaś o sukcesie Gajosa, w Poznaniu bowiem dał serię występów gościnnych, dla których przygotowano nową obsadę sztuki. Właśnie rola Roberta była główną atrakcją tego mądrego przedstawienia. Spoza sardonicznego humoru Marka Hłaski wyłania się bardzo smutne i pozbawione złudzeń spojrzenie na życie. Para bohaterów, Marek i Robert, dwóch inteligentnych facetów w średnim wieku znalazło się na dnie. Nie mają co jeść ani gdzie spać w sensie najbardziej dosłownym. Instynkt samozachowawczy każe im podjąć jakiekolwiek zajęcia, byle przeżyć do wiosny. Wiosną zjawią się zza oceanu bogate turystki spragnione romansów. Wtedy będzie im łatwiej. Łatwowierność i szeroko otwarte serca kobiet, wzruszających się losem pokrzywdzonych przez los inteligentnych panów, bywają bezgraniczne. Tymczasem jednak w Izraelu jest zima, więc obaj podejmują się każdej pracy za kawałek chleba i dach nad głową. Przerabiają nowe dywany na stare persy, depcząc je po kilka godzin dziennie. Marek powoduje wypadek na zamówienie podejrzanego typa, pozwala się za parę groszy nawrócić misjonarzowi na katolicyzm, choć zawsze wyznawał tę właśnie religię. Robert znajduje sponsorów wymyślonego filmu, dość naiwnych i dość snobistycznych, by wdawać się z nim w kontakty i za nie płacić. Wszystkie te przygody pokazują tę stronę emigracji, o jakiej nikt nie myśli, decydując się na nią, tak jak wsiadając do samochodu, nikt nie podejrzewa, że mógłby ulec wypadkowi. One zdarzają się przecież statystycznie.

Przedstawienie stało się sukcesem Janusza Gajosa także dlatego, że Piotr Machalica w roli Marka wydawał się znużony i znudzony swoją sceniczną egzystencją. Robert Gajosa był tym, który go do działania dopinguje, wymusza je wręcz, ale to znaczy, że sam wierzy w odmianę losu, choćby droga do niej wiodła na skróty, nie całkiem uczciwie. „Robert – znakomicie zagrany przez Janusza Gajosa – jest intelektualistą, a zarazem na wpół błaznem, na wpół filozofem" – pisał Bronisław Belusiak (*Razem* nr 17/1987).

Słusznie, ale wątpliwości nie ominęły niektórych recenzentów. „Hłasko był ironiczny, ale nie był śmieszny. Trudno stwierdzić, gdzie tkwi błąd. Po paru wspaniałych scenach, jak choćby rozmowa dwóch naszych rodaków emigrantów na temat hamburgera, za pomocą którego jeden (Marek – Piotr Machalica) chce nauczyć drugiego (Roberta – Janusz Gajos) odpowiedzialności za swoje pomysły i marnotrawienie pieniędzy, następują sceny komiczne, wbrew nawet zamierzeniom aktorów, starających się grać dyskretnie i z umiarem. Chociaż pierwsza część robi wrażenie lepszych lub gorszych skeczy, jednak na końcu przedstawienie wiąże się w całość. Po zabawie, jakiej dostarcza Gajos (świadomie lub nieświadomie) w scenach rozmów ubijania interesu ze Sponsorem (Kazimierz Kaczor) i jego żoną (Joanna Żółkowska), następuje gorzki finał. Złapany w potrza-

Wydawało mi się, że Robert w *Jaffie*
jest ciekawszy niż On w *Ławeczce*

Z Piotrem Machalicą w *Nawróconym*
w *Jaffie* Marka Hłaski

sku strumienia świetlnego mały, nieszczęśliwy, zrozpaczony wewnętrznie, a zewnętrznie poszukujący sukcesu Robert puentuje swoją filozofię życiową. W ostatniej minucie z komedii znów przechodzimy w dramat, dramat ludzkiej egzystencji, w tragiczny los człowieka tułającego się poza miejscem swego dzieciństwa" (Agnieszka Baranowska, „Znowu szeleszczą" – *Kultura* nr 16/1987).

„Gość z Warszawy nie zawiódł pokładanych w nim nadziei i uczynił z Roberta twór arcyludzki, na przemian budzący odrazę, współczucie i rozbawienie, a czasami nawet wszystkie te trzy uczucia jednocześnie! Co dziwniejsze – ten rajfur i marzyciel samą swoją obecnością demaskuje moralną nicość tzw. porządnych obywateli, jak np. w przypadku pary sponsorów. Oni także okazują się do kupienia" (Maria Mikołajczyk, „Każdy na sprzedaż" – *Gazeta Poznańska* nr 240/1992).

Zaplanowana przez Zygmunta Hübnera premiera *Wujaszka Wani* odbyła się w maju 1989 roku, w pięć miesięcy po jego przedwczesnej śmierci. Podczas tych kilku miesięcy w kraju wiele się zmieniło. Historia rosyjskich inteligentów z drugiej połowy dziewiętnastego wieku miała posłużyć obrachunkom inteligenckim końca lat osiemdziesiątych wieku następnego. Współczesność klasyków polega na tym, że zapisane w nich słowa nabierają aktualnych sensów. Ale nie w tym przypadku. Aktorzy nie odpowiedzieli na pytania zadawane przez autora w tej najbardziej tragicznej z jego sztuk. Ani też na te pochłaniające polską inteligencję w czasie wielkich przemian roku 1989.

Już sama przestrzeń zrujnowanego domostwa, pozbawionego otoczenia przyrody, która tak silnie współtworzy egzystencję bohaterów, stała się metaforą świata po katastrofie. A przecież w pierwszym akcie wszystko jest jeszcze na swoim miejscu. No, prawie. Samowar na stole przed domem, niania, kury, domownicy poruszają się od lat wyznaczonymi szlakami. Tylko rytm inny niż zwykle. Woda w samowarze kipi godzinami, obiad je się wieczorem, a kolację w nocy. Wizyta profesora Sieriebriakowa w domu szwagra przestawia najpierw rytm dnia, później życia. Bohaterowie jedzą, spacerują, przede wszystkim rozmawiają. Zwykłe rozmowy, mniej lub bardziej istotne, sumują emocje dyktowane pragnieniami, oczekiwaniem, poczuciem krzywdy. Rezultatem jest wybuch rodzinnej awantury, a później gorzka świadomość przegranego życia. Po wyjeździe profesora i jego żony domownikom będzie jeszcze trudniej żyć; zostali pozbawieni złudzeń.

Narastająca ze sceny na scenę tragiczna świadomość klęski – klęski także na własne życzenie i z winy każdego z bohaterów – nie została pokazana w sposób porywający. „Pierwsza krótka scena Astrowa, Maryny, później Wani, rozegrana w zwolnionym, leniwym rytmie, ma urodę, klimat, nastrój. Nie tylko rozmowy, ale wewnętrznego monologu. Gajos jest wprawdzie nieco zbyt plebejski, jak na Astrowa, ale interesuje i zaciekawia. Zapewne odsłoni duszę dziwną, intrygującą. Ten nastrój pewnego napięcia utrzymany jest do końca pierwszego aktu. Mniej więcej. (...) Niepokoi nieco gęsty opar beznadziejnego smutku i rezygnacji, jaki od początku rozlewa się po scenie, ale ciągle mamy nadzieję, że zostanie rozwiany, a w tych dymach uda się dostrzec barwy bardziej żywe. Nic z tego. Zioło popełnił bowiem podstawowy błąd. W pierwszym akcie zawarł wszystko, co miał do powiedzenia, od początku widzimy więc ruinę ludzi. Wszystkich, poza Maryną i parobkiem oczywiście. Aktorom pozostaje więc tylko jedno: przez trzy długie akty rozprowadzać i rozcieńczać to, co dobitnie, w niemałym stężeniu zagrali w pierwszym" (Bożena Winnicka, „Zamiast życia wieczne skomlenie" – *Życie Literackie* nr 37/1989).

To chyba najbardziej precyzyjny opis tego przedstawienia. Niestety, tak to wyglądało, by już nie wdawać się w pomyłki obsadowe. Astrow Gajosa nie był

Fot. R. Pajchel, Teatr Powszechny

pomyłką, ale też jako postać najbliższa autorowi (też lekarz), czy wręcz wyrażająca wiele jego przemyśleń, nie przekonał. Ale w teatrze tak bywa – świetny tekst, świetni aktorzy, reżyser i scenograf, a nie wyszło. Powstało poprawne przedstawienie, ale nie stało się wydarzeniem. Czechow jest wyjątkowo trudnym autorem, kusi i bardzo rzadko się udaje. Na palcach można policzyć realizacje wybitne.

132

Tym bardziej szkoda, że reżyser miał w ręku co najmniej asa. Po sukcesie *Ławeczki* Janusz Gajos stał się aktorem uwielbianym przez publiczność. Inaczej mówiąc, pełnił rolę haka. Nie jest to określenie eleganckie, ale po pierwsze prawdziwe, po drugie wyróżniające. Nie kto inny, tylko Zygmunt Hübner sformułował w jednym ze swoich felietonów teorię haka. Aktora, na którego chodzi publiczność, na którym „wisi" teatr. Na Astrowie Gajosa, oprócz Władysława Kowalskiego w roli Wani, miał „wisieć" przecież cały *Wujaszek* Czechowa. Ironia losu sprawiła, że Janusz Gajos stał się filarem zespołu, albo właśnie hakiem w pełnym tego słowa znaczeniu, gdy pracował w Teatrze Powszechnym noszącym imię Zygmunta Hübnera. Był to okres prawie trzykrotnie dłuższy niż ten współpracy z patronem teatru.

Wyjście na prostą

„Kiedy poznałem Kazimierza Kutza, miałem już sporo doświadczenia. On jest, jak często powiadam, człowiekiem, dzięki któremu wychodzi się nagle na prostą i przebiega po niej kawał życia. »Opowieści Hollywoodu« dały głośno znać wielu ludziom, że jest taki aktor, który potrafi więcej, niż się po nim spodziewano" („Wszyscy podejmujemy ryzyko", rozmawiała Beata Matkowska-Święs – *Gazeta Telewizyjna* dodatek do *Gazety Wyborczej* 13–19 kwietnia 2001).

„Spore doświadczenie zawodowe" obejmowało ponad dwadzieścia lat pracy i właściwie jedną szufladkę – komediową. Janusz Gajos po wielu latach uwolnił się od wizerunku sympatycznego i zawadiackiego Janka Kosa, lecz tym razem kojarzył się z postacią woźnego Tureckiego z kabaretu Olgi Lipińskiej. Nic nie wskazywało na to, że się z komediowego *genre'u* wyzwoli.

Miałem nawet ukryty żal do losu, do reżyserów, ale trudno się z takim żalem obnosić i opowiadać: proszę, mam jeszcze parę piszczałek w duszy. A Kazio Kutz, swoim nosem, jakąś nadwrażliwością wyczuł te piszczałki i je wykorzystał. Jako jeden z nielicznych reżyserów podjął ryzyko pracy ze mną, wbrew panującej opinii. Trzeba było dużej i nieschematycznej świadomości zawodowej reżysera, żeby zaproponować mi rolę z innej działki. Kazio, obserwując mnie z boku, potrafił zobaczyć coś innego; takie spojrzenia „pod włos" należą w naszym zawodzie do najcenniejszych, bo bardzo, bardzo rzadkich.

Opowieści Hollywoodu Christophera Hamptona to historia z życia sławnych, niemieckich i niemieckojęzycznych pisarzy, którzy po dojściu do władzy Hitlera w 1933 roku zostali zmuszeni do opuszczenia ojczyzny, albo sami wybrali emigrację. Thomas i Heinrich Mannowie, Bertolt Brecht, Lion Feuchtwanger, Hermann Broch, Franz Werfel jak wielu innych artystów podczas ostatniej wojny znaleźli schronienie w Ameryce. Historia kilku trudnych lat, obfitująca w wiele groteskowo-tragicznych sytuacji, kiedy owi wybitni pisarze zostali zatrudnieni w hollywoodzkich wytwórniach filmowych jako scenarzyści, jest tu opowiadana przez węgiersko-niemieckiego pisarza Ödöna von Hörvàtha. Autor, korzystając z *licentia poetica,* podarował mu jeszcze kilkanaście lat życia. Naprawdę Hörvàth zginął w absurdalny sposób: na paryskim Champs Élysées został w czasie burzy przywalony konarem kasztanowca, gdy w 1939 roku pojechał podpisać kontrakt z francuskim wydawcą.

Janusz Gajos w roli Ödöna-narratora ma ciepło i wdzięk, zarówno gdy relacjonuje zdarzenia, jak i wtedy, gdy bierze w nich udział. Jednocześnie zdradza ton wyrozumiałej acz bezwzględnej ironii, powodującej, że wszystkie postacie, jakie go otaczają, ocenia najzwyklejszą miarą – ludzkiej przyzwoitości. Dzięki temu ukazują się one nie tyle w krzywym zwierciadle, co w skali sumienia. A że są to prawdziwe postacie wielkich pisarzy w prawdziwych okolicznościach, tym rzecz bardziej przejmująca. Ich codzienne zachowania przeczą ideom zapisanym w dziełach, albo przeciwnie, wbrew biedzie i poniżeniu ujawniają heroizm postawy moralnej, jakiego w czasie emigracyjnej tułaczki trudno byłoby się spodziewać.

Ot, choćby Heinrich Mann (świetna rola Jerzego Bińczyckiego), stary już pisarz, zagubiony w obcym świecie, zmuszony, jak inni, do zarabiania na życie pisaniem scenariuszy do hollywoodzkich filmów. Witany był jako wuj Golo Manna (który nie napisał żadnej książki!), czyli człowiek niemal anonimowy, gdyż nikt nie pamiętał o jego ogromnym dorobku. „Cała moja sława w tym kraju stoi na nogach Marleny Dietrich" – mówi w pewnym momencie z goryczą; dla Amerykanów pozostał tylko autorem scenariusza do filmu *Błękitny anioł,* zrealizowanego według jego powieści *Profesor Unrath.* A jednak właśnie on, zmęczony życiem człowiek, zdradzany przez żonę, ocali swą godność. Ocali ją dzięki własnej mądrości i prawości. W obronie swoich poglądów – odmówił bowiem wydania w Ameryce ocenzurowanej książki – gotów jest zapłacić cenę upokarzającej biedy.

W najgorszych warunkach nie wyrzeknie się ani dobroci, ani tolerancji, dlatego rozumie, choć niewiele może jej pomóc, swą młodą żonę Nelly, żydowską barmankę z Berlina, dziwnym zrządzeniem uczuć i losu zaplątaną w świat literatury. Tragicznie rozdartą między żywiołowym temperamentem a potrzebą bezpieczeństwa. Postawę starego Heinricha głęboko szanuje Ödön Gajosa. Z poczucia przyzwoitości nie chce uwieść mu żony, mimo jej wyraźnych zachęt. Ale gdy Nelly prowokacyjnie dezawuuje fałsz wzniosłych idei i zakłamanie wielkich emigrantów, wyraźnie ją popiera. Ona jedna w tym obłudnym światku ma odwagę ujawniania swych autentycznych uczuć, zarówno wtedy, gdy potrzebuje mężczyzny, jak i wtedy, gdy widzi taktykę stosowaną przez wielkich pisarzy, aby zachować i majątek, i twarz. (Znakomita w tej roli Monika Niemczyk). Heinrich Mann, wbrew przeciwnościom losu, zachowuje do końca wielką klasę, pozostaje wierny ideałom, jakie wyznawał jako pisarz. Zachowuje też szacunek potomnych, bo przecież tak można odczytać postać Ödöna von Hörvàtha, naprawdę nieżyjącego, lecz oglądającego dzieje kolegów z niebiańskiego balkonu.

Przeciwnie niż Heinrich zachowuje się jego młodszy brat Thomas, szacowny noblista, otoczony splendorami i pieniędzmi. Jego kabotynizm z lubością demaskuje Jan Peszek. Thomas, uznając wojnę za „kurację, którą przepisał doktor Nietzsche", gotów jest nagiąć swe poglądy do zmienionej sytuacji. Ubiera je w piękne słowa tak, by na wszelki wypadek nie przeszkodziły mu wrócić po wojnie do kapitalistycznych Niemiec w roli... prezydenta.

Oczywiście Bertolt Brecht z tego powodu uważa go za „ograniczonego impotenta" i „zasranego kunktatora". Słusznie. Ale sam, jako skończony megaloman – „drugie miejsce mnie nie interesuje" – nie zauważa, jak mimochodem czynione wyznania dyskredytują jego komunistyczne przekonania i zwykłą moralność. „W Moskwie nie mogliśmy dłużej zostać. Brakowało mi cukru. Musieliśmy zostawić moją... Gretę Steffin, była chora, musiała iść do szpitala. Umarła". Wprawdzie Brecht w tej okropnej „Ameryce, która jest cmentarzyskiem ducha", gdzie liczy się tylko handel, a „na każdym drzewie wisi metka z ceną", aby „nie tracić kontaktu z rozumem", przekłada *Manifest komunistyczny* dwunastozgłoskowcem, lecz *Dzieła* Lenina wyrzuca w porcie do wody – ze strachu przed celnikami.

Henryk Bista w robotniczym surduciku, z tępo obciętą grzywką, w małych okularkach, znakomicie pokazuje Brechta jako nadętego, cóż po tym, że inteligentnego bufona z frazesem w ustach. „Wy naprawdę nie rozumiecie, że w teatrze nie wystarczy już objaśnianie świata, trzeba go zmieniać" – mówi w pewnym momencie, na co Hörvàth odpowiada z prostotą: „Ludzie nie chcą dokładnych wzorców, nie chcą instrukcji. I tak przez cały dzień wysłuchują, co mają robić, toteż nikt nie chce iść do teatru, by znów słyszeć, co powinien robić. Ludzie chcą, żeby im mówić, jacy są".

I jeszcze jeden dłuższy cytat. W scenie z kochanką, żydowską scenarzystką Helen (Anna Dymna), Gajos, czyli Ödön, jeszcze źle mówiący po angielsku, opowiada jej o swoich sztukach:

„Hörvàth: – Nie, ja myślę, ich nie można nazwać sztuki polityczne. Nie mówią o żadne konkretne... Themen...

Helen: – Sprawach?

Hörvàth: – Nie. I nie są na ideach Marksa, jak sztuki Brechta.

Helen: – Czyje?

Hörvàth: – Bertolta Brechta. To pisarz. Trochę więcej stary jak ja. Ja piszę o zwyczajnych ludziach, jacy są dziwaczni. Piszę o życiu, jakie ono żałosne jezd. Piszę o biedakak, o ignorantak, o ofiarach społeczeństwa, specjalnie kobietak. Lewicowcy zawsze atakują. Mówią: łatwy pesymizm. Tylko oni kochają lud, ale żadne ludzie nie znają. Ja znam ludzie. Znam, jak okropne są, ale i tak ich lubię. I także się okazuje, że moje sztuki były za mało pesymistyczne".

Oglądając widowisko Kazimierza Kutza, odniosłam wrażenie, że właśnie przytoczona wyżej wypowiedź bohatera *Opowieści Hollywoodu* charakteryzuje zarówno jego postawę, jak i metodę samego reżysera. Można powiedzieć, że akurat tak rzecz została przez Hamptona napisana, z ogromnym wyczuciem efektu obcości, dystansem i ironią. Reżyser tylko ją znakomicie zrealizował. Przez częste zmiany planów filmowych, kontrastowanie nastrojów i scen (jak choćby tej intymnej Ödöna z Helen, przerwanej gwałtownym cięciem – wbiegnięciem Bisty-Brechta do studia) nadał sztuce dobre tempo oraz świetnie poprowadził role aktorów. I stworzył spektakl, którego tematem są postawy, moralne dylematy, wreszcie cierpienia emigrantów, pokazane w brutalnie szczery sposób na przykła-

Duch Hörvàtha wśród żyjących kolegów po fachu

Z Henrykiem Bistą, Janem Peszkiem, Jerzym Bińczyckim w *Opowieściach Hollywoodu* Christophera Hamptona

Fot. W. Woźniak, TVP

dzie autentycznych losów wybitnych postaci europejskiej kultury. Spektakl pozbawiony jakiegokolwiek morału, dlatego tak bardzo poruszający.

Komentatorem świata przedstawionego jest Ödön von Hörvàth, który w rewelacyjnym wykonaniu Janusza Gajosa stał się jak gdyby *porte parole* i autora, i reżysera. Kimś, kto niesie przesłanie całego spektaklu. Uboczną, lecz dla aktora ważną sprawą stało się poruszenie, jakie ten spektakl wywołał. Tak nie pokazywano do tej pory sławnych autorów, zwłaszcza w Polsce, gdzie pisarz to zwykle ktoś wybrany, kto dźwiga na sobie dumne posłannictwo, jest przewodnikiem narodu, sięga po rząd dusz dla realizacji wyższych celów itd. Po emisji *Opowieści* zaczęto mówić, że Gajos znalazł sposób grania pisarza, przeciw czemu on sam dość stanowczo oponuje.

Zagrać pisarza jest bardzo trudno, gdyż coś takiego nie istnieje. Nigdy się nie przejmuję tym, czy gram pisarza, lekarza, hydraulika, ponieważ zawsze gram człowieka. Jeśli z faktu uprawiania zawodu wynikają jakieś konsekwencje, to zwykle są one zapisane w tekście. Aktor szuka prawdziwych problemów – jaki to człowiek? jak reaguje? jak odbiera świat?. To, jaki zawód uprawia bohater, jest rzeczą drugorzędną.

Gajos woli mówić o samym rzemiośle.

Jedną z furteczek czysto zawodowych, które próbowałem wówczas otworzyć, był sposób używania języka. Miałem zagrać kogoś, kto źle mówi po angielsku, z tym, że na początku roli mówi bardzo źle, a potem trochę lepiej. Można to było robić, używając złych przypadków, słów w złej formie czasu, tak jak to zresztą zostało przetłumaczone. Ja próbowałem znaleźć trochę inne ścieżki. Po nocach, w hotelu, bo z Kutzem pracuje się tak, jakby zawsze był pożar, ćwiczyłem, jak się źle mówi po polsku. Przestawiałem podmiot z orzeczeniem, zamieniałem czasy i znaczenie słów, jak to się zdarza komuś, kto dosłownie tłumaczy zwroty z własnego języ-

ka na obcy. Chciałem, by kwestie Hörvàtha brzmiały prawdopodobnie i zarazem śmiesznie. Język mówiony i pisany bardzo się różni, to oczywiste, ale dla aktora, który przede wszystkim mówi, najmniejsze niuanse, modyfikacje słów, akcenty są bardzo istotne, one określają charakter postaci. Byłem zresztą niepewny tych zabiegów, nie chciałem, by były odczytane jako jakieś sztuczki, sposoby, ale reżyser mnie uspokajał.

Słusznie. Z emisją spektaklu wiąże się słynny telefon Tadeusza Łomnickiego do Kazimierza Kutza. „Kaziu, czy ty wiesz, kto to jest Gajos?" – „Nie, Tadziu, kto?" – „Jak to kto? To ty nie wiesz? Gajos to jest wieeeeelki aktor!!!" – padła odpowiedź tubalnym głosem innego wieeeeelkiego aktora.

Ponieważ bez udziału reżysera żaden aktor nie stworzy arcydzieła, warto powiedzieć kilka słów o tym, jak pracuje Kutz, ponieważ aktorzy w jego spektaklach uzyskują jako postacie inny wymiar. Ważne więc wydaje się spojrzenie reżysera. Podobnie jak Hörvàth, pozostaje we wszystkich swoich pracach ironicznym świadkiem zdarzeń, unika wszelkiej ideologii, świadomie wybiera bezstronną, behaviorystyczną obserwację życia.

Bohater nie jest opisany przez reżysera, lecz przez niego pokazany w różnych sytuacjach, charakteryzowany nie poprzez literaturę, lecz przez działanie, żywe reakcje na innych. Stąd też jego spektakle posiadają ogromną energię wewnętrzną, bez fałszu ujawniają sprzeczności ludzkiej natury. Postacie, jakie aktorzy tworzą na małym ekranie, nie są dzięki temu płasko-jednoznaczne, lecz właśnie dziwne i niepowtarzalne, choć przecież nie można im odmówić prawdy przeżycia czy psychologicznie umotywowanych reakcji. Bez względu na to, jak bardzo burzą one potoczne wyobrażenia dobrego smaku, obyczaju, czy po prostu konwencjonalne przyzwyczajenia widzów karmionych grzecznym teatrem. Reżyser wraz ze swymi aktorami – pokazując prawdę o rzeczywistej wartości bohaterów – poszerza wciąż granice intymności, dociera do tego, czego jeszcze nie pokazywano w podobny sposób.

Wystarczy tu przypomnieć choćby inną sztukę – *Kolację* Paula Barza. Z woli autora w roku 1740 do uczty zasiedli: Jan Sebastian Bach (Janusz Gajos) i Fry-

Jan Sebastian Bach

***Kolacja*
Paula Barza**

Fot. R. Pajchel, Teatr Powszechny

deryk Jerzy Haendel (Roman Wilhelmi) obsługiwani przez kamerdynera Schmidta (Jerzy Trela). Oto wysmakowana sceneria tej kolacji autorstwa Bolesława Kamykowskiego: rzęsiście oświetlony świecami stół, uginający się pod srebrami pełnymi wykwintnego jadła i trunków, barokowe złocenia na szarych ścianach. I kontrastujący z tym sposób jedzenia tychże potraw. Wielcy kompozytorzy, nie dbając o sztućce, spożywają dania palcami, mlaskają, mówią z pełnymi ustami, oblewają się winem, sosami. „Paprzą" eleganckie stroje, lecz nie przerywają przy tym subtelnych rozważań o muzyce. Sztuka kompozycji rozpala ich mózgi i namiętności, choć z początku udają, że nic o sobie nawzajem nie wiedzą, to przecież każdy z nich zna utwory rywala do najdrobniejszej nuty.

> *Pamiętam pierwsze wejście Bacha; miałem zagrać je tak, by zawierało wszystko, co jest w tym człowieku i za chwilę jeszcze się ujawni. Wszystkie jego kompleksy i świadomość własnej wielkości, i zazdrość wobec rywala, i obrzydzenie wobec niego, i poczucie, że rozumie muzykę nie gorzej od niego, choć los skąpi uznania. Od tej sceny potem się odbijałem.*

Miło popatrzeć, jak butny, witalny, brutalny wobec kamerdynera Haendel tężeje i cierpi, gdy skromny Bach, który przyszedł na kolację w nicowanym, ale wciąż najlepszym surducie, gra *Wariacje Goldbergowskie*. Ten piękny koncert dzieli reżyser na parosekundowe ujęcia; kamera przeskakuje z siedzącego za klawesynem Bacha, z uduchowioną twarzą zatopionego w muzyce, na wykrzywione bolesnym grymasem oblicze Haendla. Niedojedzone resztki, napoczęta butelka i znów twarze – rozanielona Bacha, stężała w bólu i zawiści Haendla, rozpromieniona kamerdynera. W takich momentach najlepiej widać, jak Kutz – łącząc ruchliwość kamery śledzącej intymne reakcje postaci z szerokim, jak w teatrze, planem grania – uzyskuje nową jakość. Właściwy telewizji język sztuki, inny niż kino uciekające w widowiskowość, czy teatr, zbyt odległy, by przekazać tak subtelnie niuanse psychologiczne.

Pojedynek na muzykę pozostaje w końcu nierozstrzygnięty: obaj kompozytorzy, obżarci i upici, w pojednawczym uścisku oddalają się chwiejnym krokiem po pięknej, bogato intarsjowanej podłodze. Rozbrzmiewający zza kadru *Mesjasz* Haendla, choć stworzył go człowiek zepsuty i zawistny, pozostaje utworem równie genialnym jak *Pasja św. Mateusza*, napisana przez poczciwego kantora, który żył w ubóstwie i pośród harmidru dzieci rozwiązywał problemy kompozycji. Los nie stosuje się do reguł moralności; wcale nie jest tak, że tylko szlachetni mają talent, a źli skazani zostają na poniewierkę. Bywa, że geniusz dosięga największych rozpustników i nicponi, pozwalając im pławić się w dostatku, podczas gdy ludzie utalentowani i dobrzy żyją w udręce. A więc żadnego pocieszenia, prawdzie można tylko spojrzeć w oczy.

Kazimierz Kutz, poszukując drażliwych tematów, zainteresował się literaturą powstałą w Związku Radzieckim. Rewolucja przewróciła życie Rosjan do góry nogami, dostarczyła nieprzewidzianych doświadczeń jednostkom i całemu narodowi. *Samobójca* Mikołaja Erdmana, ujrzał światło dzienne dopiero po bli-

Trudno sobie wyobrazić, że jest się własną duszą

Samobójca Mikołaja Erdmana z Krzysztofem Jędryskiem

Fot. z archiwum TVP

sko siedemdziesięciu latach. Nie bez powodu zresztą. W czasach zwycięskiej rewolucji, powszechnej kolektywizacji i zadekretowanego entuzjazmu mas, Erdman upomniał się o prawa jednostki – Siemiona Siemionowicza Podsiekalnikowa. Jak wielu podobnych mu inteligentów, zmiecionych wybuchem rewolucji z właściwego duktu historii i zbędnych, Podsiekalników jednak żyje. W kołchozowym zapuszczonym mieszkaniu z rozwalającymi się sprzętami, gdzie nic do niczego nie pasuje i nędza wytrzeszcza zęby. Cóż to za życie podszyte bezustannym strachem, potęgowanym przez byle szmer, skrzypnięcie, ruch współlokatora. Podsiekalnikow wie, że ten strach można pokonać tylko wolą trwania, dlatego śni mu się po nocach pasztetówka, tandetny erzac życia. Metafizyczny lęk: „Czy w państwie masy mas będzie istniało życie pozagrobowe?" – Sienia zagłusza pasztetówką. Je łapczywie, nieestetycznie, za to z rozkoszą. Kolejna doskonała rola Janusza Gajosa, tylko pozornie łatwa.

141

Podsiekalnikow jest postacią złożoną z różnych gatunkowo elementów, z których musiałem ulepić przekonującą całość. Z jednej strony jest inteligentem, jednym z tych po rewolucji „zbędnych" ludzi, z drugiej zaś, autor napisał tę postać w konwencji groteskowej. Prawdopodobieństwo życiowe podpowiada, że człowiek inteligentny jakoś daje sobie radę w życiu, przynajmniej próbuje racjonalnych rozwiązań. Podsiekalnikow przeciwnie, nagle postanawia, że będzie utrzymywał siebie i rodzinę jako muzyk, choć wie, że nigdy nie nauczy się grać na trąbie. To są rzeczy wymyślone na użytek formy i tę formę trzeba znaleźć. Wymyśliłem sobie specjalny sposób mówienia, a reżyser nie dyskutował nad moim „wynalazkiem", tylko go po prostu zaakceptował.

Potem był moment, gdy Podsiekalnikow jest pijany... znajdują go na „drodze historii" i taszczą do domu jako trupa, a on budzi się na marach, czym przeraża żałobników i rodzinę. Zawsze jest śmiesznie, gdy facet przebierze się za babę, no i każdy aktor potrafi zagrać pijanego. Zapytałem Kazia, jak mam grać to pijaństwo, bo tak po prostu to może będzie za mało szlachetnym środkiem, chciałem coś tu wymyślić. A on powiedział tylko: graj tak urżniętego, jak sam w życiu nie byłeś. Na pewno? Ja to umiem. Na całość? Poparty autorytetem reżysera, wszystkie swe umiejętności włożyłem w pijaństwo Podsiekalnikowa. Nawet statyści zapytali, czy przypadkiem nie chlapnąłem sobie czegoś dla kurażu i musiałem wyjaśniać, że chętnie wypiję, ale po pracy.

Erdman wiedział, że w czasach, jakich był świadkiem, „to, co pomyśli żywy, może powiedzieć tylko martwy", więc postanowił, że jego bohater popełni samobójstwo. Jednak w nowym społeczeństwie nie można tak po prostu się zabić, bo ma się wszystkiego dość. Jeśli już ktoś decyduje się na krok ostateczny, powinien to uczynić w imię idei wyższej; o nią zadbają inni, stawiając się u Podsiekalnikowa z propozycjami.

Pożegnalny bankiet, ozdobiony transparentem z napisem „Wisielczak", staje się metaforą społeczeństwa. Już sama knajpa, przypominająca przepychem i monumentalną kolumnadą stacje moskiewskiego metra, te świątynie socjalizmu, daje wyobrażenie przepaści między jednostką a wielką ideą. Nieprzytulność i obcość można pokonać tylko alkoholem. Wszyscy bankietowicze zagłuszają pustkę piciem i żarciem *à la manière russe*. Czekają na samobójczy strzał Podsiekalnikowa, podczas gdy on, co chwila pytając o godzinę, szampanem tłumi metafizyczny strach. „Czy życie pozagrobowe i dusza istnieją? Według religii – tak, według nauki – nie, a zgodnie z sumieniem – nie wiadomo". Niezdolny do rozstrzygnięcia podstawowych kwestii, wychodzi samotnie z rewolwerem na „drogę historii", skąd zostaje, pijaniuteńki, przytaszczony do domu. Po wielu perypetiach z własnym zgonem, już na trzeźwo biegnie do kuchni, gdzie z radością odnajduje zawiniętą w gazetę... pasztetówkę. Mimo wszystko symbolizuje ona pochwałę życia, jakkolwiek by ono było żałosne i beznadziejne. Pochłania więc ją żarłocznie, z radością, budząc nieme zdumienie małej dziewczynki o smutnych oczach, która przypadkiem przygląda się tej manifestacji witalności.

Kazimierz Kutz, zachwycony pracą z Januszem Gajosem, który umie wszystko, opowiadał w wywiadach, że właśnie w tej scenie artysta wzniósł się na orbitę metafizyki. Aktor jednak konsekwentnie odrzuca aż tak pochlebne interpretacje.

Kazio tę dziewczynkę wymyślił, nie było w tekście takiej postaci, ale nie wiem, czy jej obecność na planie poruszyła we mnie coś, co pozwoliło mi zmienić stosunek do zawodu. Na pewnym etapie pracy, gdy myśli się o tekście, uruchamiają się bardzo prywatne odczucia, ocena postaci, uznanie jej za bliską sobie lub zupełnie odległą. Dzieje się to wówczas, gdy próbuję sobie wyobrazić daną postać, jak wygląda, jak się rusza, jak się odnosi do świata. Posłużę się jeszcze przykładem Podsiekalnikowa. On ma taki piękny monolog, gdy pyta: czy jest dusza, czy jej nie ma. Bo potem będzie tylko jedno pif-paf i co, nic? Nie ma słońca, nie ma żony? Gdy się to czyta, jest to dość zwyczajne opowiadanko, rzecz w tym, by wyobrazić sobie, że się jest własną duszą.

Ale gdy się już nagrywa, nie ma miejsca na takie rzeczy, zostaje zimna kalkulacja: jak, zachowując całą świadomość, najlepiej pokazać wymyślonego przez siebie człowieka komuś, kto na to patrzy.

Podobnie zimną kalkulację stosuje się nawet tam, gdzie, wydawałoby się, należałoby być najbliżej rzeczywistości. Film Kazimierza Kutza *Śmierć jak kromka chleba* poświęcony jest tragedii, jaka się wydarzyła w kopalni „Wujek" w pierwszych dniach stanu wojennego. Bezpośrednią, przypomnijmy, przyczyną strajku stała się obrona sponiewieranego kolegi, przewodniczącego zakładowej „Solidarności", który został wywleczony z domu w nocy i pobity jak pospolity przestępca. W sprawie jego uwolnienia delegacja górników udaje się po radę do księdza na plebanię, a później dopiero zapada decyzja o strajku. Film Kutza, z założenia zbliżony do dokumentu, odtwarza krok po kroku wydarzenia trzech dni po 13 grudnia 1981 roku. Zakończyło je, jak wiadomo, wtargnięcie oddziałów ZOMO na teren kopalni, okupowanej przez strajkujących górników i śmierć dziewięciu z nich.

Twórcy przyjęli dosyć radykalne założenie artystyczne, mianowicie bohaterem filmu miała być ludzka zbiorowość. Masa ludzi strajkujących, czyli skazanych na siebie przez kilkadziesiąt godzin. Ludzi poddanych niezwykłej presji z zewnątrz i wewnątrz. Nie było więc bohatera, z którym widz mógłby się utożsamić, poczuć do niego sympatię i śledzić jego losy na tle wydarzeń, jak to ma miejsce w większości filmów. Kilku zawodowych aktorów: Jerzy Trela, Jan Peszek, Jerzy Radziwiłowicz, Teresa Budzisz-Krzyżanowska, Anna Dymna, Janusz Gajos musiało się wtopić w ten bezimienny tłum.

Jednak sztuka różni się od rzeczywistości i film musiał zostać „skażony" artystycznie. Owo skażenie najlepiej pokazać na przykładzie roli Janusza Gajosa. Zagrał on inżyniera nadzoru, który jako jedyny z ekipy kierowniczej przystąpił do strajku. Ale jak mówi, punktem odniesienia był dla niego przede wszystkim scenariusz, nie autentyczna postać, człowiek żyjący do dziś. Dla zmiany zaś ponurego klimatu znalazła się scena, kiedy to działacze kopalnianej „Solidarności" próbują, w obawie przed rewizją, wynieść z pokoju dokumenty i bibułę. Inżynier

Pierwszy raz w życiu byłem w prawdziwej kopalni

Śmierć jak kromka chleba **film Kazimierza Kutza**

Fot. z archiwum Filmoteki Narodowej

Gajosa wkłada kartki papieru do butów. Niestety przesadza, wychodząc z pokoju wywraca się, budząc śmiech kolegów i widzów. Wyjmuje więc te kartki i wypycha sobie nimi biust. Ta sytuacja, być może, w rzeczywistości wyglądała inaczej, jednak w filmie została zrealizowana z dużą dozą prawdopodobieństwa. Życie, nawet w najbardziej tragicznych chwilach, objawia swoją drugą, komiczną stronę. I dopiero obie wartości tworzą jego pełnię. Janusz Gajos zagrał w tej scenie tę drugą stronę rzeczywistości, w innych zaś człowieka, który z determinacją, podobnie jak górnicy, broni ludzkiej godności.

Wspiera działania załogi, pomaga formułować postulaty strajkowe i pozostaje z górnikami do końca, do masakry, jaka się odbywa na terenie kopalni dwa dni później.

Role Janusza Gajosa, stworzone we współpracy z Kazimierzem Kutzem, pokazały, że stać go na więcej niż przypuszczano. Od tego czasu zostaje uznany za jednego z najlepszych polskich aktorów. Nawet wcześniejsze role, stworzone pod okiem innych reżyserów, zrealizowane tak samo dobrze, wedle wszystkich prawideł zawodowego rzemiosła nabierają rangi i znaczenia, jakby przekroczył Rubikon i coś się w jego artystycznym życiu zsumowało. W powszechnej świadomości z bardzo dobrego aktora stał się aktorem wybitnym. Nagle jego role zaczęły wyrażać coś więcej.

To coś, to, jak się wydaje, stosunek do świata, oparty na zaufaniu do podstawowych kategorii etycznych. Poczucie proporcji i naturalna zdolność odróżniania dobra od zła. Jego postacie, ukazując bezmiar ludzkiej samotności i cierpienia, jednocześnie dają nadzieję, że normalność jest możliwa, że mężczyzna może być mężczyzną, a dobroć czy szlachetność nie są pojęciami z innej planety. Oglądając bohaterów Gajosa, ma się poczucie, że świat normalnieje, że można przeżyć życie godnie, bez zbędnych słów i deklarowanego patosu, kierując się zwykłą ludzką przyzwoitością. Zarówno zachowania, jak i wybory jego bohaterów są zrozumiałe, prawdziwe, choć wcale niebanalne. To, w jaki sposób mierzą się z losem, jak reagują na konkretne sytuacje, uświadamiają, iż każdy z nas, widzów, może zdobyć się na gest ocalający godność, przywracający, choćby na chwilę, poczucie harmonii ze światem.

Bardzo ważne, by przy pracy mieć zaufanego i inteligentnego partnera. Kogoś, kto powie, czy to, co robię, jest w porządku, czy też nie. Pracu-

144

jąc z Kaziem Kutzem, mam poczucie bezpieczeństwa, wiem, że poruszamy się w podobnym systemie wartości. On nie zawsze jest grzecznym chłopcem, potrafi domagać się swego i jeśli czegoś nie akceptuje, to mówi, zmienia. Ale też przyjmuje argumenty. Nie zawsze aktor ma na planie tak dobrego partnera, fachowca, nierzadko zostaje sam i musi się jakoś obronić.

Chyba nie bez znaczenia jest fakt, że obaj, reżyser i aktor, pochodzą ze Śląska. Z regionu ukształtowanego wyjątkowo silnie przez etos pracy, który określał przez wieki stosunek ludzi do siebie, rodziny, miejsca, gdzie się pracuje i gdzie się żyje. Prostolinijność, uczciwość, zaufanie oraz bardzo specyficzne poczucie humoru na pewno obu do siebie zbliżają. Pozwalają rozumieć się bez słów i tworzyć na ekranie światy rzadko spotykane gdzie indziej.

Za Kutzem poszli inni. W roku 1987, gdy odwaga jeszcze nie staniała, a przekonanie o konieczności obrony własnych poglądów było bardzo silne, Janusz Gajos zagrał rolę niewielką, ale w ważnym spektaklu – Strażnika w *Antygonie* Jeana Anouilha w reżyserii Andrzeja Łapickiego. Napisana w 1942 roku, sztuka przypomina o postawie Antygony, która wbrew zakazom panującego króla, zgodnie z odwiecznym prawem religii pochowała swego brata Polinika. W dramacie francuskiego autora ważniejsze niż wierność bogom i ich przykazaniom staje się odważne głoszenie własnych przekonań, bohaterska apoteoza indywidualizmu. Joanna Szczepkowska jako Antygona grała współczesną dziewczynę, która wbrew Kreonowi (Andrzej Łapicki) stara się pokonać strach i zachować godność. Atmosfera społeczna po zniesieniu stanu wojennego była bardzo wyczulona na przejawy wierności ideałom, trzeba więc było aktorskiej odwagi, by zagrać postać utożsamianą z władzą. A taką postacią był Strażnik na dworze Kreona.

Janusz Gajos był już wówczas uznany za wielkiego aktora, który bez obawy o narażenie na szwank własnego wizerunku może sobie pozwolić na granie po-

Musiałem zrozumieć nawet sposób myślenia Nerona

Teatr czasów Nerona i Seneki Edwarda Radzińskiego

Fot. J. Szarcillo, TVP

tworów moralnych i uczynić to w sposób fascynujący. Problemy moralne *Antygony* wydają się „łagodne" w porównaniu z ukazanymi w sztuce Edwarda Radzińskiego *Teatr czasów Nerona i Seneki*. Zawiera ona nie tylko spojrzenie współczesnego dramaturga na historię czasów starożytnych, ale przede wszystkim próbę opisania współczesności za pomocą odwołania się do modelowych niejako postaw. Neron – którego zagrał Gajos – cesarz rzymski, morderca żony, matki i brata, zwyrodnialec odpowiedzialny za masowe prześladowania i mordy chrześcijan, a jednocześnie miłośnik i znawca sztuki – to jedna z najbardziej okrutnych, a jednocześnie ciągle fascynujących postaci świata starożytnego.

Protoplasta wielu dyktatorów był wychowankiem sławnego Seneki – filozofa, stoika, moralizatora. Odpowiedzialnego za jego deprawację i amoralność. Dlaczego? Ponieważ milczał, gdy trzeba było krzyczeć, wolał być rzeczywistym władcą Rzymu niż poskramiać wychowanka. A nade wszystko winny okrucieństwom Nerona był Senat, który bez dyskusji i sprzeciwu akceptował wszelkie decyzje buńczucznego młodzieńca, zamiast się im przeciwstawić. Obdarowywał zbrodniarza coraz to nowymi godnościami, tytułami, z boskimi łącznie. Wszystko to działo się pod płaszczykiem dobra ojczyzny. Rosyjski autor skonstruował postać Nerona tak, by odsłonić psychologiczno-społeczny mechanizm, który je umożliwiał.

„Przedstawienie w Dramatycznym było zręczną, błyskotliwą i aluzyjną sztuką polityczną, gdy natomiast przedstawienie telewizyjne jest ponadto studium osoby Nerona. Do zbrodni dochodzi on poprzez poznanie podłości i zakłamania całego otoczenia, z Seneką włącznie; jego droga do tyranii jest jednocześnie drogą do tyranii całego narodu rzymskiego. To właśnie pokazał Janusz Gajos w roli, która jest uwieńczeniem wszystkich jego dotychczasowych sukcesów. Oczywiście, wielki udział w pogłębionej interpretacji sztuki ma też Gustaw Holoubek – bodaj najlepiej predestynowany do roli Seneki ze wszystkich aktorów polskich, ale jednak *Teatr czasów Nerona...* stał się w telewizji przedstawieniem należącym do Gajosa" (Grzegorz Sinko, „Co mogą aktorzy w Teatrze Telewizji" – *Teatr* nr 8/1988).

„Wielki spektakl, wielki popis dwóch wspaniałych aktorów – Gustawa Holoubka i Janusza Gajosa. Gajos w roli Nerona! Wpaść na taki pomysł mógł tylko reżyser z wyobraźnią. Konstanty Ciciszwili nie musi już nikogo przekonywać, że wyobraźnię ma. Zrobił widowisko klasy światowej. (...) Sztuka Radzińskiego jest stworzona dla małego ekranu. Sądzę, że teatr żywego planu nie potrafiłby oddać jej klimatu tak, jak potrafi najazd kamery na twarz aktora. Twarz aktora... Twarz Gajosa patrzącego przez kraty na orgię seksualną w wykonaniu skazanych na rzeź. Twarz Holoubka, kiedy się zastanawia nad słowem – to są już dzieła sztuki. Kiedy te dwie twarze wpisują się w taki tekst – sztuka nabiera wielkości. Ta sztuka jest wyraźnie uniwersalnym opisem władzy totalitarnej" (Bohdan Drozdowski, „Metamorfozy" – *Sprawy i Ludzie* nr 28/1988).

Cytuję te opinie tym chętniej, że zaprzeczają podejrzeniom o idealizowanie mojego bohatera. Od połowy lat osiemdziesiątych recenzenci nie tylko zaczęli poświęcać Januszowi Gajosowi więcej miejsca, ale stawiać go na równi z największymi aktorami naszych scen. Wypowiedź profesora Grzegorza Sinki, który już po *Hamlecie* Brešana pisał o nim entuzjastycznie, wydaje się tu znamienna. Gajos jest już nie tylko popularny, sławny, lubiany przez publiczność. Zdobywa także uznanie kolegów, a przecież zadziwić własne środowisko o wiele trudniej niż „cywilów".

> *W telewizji, gdzie – jak w teatrze – nie ma ciszy, tego poczucia władania nad wyobraźnią widza i jego emocjami, którymi można zawładnąć, tworzenie postaci wydaje się jeszcze trudniejsze. Tu rolę się tworzy kawałkami, i trzeba przewidzieć czy zaplanować reakcje widza oglądającego spektakl w domu, intymnie, ale też w mniejszym skupieniu, niż na widowni przy zgaszonym świetle. Czasem pomagają reakcje ekipy czy reżysera, jeśli to jest człowiek, do którego się ma zaufanie. Bardzo ważny, bo zawsze potrzebne jest takie zimne oko, żeby skorygować.*

Na małym ekranie rodzi się więc aktor wielki, wspaniały, a to już inna jakość artystycznego istnienia. I swego rodzaju fenomen; do tej pory wybitni aktorzy rodzili się na deskach scenicznych. Przygoda Gajosa z telewizją, zwłaszcza udział w widowiskach Kazimierza Kutza, pokazuje, że potrafił on przekształcić to wyjątkowo trudne medium w dzieło sztuki o własnej estetyce i niepowtarzalnej sile wyrazu. Nie jest to mało.

Bandyci przychodzą z kapitalizmem

Nieprawda, bandyci nie przychodzą z kapitalizmem. Oni oczywiście istnieją w każdym ustroju i pod każdą szerokością geograficzną, tylko socjalizm niejako ustawowo ich unicestwił. Tak, jak prostytucja czy pornografia, bandyci w Polsce Ludowej oficjalnie nie istnieli. W każdym razie przestępczość zorganizowana czy mafijne porachunki nie były tematem dla kina, ponieważ nie zatwierdziłaby go cenzura. A jeśli już się pojawiały, to jako poszczególne przypadki, w scenerii egzotycznej lub historycznej, ale nie współczesnej. Poniekąd słusznie, trudno zrobić kino akcji z bandytami walczącymi o malucha czy pół kilo wołowego z kością, na kartki. Filmowcy, zwłaszcza ci ambitni, wadzili się w swych utworach z dziedzictwem wojny, historią, mitami patriotyzmu, później z moralnymi pytaniami, nie zaś z gangsterami. Po 1989 roku zmienił się nie tylko ustrój, nasza rzeczywistość także. Pojawiły się wielkie pieniądze, a z nimi wielkie przestępstwa, przekręty i afery. Filmy, które zaczęły coraz śmielej przejmować wzory amerykańskiego kina sensacyjnego, gangsterskiego, zaczęły pokazywać świat coraz brutalniejszy, który był już i naszym światem.

Nie stało się to od razu, ale się stało, i to w sposób bardzo widowiskowy. W roku 1992 na Festiwalu Polskich Filmów Fabularnych pokazano *Szwadron* Juliusza Machulskiego i *Psy* Władysława Pasikowskiego. Oba filmy dzieli tematyka, sposób opowiadania, rodzaj aktorstwa – jakby pochodziły z dwóch różnych epok, choć kręcone były prawie jednocześnie. W obu Janusz Gajos ma swój wydatny udział, co jest o tyle znamienne, że wielu aktorów jego pokolenia nie znajduje miejsca dla siebie w nowych czasach. Można powiedzieć, że jest aktorem dobrym na każdy czas i jak stare wino – coraz lepszym. Właściwie jest jedynym aktorem o takim poziomie umiejętności zawodowych i takiej pracowitości – słyszałam to zdanie odmieniane po wielekroć przez ludzi z tak zwanej branży i tych bardzo od niej dalekich. Zawodowcy wciąż bardzo chcą z Gajosem pracować, publiczność zaś ciągle chce go oglądać. Wspomniany festiwal, choć nie tylko on, dobrze uzmysławia, dlaczego tak jest.

Szwadron, oparty na prozie Stanisława Rembeka, wprowadza nas w lata 1863–1864, kiedy to car wysłał do Polski trzystutysięczną armię żołnierzy i kozaków. Miała dobić resztki oddziałów powstańczych, błąkających się po lasach i wioskach bez specjalnej nadziei na zwycięstwo. Rotmistrz Jan Dobrowolski, dowódca szwadronu konnej jazdy, w ujęciu Janusza Gajosa to postać wyjątkowo odrażająca, fizycznie i mentalnie. Wielkie bokobrody okalające twarz i długie włosy wystające spod oficerskiej czapki, zdradzają, że nie jest to człowiek nadmiernie dbający o higienę. Wygląd koresponduje z manierami, pan Rotmistrz głównie krzyczy albo głupkowato się śmieje. Jest buńczuczny i pewny siebie, choć może to być poza, przyjęta na użytek rosyjskich oficerów, wszak jest Polakiem. Człowiekiem, który głośno i ostentacyjnie udowadnia swoją lojalność.

Okrucieństwo także. To on decyduje, by powiesić żydowskiego chłopca, podejrzewanego o współpracę z powstańcami, mimo protestów rosyjskiego oficera, który domaga się śledztwa i sądu. Dobrowolski wydaje się być pozbawiony normalnych ludzkich odruchów. Kiedy chłopca wieszają, on się śmieje i bez żenady zajada chleb. Gdy jego żołnierze podpalają wioskę i dokonują rzezi jej mieszkańców, siedzi na jakimś pniaku i przygląda się spokojnie masakrze. Czy manierka, z której pociąga wódkę, świadczy o szczątkach sumienia, wszak giną jego rodacy? Niekoniecznie. Rotmistrz pije dużo i często, widać, że dla tego zruszczonego Polaka to normalne. Swe pochodzenie usiłuje wykorzystać do zdobycia zeznań pułkownika Markowskiego, jednego z przywódców powstania. Obiecuje mu uwolnienie za jedno choćby nazwisko i adres. Jednak pułkownik popełnia samobójstwo (wbija sobie igłę w serce!!!), by ocalić honor, budząc swoim bohaterstwem wściekłość i zdumienie Rotmistrza.

Rola wspaniała, w dużej części grana po rosyjsku. Aktor nie usiłuje bronić postaci, robi wszystko, by Dobrowolski stał się symbolem ohydy i moralnego upadku. A jednak niepełna. Film ociera się o kicz patriotyczny, a Rotmistrz Gajosa został zagrany jednoznacznie, w tonacji potępienia, jako negatyw wzorca patriotycznego. Machulski opowiada całą historię z perspektywy młodziutkiego rosyjskiego oficera – barona Jeromira, postaci wzorowanej na Piotrze Biezuchowie z *Wojny i pokoju* Tołstoja – coraz bardziej przerażonego okrucieństwem swoich podwładnych i kozaków wobec powstańców. Zabieg ten jednak nie wystarcza, by przełamać sentymentalny schemat, powielający klisze polskiego bohaterstwa, honoru i patriotyzmu rodem z Grottgera.

Jury nagrodziło Janusza Gajosa za rolę Dobrowolskiego. I słusznie. W filmie, gdzie podzielono bohaterów na nieskazitelnych polskich patriotów i brutalnych rosyjskich najeźdźców, był jedyną żywą, dramatycznie rozdartą postacią. Gdyby scenariusz był ciekawszy, więcej moglibyśmy się dowiedzieć o motywach postępowania i charakterze tego człowieka, Polaka aż tak bardzo lojalnego wobec zaborcy.

Równie dobrze jak w mundurze carskiego oficera poruszającego się na koniu, czuje się aktor we współczesnym ubraniu z pistoletem w ręku. I podobnie

Jan Dobrowolski – zruszczony Polak, zdrajca. *Szwadron* film Juliusza Machulskiego

Fot. R. Pajchel, Filmoteka Narodowa

jak w *Szwadronie,* w *Psach* reprezentuje także stronę zła. Gross, były funkcjonariusz Urzędu Bezpieczeństwa, już w 1989 roku, kiedy w kraju wszystko się zmieniało, natychmiast potrafił się urządzić w nowej rzeczywistości. Nie został zweryfikowany, musiał opuścić szeregi tajnej policji, ale szybko nauczył się wykorzystywać swoją wiedzę, kontakty i umiejętność strzelania dla gangu bandytów. W wykonaniu Gajosa jest to superbandyta, nie tylko elegancki, zamożny, ale przede wszystkim silny, bo cyniczny. To człowiek inteligentny i sprytny, pozbawiony złudzeń w każdej sprawie. Poznajemy go, kiedy w kawiarni proponuje jednemu z niezweryfikowanych funkcjonariuszy współpracę z mafią narkotykową. Już wówczas jest w nowych strukturach ważną figurą. To on mówi słynne zdanie: „Na pohybel czerwonym, na pohybel czarnym, na pohybel wszystkim". Jest typem twardziela, który nie zawaha się przed strzelaniem do ludzi, nawet jeśli są byłymi kolegami. Ale to tylko nowa maska. W lodowatych oczach ma wyraźne znużenie, rozczarowanie wobec idei, jakim służył. Także pogardę dla oszalałego świata i głupich ludzików, omotanych nowymi ideami. Wie, że zwycięża ten, kto szybciej strzela niż myśli, ale w jego rozumieniu to okazja do odwetu zawartego w dewizie Klary Zachanassian ze sztuki Dürrenmatta – „Skoro świat zrobił ze mnie dziwkę, ja ten świat przemienię w burdel". Kiedyś był funkcjonariuszem – bezwzględnym, posłusznym i oddanym ideologii. Dziś jest bandytą, oddanym sprawie zdobywania pieniędzy na luksusowe życie.

Film Władysława Pasikowskiego wywołał pewien szok. Po pierwsze stał się filmem najbardziej w tym okresie kasowym. Widownia, przyzwyczajona już do amerykańskiego kina akcji, znalazła w *Psach* podobną konwencję, wartko opowiedzianą historię. Co najważniejsze, była to historia z własnego podwórka, thriller po polsku. Po drugie, premiera zbiegła się z aferą teczek, kiedy odkryto, że dawne akta tajnej policji są świadomie niszczone. Można więc było mieć wrażenie, że film jest paradokumentalnym zapisem wydarzeń, o których można było

...taki widać los. Ja, człowiek niezwykłej łagodności, grywam szubrawców. *Psy* film Władysława Pasikowskiego

przeczytać na pierwszych stronach gazet. Oskarżano nawet Pasikowskiego o szarganie świętości, konkretnie o sparodiowanie solidarnościowej legendy, jaką było wyszydzenie słynnej sceny z *Człowieka z żelaza* Wajdy, kiedy ubecy niosą pijanego kolegę na drzwiach, śpiewając *Janek Wiśniewski padł*. Mało tego, reżyser pozbawił nas złudzenia, że racje moralne są tylko po jednej stronie. Bohater, Franz Maurer (Bogusław Linda), były i obecny pracownik służb specjalnych, przechodzi znamienną ewolucję. Walczy o zwykły ludzki honor i uczciwość, ponieważ uważa, że nawet policjant powinien bez obrzydzenia patrzeć na siebie przy goleniu. „Jeśli ja bym zdradził, to trzeba wszystkich wyrzucić na śmietnik" – mówi. Poświęca karierę, pieniądze i zabija przyjaciela, który uwiódł mu kobietę, oraz zaczął pracować dla mafii. Wyląduje w więzieniu, lecz sympatia widzów będzie po jego stronie, a nie po stronie nowych, uczciwych policjantów.

Pasikowski zakwestionował ideologiczne myślenie o świecie, które dzieli świat na „nas" i „onych", z tym, że my – to uczciwy kolektyw, oni – wredna klika. Zakwestionował tym samym mit bohaterstwa i cierpiętnictwa, tak silnie osadzony w polskiej mentalności. Na naszych oczach wspaniali bohaterowie podziemia, dzielnie walczący z komuną, stali się ministrami, działaczami, lecz nie okazali się nieomylni ani kryształowo czyści. Wolność wyniosła na powierzchnię także szumowinę wszelkiej maści, która bruka piękne ideały. W momencie przełomu cały świat wartości się zachwiał, ale reżyser, wbrew opiniom wielu recenzentów, nie mówi, że wszystko spsiało: i ludzie, i czasy. Robi film brutalny i pozbawiony sentymentów. Jednocześnie jest to film o oczyszczeniu albo o dążeniu do czystości, choćby droga wiodła przez błoto i upadek. I nie robi tego w sposób dydaktyczny, tylko zmuszający do samodzielnego myślenia. Pokazuje życie takie, jakie jest, a nie jakie powinno być.

Wracam jeszcze na chwilę do owego festiwalu w Gdyni. Otóż film Machulskiego, twórcy *Seksmisji* i *Vabanku*, został tam wygwizdany, a *Psy* przyjęto oklaskami. Dlaczego? Czas patriotycznych uniesień, reprezentowanych w *Szwadronie* przez pułkownika Markowskiego oraz śliczną i dumną panienkę o imieniu Emilia, której patriotyczne frazesy nie schodzą z ust, po prostu minął. Widownia nie chciała już słuchać ani oglądać grottgerowskich klisz słusznego męczennictwa. Nagrodziła brawami film brutalny, wolny od patosu, lecz ukazujący polską współczesność bez upiększeń i dydaktycznego przesłania. Bardzo wymowne, że nagrodę za pierwszoplanową rolę męską dostał Bogusław Linda (Franz Maurer) w *Psach* i Janusz Gajos (Jan Dobrowolski), sprzedawczyka, łajdaka i kanalii, czyli za drugoplanową rolę męską w *Szwadronie*. Nie bez racji pisano, że film Pasikowskiego pokonał parę etapów zmian w naszej kinematografii, rozpoczynając nowy okres – dominację kina sensacyjnego, gangsterskiego, ze szlachetnym bandytą, dawniej szeryfem w westernach, w roli głównej. Czyli etap oddania kina kulturze masowej, produkowanej wedle hollywoodzkich wzorów. Czy to naprawdę taka wspaniała ewolucja? – można dyskutować.

Sukces *Psów* uruchomił inwencję reżyserów. Władysław Pasikowski wkrótce nakręcił drugą część – *Psy-2*, Wojciech Wójcik zaś przystąpił do produkcji telewizyjnej *Ekstradycji*, której popularność przeszła oczekiwania. Serial o sympatycznym komisarzu Halskim, zamierzony na sześć odcinków, rozrósł się o następne osiemnaście, czyli o dwie kolejne serie. O ile w pierwszej części tematem były wymuszenia haraczy od restauratorów na Starówce, w drugiej zaś działalność mafii narkotykowej, to w trzeciej serii komisarz Halski pracuje już w Biurze Ochrony Rządu i ściga polityków uwikłanych w ciemne interesy. Jednym z bardziej efektownych działań owych skorumpowanych polityków ma być wysadzenie w powietrze Pałacu Kultury.

Ekstradycja, jak pisano, to najlepszy od czasów *Stawki większej niż życie* polski serial sensacyjny, z tym że tamten musiał płacić daninę ideologii, a ten nie. Co ciekawe, ten film z gatunku *political fiction*, wyprzedzał rzeczywistość albo życie dogoniło fantazję scenarzystów. Okazało się, że bomby wybuchają w prywatnych mieszkaniach, przestępcy prowadzą na oczach publiczności swe krwawe porachunki. Rosjanin zajmuje ważne miejsce w polskich sferach bankowych, ponieważ bandyci zakładają bank i piorą brudne pieniądze – naprawdę, a nie tylko na ekranie. Janusz Gajos pojawia się na krótko w ostatnim odcinku drugiej serii jako Fidur, następnie w wielu odcinkach trzeciej. Jako Major Tuwara, szef mafii rosyjskiej, prowadzi w Polsce rozległe interesy. Aktor nie ograniczył się do powtórzenia roli Grossa z *Psów*, czyli bezwzględnego zabijaki z często używanym pistoletem; uczynił swego bohatera postacią o wiele bardziej złożoną.

Tuwara jest mózgiem owej mafii, ineligentnym strategiem, który wymyśla coraz bardziej niekonwencjonalne sposoby działania. Tym łatwiej, że nie on jest od mokrej roboty, tylko żołnierze mafii. Jeśli sądzić po wystroju gabinetu, luksusowych samochodach i zainteresowaniach, próbuje działać jak szef wielkiego koncernu. Nie ma nic wspólnego z potocznym wizerunkiem bandyty, podejrzanego typa w ciemnych okularach, chyłkiem przemykającego pod murem. To człowiek zamożny, bywały w świecie, którego łatwo wziąć za bankowca albo biznesmena, zwłaszcza że pozuje na konesera sztuki i znawcę kobiet. I tylko jakaś chwila refleksji zdradza jego niepewność, ten kruchy lód podejrzanych interesów, od których chętnie by się uwolnił, gdyby umiał inaczej robić wielkie pieniądze.

„Najciekawszy jest tu Tuwara (Janusz Gajos), łotr snobujący się na konesera sztuki. Grzęźnie w związku miłosnym, choć przeczuwa, że może przezeń wszystko stracić, że jest oszukiwany. Tuwara i Halski „startują" zresztą do tej samej kobiety. (Pięknej *femme fatale*, Krystyny, w wykonaniu Danuty Stenki – przyp. E. B.). Mamy pikantny trójkąt. Gajos gra Tuwarę finezyjnie. To nuworysz peerelowskiego chowu, w którego oczach dostrzegamy czasem romantyczny błysk" (Jacek Szczerba, „Ekstradycja III" – *Gazeta Wyborcza* nr 79/1999).

Innego rodzaju figurą zła był pułkownik Krawcow w filmie, a później w serialu telewizyjnym *Akwarium*. Nakręcił go Antoni Krauze na podstawie głośnej książki Wiktora Suworowa, zawierającej autentyczną historię autora, pracownika Radzieckiego Wywiadu Wojskowego GRU. Za ucieczkę do Wielkiej Brytanii i sprzedanie tajemnic owego wywiadu Suworow został w 1978 roku skazany przez Najwyższy Sąd Wojskowy Związku Radzieckiego na karę śmierci. Do dziś żyje na Zachodzie pod zmienionym nazwiskiem i ochroną służb specjalnych, choć na promocję książki pojawił się swego czasu w Warszawie.

Film został przyjęty dość chłodno, być może ze względu na jego paradokumentalny, a nie sensacyjny charakter. Trudno akurat czynić zarzut reżyserowi, że zamiast opowieści w stylu Bonda zrealizował psychologiczny film szpiegowski. Sensacyjność książki polega nie na widowiskowych ucieczkach czy brawurowych akcjach, tych nie było wiele. Rzecz w ujawnieniu mechanizmów psychicznych, przekształcających myślącego człowieka w automat bezwarunkowo posłuszny i lojalny wobec organizacji, filaru totalitarnego państwa. Akwarium, przypomnę, to centralny gmach II Zarządu Sztabu Generalnego, tajna organizacja, o której wiedzą tylko ci, którzy do niej należą, a tych obowiązuje absolutne milczenie.

Na przykładzie losu Wiktora (Jurij Smolski) film pokazuje proces werbowania inteligentnych, zdolnych ludzi do owej super tajnej organizacji, a później szkolenia ich na szpiegów doskonałych. Młody żołnierz zdradza dość inteligencji i odporności psychicznej, by pułkownik zajął się jego awansem. Gajos gra owego pułkownika zrazu jak starszego brata, jest przyjacielski i surowy, ciepły i szorstki. Wie i może więcej niż inni – to wystarcza, by zdobyć zaufanie Wiktora. Ambitny chłopak posłusznie i gorliwie wykonuje kolejne polecenia szefa, nieświadom, że w ten sposób zdaje trudny egzamin weryfikacji do specsłużby. Krawcow tak prowadzi młodego człowieka, by miał on poczucie, że sobie zawdzięcza kolejne awanse i kolejne szczeble wtajemniczenia. Kiedy Wiktor zdaje sobie sprawę, gdzie się w końcu znalazł, już jest za późno, już jest w Akwarium. Stąd można wyjść tylko do nieba.

Jako supertajny agent wyjeżdża do Wiednia. Tam w ambasadzie radzieckiej ze zdumieniem odkrywa swego dawnego szefa jako pracownika placówki dyplomatycznej, ale po cywilnemu. W wyniku prowokacji zostaje zmuszony do wydania na Krawcowa wyroku śmierci, choć zachował się tylko zgodnie z instrukcjami Akwarium. Fakt ten ukazał mu świat, w jakim tkwił, jako świat paranoi i obłędu, gdzie nie liczą się żadne ludzkie uczucia i myśli. Wszyscy wszystkich szpiegują, sprawdzają, poddają prowokacjom. A cała ta machina nie służy ani dobru ojczyzny, ani ludziom, tylko przekształciła się w autonomiczną grę bez celu. Dlatego Wiktor ucieka do ambasady brytyjskiej.

Sprawą aktorów było ten upiorny świat najpierw uwiarygodnić, potem skompromitować. To znaczy, trzeba było rozłożyć cały mechanizm supertajnej organizacji na części, podobnie jak psychikę swoich bohaterów, i je pokazać. Niby tak się pracuje zawsze, przy każdym filmie, ale co innego posługiwać się jakimś własnym doświadczeniem, choćby bardzo przetworzonym, co innego wyobraźnią. Ponieważ i Gajosowi, i Smolskiemu-Wiktorowi udało się stworzyć przekonujące postacie, należałoby uznać siłę ich wyobraźni; tym razem była ważniejsza niż doświadczenie.

„Dużą rolę – czytamy w recenzjach – w kształtowaniu Wiktora-wywiadowcy, najpierw negatywną, ale z czasem podszytą dramatem, wieloznaczną, gra jego bezpośredni zwierzchnik, pułkownik Krawcow (znakomity Janusz Gajos). To, jak ci dwaj ludzie oddziałują na siebie wzajem jest bodaj najlepszą częścią filmu Krauzego" (ADE, „Uciec z Akwarium" – *Kurier Szczeciński* nr 3/1997).

„Suworowa gra aktor rosyjski Jurij Smolski, ale postać jego zwierzchnika, ojca duchowego (przepraszam za słowo: duchowego), człowieka, który go odkrył, wykierował i wychował, a także zaprzyjaźnił się z nim, gra nasz JANUSZ GAJOS. W mundurze nie naszym, (...) pobrzydzony, albo raczej świadomie proletariacki – tworzy bardzo dobrą, przyjazną wybrańcowi postać. Ale w systemie nawet przyjaźni nie może być. I o tym też ten przerażający film mówi dobitnie. Polecam go Państwu, choć zimno się robi, gdy ogląda się to wszystko z bliska" (Maria Malatyńska, „Akwarium" – *Echo Krakowa* nr 13/1997).

Z aktorskiego punktu widzenia granie bandytów, potworów, dewiantów psychicznych nie różni się od grania lordów, lekarzy czy kogokolwiek. Problem polega na tym, że zawsze gra się człowieka – w wypadku bandyty osobnika pozbawionego moralnych skrupułów albo służącego złej sprawie. Ponieważ kino gangsterskie stało się popularne, zaczęto postacie przestępców tworzyć pospiesznie, schematycznie.

> *I znowu nie chciałem już grać tych wszystkich bandziorów ganiających z pistoletami, twardzieli z przekleństwami w ustach – bo ile razy można krzyczeć – „urwę ci jaja", albo tym podobne kwestie. Te postaci nie wnosiły nic nowego do mojego warsztatu. Miałem lepsze propozycje.*

Aby zamknąć pewien wątek, przeskakuję tu chronologię; jest ona dokładnie podana w kalendarium. Ciekawsze wydaje mi się omówienie pewnego typu ról, ponieważ lepiej widać, jak aktor umyka sztampie, jak stara się każdą postać z tej samej szufladki – „zło" – pokazać inaczej. Tak samo było zresztą z szufladką komediową czy szufladką „dygnitarze".

Film *To ja, złodziej* Jacka Bromskiego jest tu doskonałym przykładem. Wyskocz, którego miał zagrać, w scenariuszu był postacią typowego bandyty – pistolet w ręku, co kwestia to przekleństwo. Janusz Gajos zmienił przede wszystkim te przekleństwa na nuworyszowskie „Proszę ja ciebie!", rozpoczynające niemal każde zdanie, co od początku dawało komiczne efekty i charakteryzowało mentalność bohatera, właściciela warsztatu samochodowego, u którego pracuje młodociany przestępca Jajo. Wyskocz, w pretensjonalnych kraciastych marynarkach, z muchą oraz fryzjerskim wąsikiem i brwiami wystylizowanymi na amanta przedwojennego kina, wygląda jak król przedmieścia. Bo też jest ćwierćinteligentem z zadęciem na inżyniera. I kompleksami. Tenże Jajo jest chłopcem fantastycznie uzdolnionym – rozbroi każdy alarm, złamie każdy szyfr, o czym pryncypał może tylko pomarzyć. Komputery, elektronika to dla niego czarna magia, nie wie, jak się do tego zabrać, dlatego Jajo jest mu niezbędny. Ale marzeniem chłopca jest praca dla mafiosów, którzy mu imponują manierami i forsą. Wyskocz z jednej strony chciałby chłopca uchronić przed mafią złodziei, wie, czym to pachnie, sam ma z nimi na pieńku, bo są silniejsi i psują mu interesy. Z drugiej strony potrzebuje chłopca. Postępuje z nim według zasady: jedną ręką bije, drugą głaszcze. Nawet stary motor podaruje. Zamiast schematycznego bandyty zobaczyliśmy bardzo barwną postać. Wyskocz kiedyś był bokserem, teraz prowadzi szemrane interesy, ale pod szyldem legalnego warsztatu. Wprawdzie zdradza żonę z puszystą klientką, robi przekręty, ale w sumie uważa się za porządnego faceta. W końcu sam wymierza sprawiedliwość, zabijając kilku złodziei.

„Komedię Jacka Bromskiego *To ja, złodziej* warto obejrzeć przede wszystkim ze względu na kreację – jak zawsze wspaniałą – Janusza Gajosa. Ten aktor za każdym razem jest inny; w tym filmie uwodzi widza jako prześmieszny właściciel warsztatu samochodowego" (Kosz, „Zobacz" – *Głos Szczeciński"* nr 87/2002).

„Tak naprawdę więc z dorosłych ciekawość budzi jedynie Wyskocz, dawny bokser, obecnie właściciel warsztatu samochodowego i pracodawca Jajo, prowadzący ciemne interesy z mafią. Jego tania elegancja à *la* sędzia na ringu, staromodny sposób mówienia z nieustannie powtarzanym zwrotem „Proszę ja ciebie", współgrają z równie dzisiaj anachronicznym niepokojem moralnym. Wyskocz, choć sam „umoczony", próbuje przestrzec Jajo przed karierą gangstera. Czyni to zresztą nie za pomocą dobrych rad, ale kilku uderzeń w łepetynę. Janusz Gajos świetnie gra tego szorstkiego w obejściu geszefciarza i nieco żałosnego playboya, ale gra w próżnię" (Bartosz Żurawiecki, „Pół żartem, pół serią" – *Film* nr 8/2000).

„Brawa dla aktora w trakcie spektaklu nawet w teatrze zdarzają się rzadko, w kinie prawie nigdy. Jeśli tak właśnie widzowie wyrażają swoje uznanie dla aktora podczas prasowego pokazu filmu *To ja, złodziej* – a nie jest to publiczność skłonna do łatwego entuzjazmu – oklaskiwany aktor musiał naprawdę zachwycić. Ten aktor to Janusz Gajos. (...) Lecz atutową kartą filmu jest postać, którą zagrał, a właściwie zbudował Janusz Gajos. Ma w tym filmie tylko nazwisko, dość zresztą dziwaczne: Wyskocz, a powinien mieć przede wszystkim imię.

Wychowanek szkoły Feliksa Sztamma – Proszę ja ciebie, rozumiesz mnie. *To ja, złodziej* **film Jacka Bromskiego**

Właściciel warsztatu, w którym pracuje chłopak, to przecież tutejszy w każdym calu pan Henio czy pan Edzio, a raczej pan Heniu czy pan Edziu, człowiek o moralności dość elastycznej, w której swoisty etos musi się pogodzić z wymogami pragmatyzmu. Trochę rzemieślnik, a trochę szef *small businessu,* trochę gość umaczany w lewe interesy, a trochę porządny człowiek, w niebezpiecznej sytuacji trochę tchórz, a kiedy uzna, że nie ma innego wyjścia, przerażony własną odwagą gieroj. Tzw. prosty człowiek, ale bardzo niegłupi, odróżniający życiowe konieczności od fałszywych życiowych wyborów, zna bowiem – właśnie – życie. A jego poczucie odpowiedzialności za napalonego małolata też stanowi charakterystyczny do niedawna rys tej formacji. Wyskocz w wykonaniu Janusza Gajosa ma coś jeszcze: ludzki wdzięk w swej specyficznej, nadwiślańsko-podmiejskiej odmianie. Postać charakterystyczna, czyli typ, a jednocześnie jedyna w swoim rodzaju; pozostawiająca wrażenie pełnej autentyczności, a zarazem aktorskiego kunsztu. Rola mistrzowska" (Bożena Janicka „Jak do liceum" – *Kino* nr 7/8/2000).

Takich zachwytów nie wzbudziła od dawna żadna rola w naszym kinie, więc warto je przytoczyć.

Filmy sensacyjne oferują nie tylko role bandytów. Jest przecież tak zwana druga strona medalu – policjanci. Też mogą być barwni, inteligentni, zabawni. Na przykład gliniarz w komedii *Fuks* Macieja Dutkiewicza. Gajos w roli śledczego nie nosi żadnego munduru, cały czas występuje w cywilnej kurtce, golfie, płaszczu i cały czas pogryza hamburgera z papierowej torebki. Zachowaniem trochę przypomina porucznika Columbo, takiego naiwnego safandułę, zajętego myśleniem o niebieskich migdałach, albo owym hamburgerem. Ale to tylko pozory, maska dla zmylenia przeciwników, bo ów gliniarz jest od nich o wiele bystrzejszy. Od razu orientuje się w istocie konfliktu i współpracuje z młodym chłopcem Alexem (Maciej Stuhr), który chce oskubać ważnego biznesmena, a tak naprawdę własnego tatusia, który porzucił rodzinę. I tym samym wystawić

157

mu rachunek za całokształt. Zabawna, podszyta ironią rola Gajosa wnosi do tej niezobowiązującej komedii kina popularnego rys sympatycznego humoru.

Także w filmie Wojciecha Wójcika *Ostatnia misja* Gajos gra safandułowatego policjanta Sobczaka, który zastąpił porucznika Halskiego z *Ekstradycji*. Wprawdzie wciąż trwają negocjacje w sprawie naszego przystąpienia do Unii Europejskiej, to mafiosi i przestępcy znad Wisły znaleźli się tam już dawno. Drukują fałszywe dokumenty w Hiszpanii, mieszkają w dobrych paryskich hotelach, kradną luksusowe samochody gdzie się da, prowadzą interesy narkotykowo-sutenerskie również już nie tylko w Europie, ale na całym świecie. Słowem, korzystają z uroków życia zachodniego. Nadto potrafią się skutecznie ukryć przed wymiarem sprawiedliwości pod bardzo niekiedy egzotycznymi adresami.

Sensacyjno-gangsterski film Wojciecha Wójcika bawi raczej konwencją gatunku niż oryginalnością, ale dzięki obsadzie aktorskiej i zręcznemu scenariuszowi opowiada o swojskich realiach świata przestępczego. O całkiem pokaźnej grupie obywateli pracujących w szarej strefie, dzielących sobie miasta na rewiry i zajmujących w hierarchii społecznej coraz wyższe miejsca. To ich brudne interesy ma wyśledzić policjant Sobczak, zwykły, wydawałoby się, urzędnik resortu, który nigdy nie zrobi kariery, bo jest za uczciwy i „nieukładowy", a nawet potrafi wejść w konflikt z własnym zięciem, obecnie przełożonym. Ale to on w końcu rozpracowuje bandę chłopaków z podziemia, jakby od niechcenia, jakby przypadkiem, z nutką pobłażania w głosie i zmęczonym spojrzeniem. A przy okazji tą swoją niedoskonałością skupia sympatię widzów. Zwłaszcza gdy oglądają ulubionego aktora w kuchni, obwiązanego w pasie ścierką i przygotowującego z wielkim wysiłkiem posiłek dla swoich filmowych wnuków.

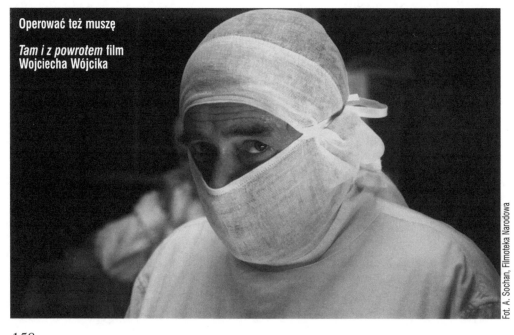

Operować też muszę

Tam i z powrotem film
Wojciecha Wójcika

Okazuje się, że nie ma złych ról, są tylko marni aktorzy. Choć prawdę mówiąc, dialogi w naszych filmach rzadko są mocną stroną scenariusza – zwykle napisane dość schematycznie, sucho, zawierają zbyt dużo informacji – pozostają trudne do uwiarygodnienia dla aktorów. Nie trzeba przecież mówić – jestem wściekły. Aktor potrafi ten stan uczuć zagrać na każdym tekście. I bez tekstu także. Janusz Gajos zawsze umawia się z reżyserem, że nie będzie się sztywno trzymał napisanych dialogów, tylko improwizował na planie. I robi to zgodnie z zasadą – nie wszystko trzeba powiedzieć. Ciało, zachowanie człowieka „mówi" więcej niż słowa. W tym punkcie pewnie znajduje się odpowiedź na pytanie – czy aktor to twórca, czy odtwórca? Zależy jaki aktor. Dobry potrafi wyczarować postać z niczego, zły zepsuje nawet niezły scenariusz.

Kłamać
naprawdę

Zapytałam Janusza Gajosa, kiedy po raz pierwszy usłyszał słowo „mistrz" skierowane pod swoim adresem.

Kręciliśmy „Opowieści Hollywoodu" Hamptona w Krakowie. W niedzielne przedpołudnie umówiłem się z kolegą, którego nie widziałem całe lata, na rogu Floriańskiej przy Rynku. Przyszedłem, czekam, nie ma go. Pomyliłem miejsce? Godzinę? Rozglądam się, bez rezultatu. Nagle podchodzi do mnie dwóch facetów: – „Przepraszam bardzo, czy pan Gajos? – Tak, mówię z wyraźnie połechtaną próżnością. – Mistrzu! Dej pan stówkę, tak nas suszy...".

A swoją drogą zgadza się. Po *Opowieściach Hollywoodu* aktor staje się niekwestionowaną wielkością. Po mistrzu – status zobowiązuje – spodziewamy się czegoś więcej niż profesjonalnej sprawności. Oczekujemy uchylenia tajemnicy okrywającej ten zawód, może nawet tchnienia metafizyki. Janusz Gajos, choć niezmiennie podkreśla, że efekty osiąga w drodze zimnych kalkulacji, a nie natchnienia, to dostarcza widzom przeżyć, przywracających wiarę w magię swego zawodu. Sprzyja mu też sytuacja. Scenariusze czy dramaty próbujące przybliżyć zwykłym ludziom tajniki sztuki trafiają akurat w jego ręce. Także dlatego, że są najtrudniejsze i nie ma wielu aktorów zdolnych podołać im z takim wdziękiem i wiarygodnością.

Pretekstem dla Aleksandra Dumasa-ojca do napisania *Geniusza i szaleństwa* stało się obejrzenie w Paryżu w 1828 roku wielkiego angielskiego tragika Edmunda Keana, specjalizującego się w rolach szekspirowskich. Podziwiali go najwybitniejsi ludzie epoki. Stendhal jeździł specjalnie do londyńskiego teatru Drury Lane, by go obejrzeć jako Hamleta, Otella, Ryszarda III. I przygotować francuską publiczność na walkę o nowy teatr – romantyczny. Wcale nieprostą. Sercami paryskich widzów władał niepodzielnie François Joseph Talma i ukształtowany przez niego styl klasyczny, charakteryzujący się patetyczno-podniosłym sposobem deklamacji. Doskonale współbrzmiący z klasycystycznymi tragediami Racine'a czy Corneille'a przestrzegającymi zasady trzech jedności – czasu, miejsca i akcji.

Kean zakwestionował styl gry oparty na wzorach klasycznych, wybierał dramaty Szekspira niestosujące się do reguł jedności. Zamiast melodyjnej deklamacji zaproponował silne nasycenie postaci emocjami, a także zgodność wyrazu twarzy i postawy ciała z uczuciami. Dziś wydaje się to oczywiste, ale wówczas było rewolucyjnym zamachem na gust artystyczny kształcony na wielu podręcznikach, ustalających reguły dobrego smaku dla poezji, dramatu, malarstwa.

Po tekst Dumasa sięgnął ponad sto lat później papież egzystencjalistów Jean Paul Sartre. Dostrzegł w nim atrakcyjny materiał, by odpowiedzieć na pytanie, kim jest aktor. W realia romantycznej epoki wpisał podstawowe pytania egzystencjalne, kondycja aktora bowiem pozostaje funkcją jego ludzkiego doświadczenia. Brzmi to uczenie, ale wystarczy uważnie obejrzeć sztukę, by zdać sobie sprawę z tych zależności i uwarunkowań. Sartre pokazuje nam wielkiego Edmunda Keana u szczytu powodzenia, gdy jego nazwisko nie schodzi z ust londyńskiej elity. Sam książę Walii, brat króla, odwiedza go w garderobie, przyjmuje we własnych pałacach i gotów jest nawet spłacić jego długi. Dla człowieka niskiego stanu takie honory – aktorów nie chowano wówczas w poświęconej ziemi – pozostają wyjątkowym wyróżnieniem. Damy marzą, by sławny Kean zaszczycił je spojrzeniem lub rozmową. Hrabina de Koefeld, żona ambasadora Danii, nie odmawia mu również uczuć, gotowa dla namiętnego romansu ryzykować honor i pozycję społeczną.

Ale Kean, osiągnąwszy sławę i wielkość, zadaje sobie fundamentalne pytanie egzystencjalne – kim jestem? Aktorem, który co wieczór żyje w fałszywych sytuacjach? Kimś, kto się na chwilę wciela w kogoś, kto nie istnieje? Kto daje swoje ciało i krew, by ożywić twór wyobraźni nazywany Hamletem, Otellem, Ryszardem III? „Co wieczór się zabijam, byle ożywić Szekspira" – powie w pewnym momencie. Ale też powie inaczej – „Co rano dobieram sobie namiętność, która pasuje do ubrania".

Odpowiedź na pytanie – kim jestem? – nie jest oczywista. Jest wielkim Keanem, ponieważ swoje nazwisko stworzył, a nie dostał w spadku jak arystokraci. Kapłanem sztuki, ponieważ co wieczór ucieka od samego siebie, by wznieść się na wyżyny ludzkiej wyobraźni. Ale nadal pozostaje niemiłosiernie zadłużonym artystą, ściganym przez wierzycieli. Nawet do pojedynku stanąć nie ma prawa – „Par Anglii nie może się strzelać z komediantem, tylko z człowiekiem sobie równym". Wieczorem jest księciem Danii, rano parweniuszem, który wyrzuca pieniądze przez okno, by dorównać księciu Walii. Kogo więc kochają kobiety? Genialnego oszusta Keana, czy prawdziwego człowieka Edmunda, który poza sceną może być co najwyżej jubilerem sprzedającym cacka otrzymane w dniach swej świetności.

Dylemat pomogą mu rozwiązać kobiety. Kean, zaprawiony w miłosnych podbojach dam z wielkiego świata, odkrywa prawdziwe uczucie panny Dumby, córki handlarza serów. I zdaje sobie sprawę, że pożądana przez niego hrabina de Koefeld kochała sceniczne wcielenia aktora, nie jego samego. Pełna zaś wdzięku panna Anna Dumby (świetna rola Joanny Szczepkowskiej) okazuje się pierwszą kobietą, która rozumie jego duszę rozdwojoną między sztukę a życie, między udanie i prawdę, ponieważ sama chce być aktorką. To znaczy osobą znającą wiele wcieleń samozakłamania, co instynktownie odróżnia od autentycznych uczuć. I tu dochodzimy do sedna sprawy – aktor to ktoś, kto jest, czy stara się być najmniej zakłamany, ktoś, kto widzi rzeczywiste motywy ludzkich działań i uczuć, najczęściej skryte pod licznymi przebraniami.

Janusz Gajos w roli Keana pokazał nam świat za kulisami teatru, ale też kulisy wielkiego świata. Z bohatera uczynił człowieka świadomie walczącego o swoje prawa: wolność i godność. Pokazał wielkość i okrucieństwo zawodu aktora, bo aktorstwo to sposób na życie i sposób postrzegania świata. Czyli zawód i stan duszy, umiejętność wydobycia z siebie wielu ludzi i pozostania sobą. Możliwość bycia najbardziej fałszywym i najbardziej autentycznym; kłamać trzeba naprawdę, bo prawdziwe uczucia są zawsze źle zagrane. „Człowiek rodzi się aktorem – mówi Kean – tak jak rodzi się księciem. Gra się, ponieważ się siebie nie zna, i gra się, ponieważ się siebie zna za dobrze. Gra się, ponieważ kocha się prawdę, i gra się, ponieważ się prawdy nienawidzi".

Dwuczęściowy spektakl Teatru Telewizji, w reżyserii Wojciecha Adamczyka, stał się pokazem mistrzowskiego odkrywania tajemnicy aktorstwa. Kean Gajosa już w pierwszej scenie, w salonie księcia Walii, zapowiada walkę z fałszywymi wyobrażeniami o swej profesji – „nie można zaprosić aktora bez człowieka" – powiada. W kilkunastu następnych bawić się będzie kolejnymi maskami i kostiumami wielkiego tragika. Zwłaszcza tymi pełnymi szarży, gdy demonstruje w garderobie fochy Keana, decydującego wedle widzimisię, czy zagra spektakl, czy nie. Albo tymi na scenie, gdy porzuca rolę Otella, wywołując skandal na widowni, bo ma już dość życia w fikcji, i poprzez „wywołanie chaosu, chce zaprowadzić porządek". Kończy spektakl nadzwyczaj szczerą rozmową z hrabiną de Koefeld. Uświadamia jej, że kochała własne złudzenia, uwznioślone przez sceniczne postacie, a nie Keana, człowieka z krwi i kości. Takiego, jakim jest naprawdę – geniuszem aktorstwa i wrażliwym mężczyzną – kocha go panna Dumby. Dlatego Kean z nią się ożeni. Gajos w spektaklu poświęconym analizie duszy i kondycji aktora dokonuje jej na naszych oczach. Tak wiarygodnie, że wierzymy, iż wreszcie widzimy Keana prywatnie, pozbawionego wszelkiej pozy, udania, choć owa prywatność to kolejne wcielenie... tym razem Gajosa. Bo z aktorstwem jest trochę jak z cebulą, zdejmując kolejne łuski, mamy nadzieję, że dotrzemy do jądra, tymczasem istotą cebuli jest jej łuskowatość. Istotą aktorstwa jest zdejmowanie kolejnych masek i przebrań, aż do nagości, która też może być kostiumem.

A czy nie będąc aktorami, na pewno wiemy, kim jesteśmy?

Pytanie o tożsamość człowieka stawiali pisarze różnych epok. Szwajcarski pisarz Max Frisch w utworze *Rip van Vinkle* odwołał się do starej legendy, która mówi, że bohater, poczęstowany winem przez tajemniczych ludzi, zasypia na dwadzieścia lat i budzi się w dziwnym świecie. Współczesny Rip to dostatnio ubrany mężczyzna zatrzymany w wyniku nieporozumienia na stacji kolejowej i przewieziony do aresztu. Utrzymuje, że jest wielokrotnym mordercą. Jednak sędziowie rozpoznają w nim sławnego rzeźbiarza Anatola Wadela. Odnajdują w Paryżu jego śliczną żonę (Jolanta Fraszyńska). Choć związana już z innym, stawia się w sądzie i w zatrzymanym rozpoznaje byłego męża. Postanawia przywrócić go życiu. Lecz on nie rozpoznaje (nie chce? nie może?) ani jej, ani własnych rzeźb w pracowni, ani miasta, w którym spędził wiele lat. Zerwanie z przeszłością okazuje się trudniejsze, niż przypuszczał. Nie tylko my tworzymy siebie, ale tworzą nas inni.

Bohater Gajosa to człowiek o rozchwianej tożsamości. Woli być uznany za przestępcę niż za szanowanego rzeźbiarza, ponieważ więzienie daje mu szansę na spędzenie reszty życia w określonej roli. „Wiemy, jacy chcielibyśmy być, nie wiemy, jacy jesteśmy" – powie w pewnym momencie. Aktor, ubrany z niewymuszoną elegancją (czarny golf pod marynarką), bardzo dyskretnymi środkami tworzy studium człowieka zmęczonego życiem, wypalonego. Jego nieporuszona prawie twarz nie zdradza emocji. Ani marzenia, ani radość nie mają do niego dostępu, jakby życie przyniosło mu wyłącznie rozczarowania. Jedyne, co chce, to zapomnieć, kim jest, kim był. Trudno pokazać niejasną tożsamość współczesnego człowieka. Dzięki intensywności bycia, jakim Gajos potrafi obdarzyć ekranowych bohaterów, nawet nieprawdopodobne staje się rzeczywiste.

Być aktorem –
co to znaczy?
Kto to wie?

Kean
Aleksandra Dumasa
i Jean Paula
Sartre'a

Fot. J. Sobieszczuk, TVP

Najtrudniej grać postacie rzeczywiste

Leon w *Mateczce* Władysława Terleckiego z Agnieszką Sucharą i Justyną Sieńczyłło

Kolejny bohater Janusza Gajosa także jest artystą. Tym razem reżyserem Leonem, który podczas wojny znalazł schronienie w klasztorze. Przełożoną jest tu siostra Benigna, jego dawna znajoma, niegdyś aktorka warszawskich teatrów. W *Mateczce* Władysław Terlecki wykorzystał autentyczne zdarzenia i postacie. Głośną w dwudziestoleciu międzywojennym historię aktorki Stanisławy Umińskiej, która na życzenie umierającego w straszliwych męczarniach ukochanego mężczyzny przyspieszyła jego śmierć strzałem z pistoletu. Sąd ją uniewinnił, jednakże porzuciła scenę i wstąpiła do klasztoru. W zarządzanym przez nią zgromadzeniu sióstr w Henrykowie znalazł się, po wyjściu z Oświęcimia, wielki reżyser Leon Schiller.

W klasztorze pojawia się siostrzeniec siostry przełożonej. Nie wykonał wyroku podziemia i boi się zemsty kolegów. Do drzwi dobija się również konfident gestapo, który nie doniósł Niemcom, kto rzeczywiście przebywa w klasztorze, ale nie zostaje wpuszczony. To oznacza dla niego wyrok śmierci. W zamkniętym klasztorze, otoczonym zewsząd wojną, przebywają również nieletnie prostytutki, z którymi reżyser przygotowuje *Pastorałkę*, słynne widowisko misteryjne ułożone na podstawie ludowych kolęd, piosenek i jasełek. Jedna z dziewcząt znajduje starą gazetę, a w niej artykuł o sprawie Umińskiej, więc w sypialni postanawia zainscenizować zabójstwo kochanka. Dziewczyny analizują problem eutanazji, litości, bohaterstwa.

Reżyser, Stanisław Różewicz, we właściwy sobie subtelny sposób prowadzi aktorów tak, by wydobyć wszystkie niuanse moralnych postaw każdego z mieszkańców klasztoru wobec przeszłości Mateczki, śmierci ludzi podziemia, konfidentów. Wybory moralne, zaprezentowane przez autora i reżysera, wcale nie są łatwe ani jednoznaczne; życia nie da się zamknąć w formułach prawnych ani religijnych.

„Rolę Leona Stanisław Różewicz powierzył odtwórcy Nosa-alkoholika z *Wesela,* Januszowi Gajosowi. Aktor jest niepodobny fizycznie do pierwowzoru, ale mimo tych różnic dość przekonująco prezentuje postać Leona, bo nie stara się, na szczęście, naśladować Schillera. Tylko w jednym momencie, kiedy próbuje przywołać owo słynne stukanie palcami w policzek, razi sztucznością. W sumie Gajos tworzy postać wiarygodną, nieco ociężałego, palącego wiele, niewyglądającego specjalnie na artystę – artysty" (Anna Schiller, „O Bogu, sztuce i zabijaniu" – *ExLibris* dodatek do *Życia Warszawy* nr 333/1995).

Przywołałam tu opinię córki wielkiego reżysera, Anny, która jak mało kto zna realia sztuki. Ponieważ jest krytykiem teatralnym raczej surowym i wymagającym, jej pochlebna opinia wydaje się tym cenniejsza. Bogata ikonografia i literatura wspomnieniowa nie skusiły Janusza Gajosa do naśladowania Leona Schillera. Po raz kolejny zaufał aktorskiej wyobraźni i stworzył postać ciepłego, mądrego człowieka, który wszystko rozumie i czyni więcej, niż mówi i chce mówić.

Odbita sława Ronalda Harwooda, autora słynnego *Garderobianego,* to także rzecz o teatrze. Oto dwaj bracia Manks – jeden jest restauratorem, drugi dramaturgiem i reżyserem. Już w pierwszej scenie widać napięcie związane z pojawieniem się przed premierą sztuki Michaela „Mój brat" jego prawdziwego brata Alfreda. Nie widzieli się dziesięć lat, ponieważ w poprzedniej, „Sprawy rodzinne", Mike opisał własną rodzinę w sposób obrażający uczucia bliskich. Tym razem może być jeszcze gorzej, znów bowiem wraca do kluczowych wydarzeń z życia swojego i brata. W trakcie próby dochodzi do awantury. Alfred protestuje przeciw sprzedawaniu intymnych spraw rodziny.

Harwood jest dobrym majstrem teatralnym, sprawiedliwie dzieli argumenty między braci. Wyraźnie podkreśla, że każda sztuka wyrasta z biografii, ale też broni prawa zwykłych ludzi, by ich słabości nie były traktowane instrumentalnie. Odbita sława ma więc tu podwójne znaczenie – życie przegląda się w sztuce, a sztuka w życiu. Aktualne pozostają pytania: Gdzie są granice sztuki? Do jakiego stopnia artysta ma prawo manipulować faktami? Czy ma prawo ośmieszać bliskich? Janusz Zaorski, obsadzając Janusza Gajosa i Daniela Olbrychskiego w swym telewizyjnym spektaklu, dobrze wiedział, że obie role zawierają doskonały materiał do aktorskiego pojedynku.

„Olbrychski tedy w roli Mike'a jest dość monotonny i blady wobec pełnokrwistego brata Alfreda (właściciela restauracji), z której to roli Gajos mógł zrobić prawdziwy koncert. I zrobił. Jego Freddie jest na przemian to błaznującym *bonvivantem,* to urażonym do głębi wyznawcą tradycji, to prostodusznym poczciwym i ulegającym czarom brata artysty i intelektualisty, w finale zaś mądrym Żydem, który ma rację i ostatnie słowo. Nie świeci odbitym światłem brata, ma swoje własne. (...) Świetnym pomysłem, dodającym sztuce komizmu i kolorytu, jest sekwencja, w której bracia w ferworze kłótni porzucają wytworną angielszczyznę i zaczynają z lekka zatrącać o ton szmoncesu. Ale najlepszym pomysłem reżysera było jednak zaangażowanie do roli Alfreda niegdysiejszego pana Tureckiego. Bo to przede wszystkim światło talentu Gajosa dało sztuce sznyt i fajer i trzymało widza przy ekranie" (Janina Wieczerska, „Własne światło" – *Dziennik Bałtycki* nr 60/1997).

Ładnie powiedziane – światło talentu. Talent tak niemożliwy do zdefiniowania na pewno jest promieniującą energią, czymś, co uruchamia w innych lepszą stronę duszy.

„Przedstawienie Janusza Zaorskiego należy do ważnych propozycji telewizyjnego teatru przede wszystkim dzięki wielkiej roli Janusza Gajosa. Znakomity aktor gra Alfreda w sposób niezwykle różnorodny, jego bohater bywa ściszony i zamknięty w sobie, po chwili zaś jest duszą towarzystwa. Najważniejsze są jednak moralne zasady, w które święcie wierzy. Gajos pozwala sobie kilka razy na odrobinę aktorskiej szarży. W tych momentach, wpisanych w rolę Alfreda, widać, że sztuka aktorska nie ma przed nim tajemnic" (Jacek Wakar, „Popis aktorski Janusza Gajosa w sztuce Harwooda" – *Życie Warszawy* nr 57/1997).

Inną wersję tajemnic teatru i poplątanych ludzkich losów zawiera *Adrianna Lecouvreur* Eugene'a Scribe'a, najbardziej klasyczna z klasycznych tragedii sentymentalnych. Dzięki gwiazdom w roli tytułowej przez wiele dziesięcioleci święciła triumfy na scenach świata. Dzięki gwiazdom i dziś wraca do łask. Adriannę w telewizyjnym przedstawieniu Mariusza Trelińskiego zagrała Danuta Stenka, jej arystokratyczną rywalkę – Krystyna Janda, ukochanego obydwu księcia de Saxe – Jan Frycz. Janusz Gajos zaś Michoneta, jedynego prawdziwego przyjaciela Adrianny. Sposób ujęcia tej roli narzuciła estetyka spektaklu. Podkreślała dekadenckość świata tonącego w barokowym przepychu opuszczonych, niegdyś bajecznie bogatych wnętrz. Pogrążonego w atmosferze intryg, rozkładu i niespełnionych namiętności. Na tle bohaterów, pochłoniętych przemyślnymi grami o pieniądze i uczucia, postać Michoneta przyciąga uwagę normalnością. Tylko on nie kieruje się interesem, lecz odruchem serca, bezinteresowną przyjaźnią. Daremnie. Adrianna umiera, ponieważ przyjęła bukiet zatrutych róż podrzuconych przez rywalkę. Rola Gajosa, tworzona w wyraźnym kontrapunkcie wobec innych, przywraca tej sentymentalnej sztuce prawdziwy dramatyzm. Tym bardziej że na manieryczną estetykę nałożyła się manieryczna gra aktorów.

Kolejny spektakl także mógł stać się popisem maniery, ale szczęśliwie się jej ustrzegł. *Wielka magia* Eduardo de Filippo, wieloletniego współpracownika Luiggi Pirandella, jest sztuką realistyczną i poetycką, magiczną i tajemniczą. Pokazuje, że prawda, tak w sztuce, jak w życiu, nie jest kategorią obiektywną. Zależy od intencji patrzącego, czyli jest tak, jak się państwu wydaje.

Intryga wygląda na mało skomplikowaną. W kurortowej knajpce towarzystwo plotkuje, najchętniej o romansach. Oto młoda żona pana di Spelty zniknęła w czasie seansu wielkiej magii. Jej kochanek zapłacił sporą sumkę profesorowi wiedzy tajemnej, słynnemu iluzjoniście, za niepostrzeżone zniknięcie ukochanej. Z oddali słychać warkot motorówki. Kiedy po czterech dniach żona zamiast wrócić przysyła list z Wenecji z wyznaniem – „Jestem szczęśliwa jak w raju"– mąż nie może uwierzyć, że jest rogaczem. Wielki mag wręcza mu szkatułkę. Jeśli nigdy nie wątpił w wierność żony, może bez obaw ją otworzyć, a znajdzie w niej kobietę, którą kocha; jeśli otworzy magiczne pudełko bez tej wiary, nie zobaczy jej już nigdy. Zdesperowany Calogero di Spelta woli cierpieć, niż poddać się próbie uczuć. Jednak ta naiwna sztuczka maga powoduje jego przemianę duchową. Wreszcie zrozumiał, że przegrał wielką miłość na własne życzenie. Zamiast być dla żony czuły, otwarty i serdeczny, był pyszny, pewny siebie i bardzo zazdrosny.

Gajos, w wielkim kapeluszu, z szelmowsko zawiniętymi do góry brwiami i wąziutkim wąsikiem, wmawia opuszczonemu mężowi, co chce. Robi to tak sugestywnie, że biedaczek nie wie, czy naprawdę szuka żony, czy też śni mu się

Jak się ma magia
do rzeczywistości?

Wielka magia
Eduardo de Filippo
z Martą Lipińską

Fot. R. Kornecki, TVP

wszystko. Profesor czarnej magii – wraz z reżyserem Maciejem Englertem – wodzi widzów po piętrach złudzenia i rzeczywistości tak, że momentami naprawdę nie wiemy, kiedy Mistrz Otto kłamie, kiedy mówi prawdę, kiedy gra, a kiedy niczego nie udaje. Dopiero na końcu spektaklu orientujemy się w przemyślnym i nieustannym mieszaniu prawdy i fikcji, zmyślenia i szczerości, jakim się posługuje. Po to, by łudzić i dawać nadzieję, by prawda bolała mniej, a okrutny świat wydał się do zniesienia. Jak prestidigitator pokazuje sztuczki, tak Profesor Gajosa kreuje rzeczywistość. Udowadnia, że nie można żyć bez złudzeń i iluzji, ale też nie można żyć tylko nimi. Prawda jest tam, gdzie ją chcemy widzieć. Świat jest wyłącznie subiektywny, a człowiek zdany na własną świadomość, to ona określa jego granice.

„Zdradzony i porzucony mąż wierzy, bo chce wierzyć w niewinność swej żony – wielki mag jedynie pomaga mu w tej wierze wytrwać. Ich przedziwny związek jest kośćcem tej sztuki. Janusz Gajos jako iluzjonista przykuwa uwagę dwoistością oszusta i moralisty, spryciarza i człowieka zdolnego do głębokiej przyjaźni. Piotr Fronczewski dał zrazu wizerunek męża zazdrośnika, który z czasem okazuje się człowiekiem głęboko zranionym, cierpiącym, ale i ożywionym nadzieją lepszych dni. Dwie kreacje na miarę pierwszej sceny w kraju" (Tomasz Miłkowski, „Magia trwa" – *Trybuna* nr 27/1999).

Kolejny Teatr Telewizji i kolejna rola Gajosa ukazująca dwoistość ludzkiej natury. *Kochanek* Harolda Pintera opowiada o tyleż niekonwencjonalnej, co niebezpiecznej grze, jaką uprawia pewne małżeństwo. Kiedy On wychodzi do pracy, Ona przyjmuje kochanka, ale wie również, że On nie jest jej wierny. Wieczorem, przy drinku, ze zdumiewającą szczerością opowiadają sobie erotyczne przygody. Niespodzianka autora polega na tym, że On jest mężem i kochankiem, Ona żoną i prostytutką. Przedmiotem kultowym w ich domu jest bębenek bongo. Jego dźwięk uruchamia wyobraźnię i rozpala żądze. Czy rozdwojenie jaźni, jakiemu ulegają, to remedium na rytuały codzienności, czy wycieczka w krainę marzeń – nie wiadomo. Dla aktorów – Joanny Żółkowskiej i Janusza Gajosa – sztuka Pintera na pewno zawierała frapujący materiał. Oboje uniknęli banału, zaproponowali postacie złożone, pełne lęków, ale i świadomie dążące do pokonania ograniczeń narzucanych przez mieszczańską egzystencję. Pokazali, że nawet tak perwersyjna gra psychologiczna może mieć działanie terapeutyczne. Przynajmniej w przypadku tej pary aż tak daleko posunięta szczerość w ujawnianiu swoich potrzeb czy pragnień seksualnych zapewnia stabilny związek.

Piękny widok Sławomira Mrożka został napisany na zamówienie Teatru Współczesnego w Warszawie. Ale premierę miał w Teatrze Telewizji z powodu... Janusza Gajosa. Po otrzymaniu maszynopisu dyrektor Współczesnego, Maciej Englert, uznał, że rolę Nicka może zagrać tylko Gajos. Ponieważ nie był aktorem jego zespołu, zrezygnował z wystawienia sztuki. W ten sposób trafiła ona w ręce Janusza Kijowskiego, który bez kłopotów mógł obsadzić Janusza Gajosa, Krystynę Jandę i Krzysztofa Wakulińskiego w spektaklu telewizyjnym.

Rzecz dzieje się na Bałkanach. Do małej miejscowości Narodne Zbrsko przyjeżdża na wakacje para zamożnych Europejczyków. Kraj ogarnięty jest wojną. Na tle błękitnego nieba krążą samoloty, mieszkańcy pozostają zamknięci w domach, padają strzały, co lekko deprymuje turystów. A może pod pretekstem wakacji mają oni do spełnienia jakąś misję? Kobieta pozostawia męża w kawiarni przy piwie i wybiera się na wycieczkę. Trafia do opuszczonego klasztoru przekształconego na muzeum, gdzie spotyka kustosza. Po chwili rozmowy między obojgiem nawiązuje się nić porozumienia, ciekawości, a później fascynacji erotycznej. Spędzają ze sobą długie popołudnie. Nick, mężczyzna pięćdziesięcioletni ze zmierzwionymi włosami i długo niegolonym zarostem, okazuje się nie tyl-

Doszliśmy do tego, że nikt nie jest w stanie uwierzyć nikomu. *Piękny widok* Sławomira Mrożka z Krystyną Jandą

Fot. J. Bogacz, TVP

ko kustoszem. Niewykluczone, że jest to ukrywający się terrorysta, często wspomina o akcjach, wrogach, zagrożeniu, pod łóżkiem trzyma broń. A może jest psychopatą, który całe zagrożenie tylko sobie wymyśla, choć równie dobrze może być człowiekiem skrachowanym wewnętrznie, który w odosobnieniu znalazł sposób pokonania przeszłości. Do końca nie będzie to jasne.

Zachowanie kobiety również mnoży wątpliwości. Jej mąż, jak wyznaje, wychodząc od kochanka, jest pracownikiem Ministerstwa Spraw Wewnętrznych, być może zawodowym poszukiwaczem terrorystów. Czy ona z nim współpracuje? Ale pod wpływem nagłego romansu postanowiła Nicka ocalić? Każde przypuszczenie w ich ostatniej rozmowie jest uprawomocnione, oboje są sobą zafascynowani, ale też boją się do tego przyznać, każde z nich próbuje grać tak, by nie ujawnić prawdy, zamiarów, uczuć.

Tak wieloznaczną rolę w sposób przekonujący mógł zagrać tylko Janusz Gajos. Jego Nick, w dżinsach i kraciastej koszuli, dużych okularach, wygląda na abnegata, któremu do życia wystarcza minimum. Ale gdy pojawi się piękna Mary-Lou (Krystyna Janda), staje się wrażliwym i czułym mężczyzną, o wiele bardziej interesującym niż skryty za maską chłodnej elegancji mąż. Jest wciąż wolnym człowiekiem, który potrafi stanowić o własnym życiu, choćby mu przyszło za to płacić cenę samotności i wyobcowania. Jak wielu buntowników z pokolenia kontrkultury – jeśli nie zdradzili młodzieńczych ideałów, zostając bankowcami, przemysłowcami – którzy dziś jeszcze nimi żyją. W samotności rozpamiętują swój młodzieńczy bunt, w poczuciu własnej wyższości i klęski. Pogrążają się w apatii, choć nadal starają się być czujni i gotowi do walki, nade wszystko otwarci na przygody serca.

Z zupełnie innym wymiarem uczuć przyszło się aktorowi zmierzyć w telewizyjnym spektaklu *O przemyślności kobiety* według sześciu opowieści ze słynnego *Dekamerona*. Boccaccio – Gajos oprowadza widzów po Florencji, odkrywając tajemnicę niejednej alkowy. Często sam bierze aktywny udział w wydarze-

Boccaccio, zawsze kochanek, nigdy zdradzany mąż. *O przemyślności kobiety* wg *Dekamerona* Boccaccia

Fot. J. Sobieszczuk, TVP

niach. Zawsze jako kochanek, nigdy jako zdradzany mąż. On pomaga kobietom wodzić mężów za nos, ułatwia schadzki i sam często korzysta z ich największej cnoty, którą jest szczodrość w miłości. Śmiałość obyczajowych obrazków w stylizowanych na renesansowe wnętrzach i plenerach przypomina o tym, że seks może być źródłem zabawy i radością, a nie, jak w naszej kulturze, czynnością naznaczoną grzechem.

„Główną postacią w sztuce jest, kreowany przez Janusza Gajosa, sam Boccaccio, który w poszczególnych opowieściach wciela się w postaci: narratora, wędrowca, sąsiada, kochanka, cyrulika, dworzanina czy sędziego. Jego osoba łączy poszczególne nowelki, a dowcipne komentarze nadają podpatrzonym zdarzeniom stosownej pikanterii" (Janusz R. Kowalczyk, „O przemyślności kobiety niewiernej..." – *Rzeczpospolita* nr 209/2001).

Bardzo lubię role Janusza Gajosa w sztukach rosyjskich i radzieckich, ponieważ w nich faktura jego aktorstwa, osadzona twardo w realizmie, nabiera dodatkowego oddechu. Jego typy są w szczegółach obyczajowych, psychologicznych dopracowane perfekcyjnie, a jednocześnie niosą ze sobą przestrzeń tej wielkiej literatury pokazującej małych ludzi w powiększeniu.

Ot, choćby taki cyniczny typ jak Ametystow w spektaklu *Chińska kokaina, czyli sen o Paryżu*. Krzysztof Zaleski dokonał tu adaptacji pięknego opowiadania Michaiła Bułhakowa – *Mieszkanie Zojki*. Przenosimy się więc do Rosji lat dwudziestych, kiedy w czasach NEP-u, czyli nowej ekonomii, ożyły zasady wolnego rynku i ludzka energia. Nie bez patologii, rzecz jasna. Bohaterka, elegancka Zoja Pelc (Maria Pakulnis), zajmuje piękne kilkupokojowe mieszkanie. W obawie przed przekształceniem go przez kolektyw robotniczy w słynny kołchoz postanawia założyć w nim zakład krawiecki. A przy okazji zarobić na wyjazd z ukochanym mężczyzną do Paryża i uciec od absurdów życia w porewolucyjnej ojczyźnie.

W tym momencie wkracza do akcji szanowny Ametystow, kuzyn nie kuzyn, w każdym razie podejrzane typiszcze, ale obdarzone sprytem i głową do interesów. Wiedziony nieomylnym instynktem hochsztaplera szybciutko przekształca zakład krawiecki w agencję modelek, a naprawdę w salon uciech dla zamożnych klientów. Finansowo wychodzi na tym świetnie, w przeciwieństwie do eleganckiej Zoji Pelc, która pozostanie zrujnowana pod każdym względem. Marzenia o dostatnim życiu w Paryżu pozostaną tylko marzeniami, gdy szanowny „kuzyn" się ulotni.

Janusz Gajos gra tego małego człowieka do ciemnych interesów z ciepłą nutą ironii. Jego Ametystow potrafi być przymilny, uczynny i przekonujący. Z nieodpartym wdziękiem umie nakłaniać Zojkę i innych, by mu zaufali. Potrafi być okrutny, bo jest inteligentniejszy niż inne podejrzane a bogate typy zjawiające się w agencji modelek. Ot, choćby sekwencja rozmowy z obywatelem Gęś-Ładowskim (Andrzej Grabowski), kiedy to metodycznie upija tę pokraczną figurę, powtarzając radośnie – „do dna, do dna" – sam sącząc ten sam kielszek. Dobre interesy lepiej robić na trzeźwo, hulać będzie później. Bohater Gajosa wyraźnie unika efektów melodramatycznych, zgodnie z ulubioną przez Bułhakowa poetyką groteski sprowadza rzeczywistość do absurdu.

Gromotrubow jest raczej głupi niż zły, ale zło bierze się z głupoty.
Płaszcz
Mikołaja Gogola

Fot. R. Kornecki, TVP

Od Bułhakowa niedaleko do Gogola, a raczej odwrotnie. W dwudziesto-wiecznej literaturze to on był najwybitniejszym kontynuatorem satyryczno-gro-teskowego spojrzenia Gogola. *Płaszcz*, zaadaptowany na scenę przez Juliana Tu-wima i uzupełniony o wiele postaci jego świetnej prozy, wciąż pozostaje nie-zwykle rosyjski i niezmiennie aktualny. Telewizyjny spektakl Andrzeja Doma-lika należał niewątpliwie do Jerzego Treli jako cudownego wprost Akakija Aka-kijewicza Baszmaczkina. Małego, zaszczutego człowieczka, plasującego się na samym dole rosyjskiej drabiny urzędniczej. Przez całe życie dorobił się jedynie nowego płaszcza z futrzanym kołnierzem i srebrnymi guzikami. W nim, naresz-cie, czuje się ważnym, godnym człowiekiem. Pozwala sobie na spacery po New-skim Prospekcie, a nawet w wieku pięćdziesięciu kilku lat (!) myśli o założeniu rodziny. Trudno sobie wyobrazić egzystencję bardziej zdegradowaną.

Za to jednak odpowiada tak zwana struktura społeczna i jej podpory – boja-rowie, generałowie – najbliżsi cara. Janusz Gajos zagrał tu jednego z nich – ge-nerała Gromotrubowa. Już jego pierwsze wejście, w oblepionym medalami mun-durze z czasów Mikołaja, pozostaje imponującym pokazem buty i wszechwła-dzy. Krzyki i pohukiwania na maluczkich obnażają jego prymitywizm. Tacy upojeni władzą urzędnicy jednym słowem lub gestem decydowali o życiu dzie-siątków czy tysięcy Baszmaczkinów. Sprowadzili system rosyjskiego możno-władztwa do absolutnej karykatury, nie licząc się z nikim i niczym poza stojący-mi od nich wyżej.

„Trudno mówić o Gromotrubowie jako o człowieku. To raczej sym-bol zjawiska, które reprezentuje – bezdusznego państwa, które istnieje samo dla siebie. Jak każdy człowiek, wyobrażający siebie jako pępek świata – jest tragiczny. Generał jest raczej głupi niż zły, ale zło bierze się przeważnie z głupoty” („Strój zdobi człowieka" – *Antena* nr 16/1999).

Symbol zła, wyrosłego z rosyjskiej i radzieckiej tradycji samodzierżawia, ja-kim był Stalin, oglądamy z innej niż znana perspektywy. *Herbatka u Stalina* przedstawia obraz władcy tyleż cynicznego, co fascynującego zachodnich intelektualistów. Zapraszani do Związku Radzieckiego stawali się niejednokrotnie entuzjastycznymi wyznawcami nowego ustroju. Ronald Harwood opisał jedną z historycznych wizyt, jaką w 1931 roku odbył wybitny angielski pisarz i socjalista George Bernard Shaw w towarzystwie małżeństwa Astorów. I został przyjęty przez najsławniejszego Gruzina, którego tu zagrał Janusz Gajos.

Herbatka u Stalina Ronalda Harwooda

W charakteryzatorni

Dwie godziny
później

Fot. J. Bogacz, TVP

173

Stalina nigdy wcześniej nie grałem. Uważam, że postaci historyczne o ustalonym wizerunku nie są wdzięcznym materiałem dla aktora. Pozostawiają mało możliwości interpretacyjnych. Dramaturdzy często proponują obserwację wyimaginowanych spotkań osób znanych z historii. Grałem w takich przedsięwzięciach (Fouché w Kolacji Brisville'a czy Bach w Kolacji Barza). Te postacie były jednak umieszczone w czasie tak odległym od współczesności, że samo wyobrażenie sobie ich w jakichś konkretnych, codziennych sytuacjach było frapujące. W przypadku Stalina mamy do czynienia z postacią znaną, ale nie tak bardzo zamgloną przez czas. Stalin dla wielu z nas był osobą żyjącą i działającą współcześnie, czego konsekwencje odczuwamy do dziś. Tak więc nie można na tę postać spoglądać z bezpiecznego oddalenia. Trzeba siłą rzeczy poddać się wizerunkowi, jaki nakreślił Harwood, dla którego Stalin był postacią współczesną, tyle że obserwowaną zza żelaznej kurtyny" (Rzeczpospolita nr 10/2001).

Zewnętrzny wizerunek Stalina został tu jednak silnie podkreślony przez szary mundur generalissimusa, sumiaste wąsy, gęstą czarną czuprynę nad niskim czołem. W głównej scenie spektaklu – wizyty George'a Bernarda Shawa (Gustaw Holoubek) wraz z towarzyszącą mu parą arystokratów, Nancy (Joanna Szczepkowska) i Waldorffem (Jan Englert) Astorami u przywódcy rewolucji – Stalin Gajosa wspina się na wyżyny kultury. Jest miły, spokojny, częstuje herbatą, sam pali fajkę, wybierając ją ze znajdującej się na stole kolekcji. W głębi gabinetu widać piękną sekreterę, z której chwilę wcześniej wyjmował alkohol i wypił parę kieliszków, a za jego plecami portret Lenina. Wszystkie te zewnętrzne oznaki dostatku, a nawet dobrego gustu, wprowadzają gości w błąd.

Z wyjątkiem lady Astor, która odważa się stawiać niewygodne pytania, dociekać prawdy, mimo że Shaw, połechtany iście królewskim przyjęciem w Związku Radzieckim, ją mityguje. Grymas pogardy na ustach Gruzina, po wysłuchaniu owych zachwytów, staje się tylko ironicznym komentarzem słów – intelektualistów można tanio kupić. Ich zachwyt dla rosyjskiej rewolucji trwał długo, mimo dostatecznych wiadomości o głodzie na Ukrainie, czystkach partyjnych i prześladowaniach niepokornych. Stalin, chytry gracz, dobrze wiedział, że zbyt łatwo popełniają grzech zaniechania nazywany zdradą klerków. Dlatego Janusz Gajos uczynił swego bohatera najbardziej przebiegłym uczestnikiem owego historycznego spotkania przy herbatce. Spod maski jego spokoju i dobrotliwości goście nie potrafili odczytać prawdziwych intencji tyrana, zbyt naiwni, zbyt kulturalni, by pojąć grozę radzieckiej rzeczywistości.

Porównanie realizacji tych samych sztuk na scenie i na małym ekranie wypada zdecydowanie korzystniej dla telewizji. Technika montażu, eliminująca zmiany dekoracji i ułatwiająca przenoszenie postaci w różne wymiary rzeczywistości, zastępuje teatralną inscenizację. Ale tym bardziej eksponuje aktora. Jego twarz rejestrowana w zbliżeniach staje się ważniejsza niż ta sama twarz widziana z dziesiątego rzędu. Kamera lepiej niż lornetka odnotowuje każdy fałsz, niepotrzebny grymas, nadmierną ekspresję, a już nie daj Boże bebechowatość czy ekshibicjonizm. Cechą aktorstwa Janusza Gajosa od początku była oszczędność środków, dyskretne ukazywanie przeżyć postaci, w czym niemałą zasługę ma perfekcyjne operowanie głosem. Niskim, dobitnym, o dużej skali i nośności, ale w pełnym brzmieniu wykorzystywanym tylko w wyjątkowych sytuacjach. Aktor mówi wyraźnie, spokojnie, często cedzi słowa z wysiłkiem, „jakby mu język wysechł", by niespodziewanie przyspieszyć, a potem zastosować długą chwilę ciszy. Pauzy, chwile milczenia nasycone emocjami, dają szansę wyobraźni widza. Aktor pamięta o tym, że nie wszystko musi być dopowiedziane do końca, by uruchomić uczucia i myśli. Przeciwnie, wolna przestrzeń budzi zainteresowanie, daje widzowi poczucie wolności, uruchamia wyobraźnię.

Gajos potrafi łączyć komediowo-tragiczne środki wyrazu, stąd mówi się, że jest aktorem o współczesnej skali wrażliwości. Dzisiejsza barwa czasu pozwala zestawiać ze sobą różne wartości emocjonalne, ponieważ wiemy, że tragedia miewa maskę błazna, a komediant mówi często rzeczy bardziej serio niż kapłan. Aktor ujmuje te skrajne walory uczuć w ryzy formy, poddaje surowej dyscyplinie transformacji, precyzji szczegółów, które dzięki temu urastają do rangi metafory. Nie zatrzymuje się jednak na opisowej jednoznaczności. Przestrzeganie narzuconych rygorów formy sprawia, że w jego interpretacjach pojawia się odrobina ironii, dystansu do postaci, co stwarza wrażenie głębi, „drugiego dna". Dlatego z taką maestrią wodzi nas po piętrach rzeczywistości, labiryntach snów, marzeń i potrafi urzeczywistniać swoją obecnością na małym ekranie to, co tylko pomyślane.

Wybieram ciekawsze propozycje

Janusz Gajos długo zdobywał wysoką pozycję – przez prawie połowę życia zawodowego. Dopiero z końcem lat osiemdziesiątych, po sukcesie *Opowieści Hollywoodu, Ławeczki, Przesłuchania* czy *Ucieczki z kina „Wolność"*, stał się aktorem uznanym, wielkim, wybitnym. A nade wszystko wolnym. Tym, który może wybierać najlepsze propozycje zgodnie ze swoją zawodową ciekawością, czyli chęcią poznania nowego reżysera, estetyki, poczucia humoru wreszcie. Wolność aktora nie jest taka sama jak wolność pisarza czy malarza, decydującego, o czym i jak chce tworzyć, to jednak istnieje. Nie musi on grać wszystkiego, nawet jeśli jego profesja w większym stopniu zależy od rynku mediów niż innych artystów.

Wraz ze zmianą ustroju pojawiły się na naszych ekranach filmy akcji, filmy gangsterskie, to niemal jednocześnie jako antidotum powstały też filmy wymagające namysłu o wysmakowanej estetyce, nazywane niszowymi, ze względu na niezbyt liczną widownię. Ale ta widownia istnieje i, sądząc po wielbicielach kina Krzysztofa Kieślowskiego, wcale nie jest tak mała, jak to się nam wmawia. Na pewno jest to widownia złożona nie z tłumu poszukiwaczy atrakcji, którym można łatwo manipulować, tylko z jednostek myślących. Aktor bardzo dobrze zdawał sobie sprawę z siły tego kina i rzadko odmawiał w nim udziału.

Jedną z ciekawszych propozycji tego okresu była rola starego śpiewaka w filmie *Gdy rozum śpi* Marcina Ziębińskiego, którego akcja ma miejsce podczas burzliwych lat rewolucji francuskiej w Austrii. W zamku zmarłego hrabiego bohaterowie filmu poszukują tajemniczego *perpetuum mobile*, które przed śmiercią ukrył właściciel. Dla tegoż wynalazku decydują się poświęcić wszystkie wartości. Przy okazji obnażają, jak bardzo arystokratyczne towarzystwo potrafi być zepsute, fałszywe i zawistne. Jak bezwzględnie każdy z tych niebiednych i kulturalnych ludzi potrafi walczyć o spadek po zmarłym, wierząc, że pokona on zło i zapewni szczęście.

Zapomniany artysta – to smutne. *Kiedy rozum śpi* film Marcina Ziębińskiego

Fot. A. Przestrzelski, Filmoteka Narodowa

Janusz Gajos gra starzejącego się śpiewaka, który w czasach baroku był u szczytu sławy. Gdy go poznajemy, zapomniany przez wszystkich, dożywa swych dni. Aktor w osiemnastowiecznym kostiumie bogato zdobionym złotem, białej peruce, nosi się jak wielki pan. Tylko spojrzenie pozwala dostrzec gorzką świadomość bliskiego już końca, zwłaszcza gdy zauważa, jak coraz więcej niegdyś wiernych mu ludzi go opuszcza. Jako człowiek o nienagannych manierach, nie pozwala sobie na współczucie czy biadolenie nad sobą. Rola niewielka, ale przygotowana starannie. Warto ją zapamiętać w kontekście przesłania filmu – upiory nie usypiają nigdy.

„Pyszne role Janusza Gajosa (śpiewak Cinqueda), Wojciecha Pszoniaka (demoniczny hrabia Ottenhagen, główny reżyser ostatecznej rozgrywki), Jana Peszka (bankier Kaltfisch), wyszukana i nieco obłędna sceneria rozległej posiadłości, w której co krok napotkać można niesamowite wynalazki zmarłego Aleksandra Planta, obraz zmierzchu pewnej obyczajowości i kultury – wszystko to czyni z filmu Ziębińskiego kino interesujące. (...) Debiutant zrobił chyba dobry początek. Zafascynowane potęgą rozumu oświecenie zrodziło między innymi teorię deizmu, czyli niewiary w Bożą Opatrzność. Porównywano w niej Stworzyciela do zegarmistrza, który uruchomił wielki mechanizm świata i pozostawił go samemu sobie, więcej nim się nie interesując. Może to jeszcze jedna wersja legendy o *perpetuum mobile?*" (Agnieszka Czachowska, „Utracona niewinność racjonalizmu" – *Film* nr 47/1992).

Słowo „współczesność" w kinie ma tyle znaczeń, ilu jest reżyserów. Krzysztof Kieślowski rozumiał to pojęcie w sposób szczególny. Druga część trylogii – *Niebieski – Biały – Czerwony* – zamierzonej jako nawiązanie do haseł rewolucji francuskiej – wolność, równość, braterstwo – opowiada o równości, a raczej jej braku. *Biały* jest gorzką, czarną komedią o przygodach utalentowanego polskiego fryzjera Karola (Zbigniew Zamachowski), który wygrał, wydawałoby się, los na loterii. Talent strzyżenia damskich głów umożliwił mu otwarcie salonu w Paryżu i mariaż z piękną Dominique (Julie Delpy), lecz cóż z tego, skoro okazał się impotentem. Francuska żona wyrzuca go z domu, więc ląduje w metrze, gdzie próbuje zarobić na powrót do kraju, grając na grzebieniu. W metrze spotyka rodaka, Mikołaja (Janusz Gajos), który w zamian za dużą sumę pieniędzy i powrót do kraju (w walizce) proponuje mu zabicie kogoś, „komu się żyć odechciało".

Po powrocie Karol zaczyna zarabiać pieniądze, aby pokazać byłej żonie, bo nadal ją kocha, że jest sporo wart. Dochodzi także do wykonania obiecanej przysługi. Gdy jednak zamożnym człowiekiem, który stracił motywację do życia, okazuje się właśnie Mikołaj, Karol strzela do niego ślepym nabojem, czym w cudowny sposób przywraca mu chęć do życia. „Trzeba przeżyć swoją śmierć, by zechciało ci się żyć" – powie Mikołaj, radośnie biegnąc po zamarzniętej Wiśle. Tą maksymą posłuży się również Karol. Symuluje swoją śmierć, by zwabić na pogrzeb Dominique, która przybywa po ogromny, zapisany jej w testamencie spadek. Dopiero wtedy Karol, odwiedzając żonę w hotelu, zdobywa ją naprawdę, czuje się już równy, w każdym razie „po swojej śmierci" odzyskuje męskość. Żona trafia do więzienia za rzekome zabójstwo męża i przez okno będzie przesyłać mu znaki miłości.

Janusz Gajos zagrał w tym filmie postać najbardziej tajemniczą – polskiego inteligenta, który już niczego nie chce: ani żyć, ani zarabiać, ani cieszyć się rodziną, jakby instynkt życia uległ atrofii. Recenzenci mieli z tą postacią niemało kłopotu. „A może głównym bohaterem *Białego* – pisał Tadeusz Sobolewski – jest przyjaciel Karola – Mikołaj (Janusz Gajos)? Najmniej o nim wiemy, ale jego spojrzenie jest najbardziej wymowne. To on jest w tej grze Wokulskim. A może – Kieślowskim? Być może to z jego punktu widzenia opowiadana jest cała historia?

Pewne ujęcia (m.in. przedstawiające walizkę) wyprzedzają akcję, jakby zagubiły się w montażu. Te antycypacje stwarzają wrażenie, że cała historia jest na naszych oczach przez kogoś układana, ujęta w cudzysłów. Może autorem tej historii jest właśnie Mikołaj? Ma około pięćdziesiątki. Często bywa w Paryżu. W Warszawie zostawił rodzinę. Chwali się dobrą pamięcią. Tęskni za czasem, w którym zdawał maturę. I – jak Kieślowski w wywiadach – oznajmia, że nic mu się nie chce, że nie ma motywacji...

Reżyser, podobnie jak Mikołaj, popełnił ostatnio rodzaj artystycznego samobójstwa, niespodziewanie ogłaszając, że zrywa z kinem. Zastawia, jak mówi, pułapkę na samego siebie. Do czego ma służyć Kieślowskiemu ta transakcja z losem? (...)

Sens *Białego* wydaje się tak samo enigmatyczny, jak sens decyzji Kieślowskiego o przerwaniu twórczości. W grze uczestniczy sobowtór reżysera. Ale nie jestem pewny, w którym momencie ja mam się do tej gry włączyć. Jeśli *Biały* jest filmem o braku równości, to jest nim również jakaś nierówność między widzem a twórcą, który wie coś, czego nie chce nam powiedzieć" („Tajemnica Kieślowskiego" – *Gazeta Wyborcza* nr 47/1994).

„Tylko postać grana przez Janusza Gajosa – przyjaciel Karola, który najpierw wybawia go z paryskiej opresji, a potem powierza mu swoje życie – niesie w sobie piętno jakby z innego filmu. To jest ktoś, kto musi przeżyć własną śmierć, by znów poczuć smak życia" (Piotr Mucharski, „Bez koloru" – *Tygodnik Powszechny* nr 13/1994).

Bardzo to ciekawe, że Gajos, uznawany przez lata za aktora komediowego, nagle staje przed zadaniem zagrania najbardziej tajemniczej postaci filmu. Postaci wyrażającej jego sens metafizyczny. I to mu się udaje. Nie tylko jest przekonujący jako inteligent, ale nie ma w sobie nic z plebejskości, wykorzystywanej w dziesiątkach ról. Tylko jakaś zaduma, gorzka świadomość życia, rodzaj apatii pokazanej bardzo delikatnie, kulturalnie, bez przerysowań. I półuśmiech człowieka, który wiele widział i przeżył, niczemu się już nie dziwi, o nic nie walczy, tylko z wyrozumiałą mądrością patrzy na ludzką szamotaninę. Choć wie, że ta szamotanina jest bez sensu, to życie nie jest go pozbawione. Sam biologiczny fakt trwania jest sankcją świata. Może dlatego sam nie potrafi popełnić samobójstwa, tylko prosi o to plebejusza, licząc zapewne, że spora suma zlikwiduje podobne wątpliwości.

Nie wiem, jak Gajos to robi, ale umie przekazać stany duchowe bohatera, ukazujące drugie dno postaci, a na pewno niepokój, jaki wnosi do filmu. To zresztą znany paradoks, że najwięksi komicy są ludźmi smutnymi, a zagorzali realiści częściej sięgają metafizyki niż spirytyści. Połączenie tych paradoksów bywa bardzo rzadkie, ale jak widać, się zdarza. Czy Mikołaj miał być *porte parole* reżysera, czy też postacią tyleż tajemniczą, co intrygującą, nie do końca jest jasne. Niemniej, wychodząc z kina, próbujemy odpowiedzieć na pytanie – kim jest bohater Janusza Gajosa, a to znaczy, że zastanawiamy się nad przesłaniem filmu.

Kino Kieślowskiego stawia pytania z gatunku tych, na które nie ma odpowiedzi. Życie stawia nas w sytuacjach, jakich ani normy prawne, ani moralne nie definiują dokładnie. Wybór zachowania, postawy zależy od człowieka, od jego poczucia przyzwoitości, które realizuje się poza systemem norm czy nakazów. Tak było też w przypadku dziesięcioczęściowego *Dekalogu,* powstałego kilka lat wcześniej. W czwartym odcinku Janusz Gajos zagrał również postać tajemniczą, nie do końca określoną. Ojca dorastającej dziewczyny (Adrianna Biedrzyńska) wyraźnie zafascynowanego jej przemianą z dziecka w kobietę. Relacje tej pary są skomplikowane, ponieważ dziewczyna odczuwa także szczególny rodzaj uczuć, przywiązanie do ojca, choć nie do końca potrafi je określić. Znajduje list dawno zmarłej matki, z którego wynikać może, ale nie musi – list jest nadpalony i część słów nieczytelna – że Michał nie jest jej biologicznym ojcem. Być może zobaczy w nim mężczyznę, ale chyba trudno przyjdzie to pogodzić z faktem,

Czcij ojca swego i matkę swoją

Dekalog IV
film Krzysztofa Kieślowskiego

że wychował ją jak prawdziwy ojciec. Film kończy się wspólnym czytaniem listu matki. Reżyser pozostawia widzom rozwiązanie kwestii – jak potoczą się losy tych ludzi – ojca i córki? pary?

O wiele ważniejsze są relacje tych dwojga ludzi. Uczucia samotnego mężczyzny i młodej dziewczyny bardzo subtelnie pokazane. Wzajemna fascynacja, próby buntu, próby wyjaśnienia owej nietypowej sytuacji. Zwłaszcza rola Michała ma tu swój ciężar. Gajos gra mężczyznę urzeczonego dziewczyną, ale jednocześnie odpowiedzialnego za jej prawidłowy rozwój emocjonalny. Z jednej strony wyraźnie cierpi z powodu jej chłopaka, ale z drugiej tłumaczy sobie, że tak musi być, bo on jest tylko jej ojcem. Prowokuje dziewczynę do odkrycia prawdy, ale wie, że jej poznanie wcale wszystkiego nie rozwiąże. Każdy gest filmowego Michała świadczy o jego kulturze osobistej, wrażliwości. Wyjątkowej delikatności, kiedy spojrzenie, przejście do innego pokoju, skrywana reakcja mówią więcej niż słowa. Michał niczego nie deklaruje, nie narzuca się, jest ciepły, czuły i cierpliwy. Czeka, aż dziewczyna sama dojrzeje do uczuć, co wcale stać się nie musi. Dobrze o tym wie, ale też nie zamierza niczego przyspieszać, stawiać na ostrzu noża. Uczucia obojga są rysowane bardzo subtelnie, w serii spojrzeń, gestów świadczących o zaufaniu. Bardzo rzadko zdarza się w kinie tak powściągliwie rysowany portret mężczyzny, opiekuńczego, ciepłego i dorosłego w każdym tego słowa znaczeniu.

Za sprawą powieści Edwarda Redlińskiego *Szczuropolacy,* przerobionej swego czasu na sztukę teatralną *Cud na Greenpoincie,* która z kolei stała się podstawą scenariusza filmu *Szczęśliwego Nowego Jorku,* dotykamy innej strony naszej współczesności. Trudnej i bolesnej, złożonej po równi z mitów, jak i z ich zderzenia z rzeczywistością. Amerykańską, gdzie bohaterowie Redlińskiego i Zaorskiego postanowili szukać szczęścia. Podstawą scenariusza było tak naprawdę siedem lat (1984–1991) spędzonych przez pisarza w Ameryce, gdzie doświadczył, zdaje się, wszystkiego, co dobre i złe w tym kraju. I to doświadczenie rozczarowania i fascynacji, upadku i sukcesu, prawdy i kłamstwa zawarł w swych utworach. Nie polubił Ameryki, którą oglądał z pozycji emigranta, pracą rąk zarabiającego na chleb, czemu dał wyraz w wielu wywiadach. Ale też jako pisarz dał malowniczy opis zamorskiej egzystencji wielu rodaków, którzy mimo wszystko codziennie ustawiają się w karne kolejki po wizy do amerykańskiego raju.

„Wielkim atutem *Szczęśliwego Nowego Jorku* jest znakomita gra aktorów. Na pierwszy rzut oka mogłoby się wydawać, że obsadzenie w głównych rolach Lindy, Pazury, Figury, Gajosa, Zamachowskiego i młodego Olbrychskiego to pójście na łatwiznę. Ale czy inni aktorzy stworzyliby tak wyraziste i przejrzyste kreacje? Świetny okres zawodowy przeżywa teraz Katarzyna Figura, wielką tragiczną rolę stworzył Janusz Gajos jako Profesor – jedyny w tym gronie inteligent, zdający sobie sprawę z tego, że żyje na dnie" – pisała Barbara Hollender („Zły sen o Ameryce" – *Rzeczpospolita* nr 229/1997).

W tym samym numerze w rubryce KONTRA Jerzy Wójcik podkreślał – „Najciekawsza kreacja Gajosa i jego sensowne wyznania giną wśród taniego efekciar-

Bez zielonej karty na Greenpoincie

Szczęśliwego Nowego Jorku
film Janusza Zaorskiego

stwa Azbesta-Pazury i umizgów Terizy-Figury. Film kończy kiczowate krwawe rozwiązanie. Zatem – zabawa to? A może ten towar najłatwiej się sprzedaje?".

Na pewno jest to komedia, dla wielu zawiedzionych mitem szczęśliwego życia po drugiej stronie Atlantyku – nawet tragikomedia. Nie pozbawiona ambicji sportretowania nie emigrantów wcale, ale mentalności nas samych, bo w każdą podróż zabieramy siebie. Sceneria autentycznego Greenpointu, gdzie w paskudnym mieszkaniu gnieżdżą się rodacy, jest tylko tłem, na którym lepiej widać postawy, sposób myślenia i charaktery. Każdy z sześciu bohaterów, których losy poznajemy, jest kimś innym, bo już tym kimś był, zanim tu przyjechał. Autorzy scenariusza użyli obskurnego mieszkania, by łatwiej było zachować jedność czasu, miejsca i akcji, a to wcale nie musi odbiegać od realizmu.

Najważniejsze jednak okazuje się wyposażenie bohaterów w ideały, wartości, marzenia i determinację w ich spełnieniu. Obserwujemy więc bogaty wachlarz postaw: od cynicznego Serfera, dążącego nie zawsze uczciwymi sposobami do przekucia *american dreem* w rzeczywistość, po Azbesta, sprytnego człowieka pnącego się po drabinie sukcesu ekonomicznego. Nie chce czekać na Amerykę w kraju 50 lat, tylko doświadczać jej tu i teraz. Poznajemy też jego siostrę Terizę, nieprawdopodobnie głupią dziewczynę o tak zwanym gołębim sercu, miotającą się między forsą i przykazaniami, między kurestwem a marzeniem o normalnej rodzinie. A także prostego chłopa Potejto, pracownika rzeźni, wierzącego katolika, kochającego szóstkę swych dzieci, który oszczędza dla nich każdy grosz jak AA w *Emigrantach* Mrożka. I wreszcie Profesora, byłego specjalistę od socjalistycznej ekonomii, który w pogoni za pieniędzmi stoczył się na dno, w alkoholizm. Z tej perspektywy, w przebłyskach świadomości, widzi swoją sytuację jasno, dlatego szczerze nienawidzi Ameryki: odebrała mu ona tożsamość, a nie dała forsy. Janusz Gajos powiedział kiedyś o swojej roli:

> – *Najbardziej nurtowało mnie pytanie, czy jest prawdopodobne, żeby naukowiec mógł się zniżyć do takiego poziomu, jak grany przeze mnie bohater. Rozmawiałem na ten temat z psychologami. Okazało się, że to właśnie ludzie z wyższym wykształceniem w ekstremalnych sytuacjach upadają najniżej* (Express Wieczorny nr 228/1997).

Postać Profesora okazała się więc prawdziwa, podobnie jak jej strój składający się z brudnej kufajki obwiązanej niebieskim, ręcznej roboty szalikiem, dopełniony sportową czapką z polaru i rękawiczkami bez palców. Podobno aktorzy wchodzili w pełnej charakteryzacji do sklepów, nie budząc zdziwienia w polskiej dzielnicy Nowego Jorku.

Kreacja Gajosa wydała się wielu wręcz genialna, aktor bowiem zawarł w tej postaci gorzkie spojrzenie człowieka, który bilansuje swe życie i okazuje się ono kompletnie pozbawione wartości. Ekonomia socjalistyczna, którą wykładał, splajtowała jako nauka, tak samo jak pomysł zarobienia w Ameryce na mieszkanie dla siebie i młodej żony. Profesor Gajosa pozostaje totalnie rozczarowany do świata po obu stronach żelaznej kurtyny. Jako inteligent zdaje sobie sprawę, że sukces w życiu zawsze jest współrzędną wyborów, zawsze jest coś za coś. To naprawdę głęboka i przejmująca rola, bohater Gajosa bowiem pozwala nam obejrzeć świat w kategoriach bezwzględnych, taki, jakim jest, a nie taki, jakim się nam wydaje. Profesor nie ma żadnych złudzeń, tylko gorzką i pełną świadomość klęski. Wyraża ją strachem przed trzeźwością, różnymi stanami alkoholowego głodu, ironią, dobrotliwym uśmiechem. Wspaniale i mądrze.

Jednym z bardziej udanych filmów nie tylko Mariusza Trelińskiego, ale w ogóle lat dziewięćdziesiątych naszego kina, okazała się *Łagodna* według opowiadania Fiodora Dostojewskiego. Cały ciężar filmu spoczywa na Januszu Gajosie, ponieważ pomyślany jest jako monolog wewnętrzny bohatera. W ponurym wnętrzu, prześwietlonym sinoniebieskim światłem, majaczy ciało jego żony ułożone na stole. Obok, w szarej poświacie, wycinającej z trudem kształt domowych sprzętów, duża bryła topniejącego lodu, obniżająca temperaturę w pokoju. Postarzały mężczyzna z dużymi bokobrodami i kilkudniowym zarostem wpatruje się tępo w zwłoki. Za kilka godzin grabarze je zabiorą. Jego ponure milczenie przerywa miarowy odgłos kropel spływających z bryły lodu, brzęczenie uporczywej muchy. W kolejnych retrospekcjach poznamy historię osobliwego małżeństwa starego mężczyzny z młodziutką dziewczyną.

On jest właścicielem lombardu, nieufnym i bardzo chytrym, ale jak na stosunki panujące w Petersburgu końca ubiegłego wieku, zamożnym. Ona sierotą terroryzowaną przez stare ciotki, chciwe i prymitywne. Co pewien czas zjawiała się w jego lombardzie, by zastawić jakiś drobiazg. Któregoś dnia, gdy zacinał zimny deszcz, przyszła przemoknięta i zziębnięta. On poczuł rodzaj współczucia, może litości. I wykupił ją od ciotek za całe dwieście rubli, z czego część płacił banknotami, a część monetami, które liczył długo i skrupulatnie.

W wyniku tego targu ona stała się jego żoną, on postanowił ją traktować z pełnym szacunkiem, wozić, jak zwyczaj nakazuje, raz w miesiącu do teatru, prowadzić dom dostatni, nawet wziął od jej ciotek służącą. Na swoją miarę ją kochał, postanowił przecież dzielić się z nią niełatwo zdobytym bogactwem. Ona daje mu odczuć, że transakcja sprzedaży, na którą się zgodziła, była mezaliansem. Z wyżyn młodzieńczego idealizmu darzy go niekłamaną pogardą.

Dla obojga to małżeństwo stało się katorgą, nie ma w nim zrozumienia ani miłości. Oboje szamoczą się jak w klatce, każdy kontakt powoduje kolejne rany. Start ich związku był fałszywy, on ją kupił za lichwę, ona zaakceptowała transakcję. Bardzo trudno w takiej sytuacji obronić własną godność, toteż oboje zamykają się w skorupach. Nie potrafią być szczerzy, nazbyt są skrępowani konwenansami, albo nazbyt zamknięci w doświadczeniach i cierpieniach, jakie przeszli.

Zresztą intencje tego małżeństwa czyste nie są – on pojął ją za żonę, by kogoś obarczyć swoją hańbą (został wyrzucony z wojska za tchórzostwo), a ponadto zajmuje się lichwą, procederem haniebnym. Dręczy więc żonę swoimi kompleksami i masochizmem, a jednocześnie żebrze o strzęp uczucia. Ona, zamiast być wdzięczna swemu dobroczyńcy, pogardliwie milczy, na propozycję zwiększenia domowego budżetu odpowiada: „Nie trzeba", co brzmi jak obelga. Każdym gestem pokazuje, jak bardzo jest podły i prymitywny. Czasem kpi w żywe oczy, czasem jest tylko zimna i obojętna, jakby nieobecna. Z perwersyjną radością zdradzi go z jego oskarżycielem, ale i w tamtym związku nie znajdzie szczęścia. „Coś w niej już za życia obumierało" – powie lekarz badający sprawę jej samobójczego skoku przez okno. Dla niej śmierć stała się wyzwoleniem, dla niego najcięższym upokorzeniem i końcem nadziei. „O, dopóki ona tu jest – wszystko jeszcze dobrze: podchodzę i coraz spoglądam; a wyniosą ją jutro" – tak się zaczyna film i opowiadanie. Słowami: „Jakże ja tu zostanę sam?" – kończy się film.

Treliński ogranicza przestrzeń, dyscyplinuje kolory utrzymane w szarometalicznej tonacji, nawet kryształowy żyrandol jest zimnoniebieski, zabijając wszelką nadzieję. „Udało się twórcom filmu niemało: pokazać to, czego sfotografować właściwie nie można – wnętrze duszy ludzi, którzy mieszkali razem, a żyli na odległych planetach" (Jerzy Wójcik, „Miłość w czyśćcu" – *Rzeczpospolita* nr 267/1996).

Oboje mają dużo czasu na milczenie, długie ujęcia pokazują ich twarze, drobne gesty, ruch brwi, wyraz oczu. I oboje są wspaniali. Zarówno Gajos, mówiący chrapliwym, jakby zdartym głosem, jak i milcząca niemal Ona Dominiki Ostałowskiej. „Naczelną partię rozgrywa w *Łagodnej* Janusz Gajos i jest to kreacja domagająca się superlatywów. W jego indywidualności aktorskiej tkwi jakiś sekret, który decyduje o rozpiętości talentu – od ciężkiej *Mszy za miasto Arras* do komediowego *Ożenku*, od wcieleń kabaretowych do *Przesłuchania* i od *Wahadełka* do *Ucieczki z kina „Wolność"*. Z jednej strony *vis comica*, z drugiej – zdolność kontemplacyjna" (Władysław Cybulski, „Łagodna" – *Dziennik Polski* nr 285/1995).

Sam talent jest już tajemnicą, a jego wielka rozpiętość jeszcze większą, i nie piszę tego całkiem żartobliwie. Ale sekretu przez sekret nie wyjaśnimy. Może jakaś prawda tkwi w stwierdzeniu – trening czyni mistrza. A trening to nic innego jak praca, codzienna i w dużych ilościach. Granie różnych postaci to fantastyczna gimnastyka umysłu i wyobraźni, to również niezliczona ilość okazji, by widza zaskoczyć. Pokazać człowieka zmagającego się za każdym razem z innymi problemami, w innych warunkach historycznych, społecznych, politycznych. A jednocześnie pokazać go tak, jakby był i naszym współczesnym.

Taką postacią jest Niccolo Machiavelli w telewizyjnym filmie Wojciecha Marczewskiego *Czas zdrady*, nakręconym wedle sztuki Witolda Zalewskiego *Coś za coś*. Poznajemy go w szczególnych okolicznościach. Książę Cezar Borgia, któremu Messer Niccolo służył, umarł. Nie został zasztyletowany, ani otruty, tylko po prostu zachorował i umarł. Machiavelli, dziś powiedzielibyśmy: główny ideolog władcy, został pozbawiony wpływów. Teraz przebywa na wygnaniu, mieszka od kilku lat na prowincji w gospodarstwie wieśniaków. Z nudów uczy syna gospodarzy czytać i pisać. Nawet próbował ucieczki, ale nie miał dokąd iść – uciekać można, jeśli ma się cel – więc powrócił.

Dni wloką się niemiłosiernie. Wypełniają je wspomnienia. W nocy z sennych majaków pojawia się postać Savonaroli, fanatycznego mnicha, który głosił miłość do Boga tak absolutną i bezgraniczną, że zagrażała władcy; został spalony na stosie. Machiavelli uważa, że nauki jego przeciwnika mijają się z prawdą o ludzkiej naturze, której głównym składnikiem jest zło, a nie miłość do Boga. Ludzie zawsze pragną korzyści, i rzeczą władcy jest umożliwienie ich osiągnię-

Mniej mówić, więcej być.
Czas zdrady
film Wojciecha Marczewskiego

Fot. R. Wellman, TVP

185

cia. Cel uświęca środki, by jedni skorzystali, inni muszą ponieść ofiary. Panujący nie może liczyć kosztów, przejmować się liczbą trupów, jeśli chce zachować władzę. Nieludzkie są wymagania Savonaroli, bo przekształciły się w ideologiczną tyranię, lecz równie nieludzka jest logika Machiavellego, dopuszczająca zbrodnie. Jego słynny *Książę* stał się biblią różnej maści dyktatorów i tyranów.

Jesteśmy więc w centrum politycznego i moralnego dyskursu. Jego ciężar musi unieść aktor w roli Machiavellego. Janusz Gajos, w białej koszuli i obszernym czerwonym kubraku, porusza się ciężko, podpiera się laską, mówi powoli, głosem matowym i zmęczonym. Każde słowo wymaga wielkiego wysiłku, zwłaszcza że upał paraliżuje ciało i umysł. Zdjęcia Krzysztofa Ptaka, pełne światła przenikającego przez okna czy deski ogrodzenia, bardzo sugestywnie ukazują rozżarzone słońcem powietrze. Messer Niccolo spływa potem, włosy ma mokre i zmierzwione, twarz wyciera co chwilę chustką. Trawi go gorączka, która plącze myśli, przez zaschnięte gardło słowa wydobywają się z trudem. Kilka razy pojawia się przywołana w malignie postać Savonaroli (Jerzy Radziwiłowicz) z rękami związanymi sznurem i ciałem pokrytym ranami. Machiavelli Gajosa przenosi się w czasie i przestrzeni, dyskutuje ze sobą, z Savonarolą, z dziećmi gospodarzy. Córka, dwudziestoletnia dziewczyna, budzi w nim tłumione pożądanie. Cierpienia duszy dopełnia cierpienie ciała.

Wyzwolenie nastąpi wraz z wizytą zakapturzonego mnicha, wysłannika nowego władcy Florencji. Pisarz może wrócić na książęcy dwór w pełni łask i zaszczytów. Pod warunkiem jednak, że publicznie potępi dawnego władcę i zaakceptuje śmierć bliskich mu ludzi. Rodzina gospodarzy zostanie zamordowana, z wyjątkiem siedmioletniego głuchego chłopczyka. Zrobią to wprawdzie ludzie nowego władcy, ale uzasadnienie zbrodni znaleźli w pismach Machiavellego, to on kazał nie zważać na koszty władzy. Jedynym pocieszeniem pisarza, podyktowanym odruchem sumienia, pozostanie świadomość, że mały niemowa został ocalony. Dzięki aktorstwu Gajosa trudne rozważania o polityce i moralności nabrały wymiaru tragicznego i bardzo ludzkiego. Dyskurs przekuć w dramat, z publicystyki uczynić sprawę żywą, nie wszystkim się udaje. Machiavelli to przykład roli karkołomnej i udanej, która nie przysporzyła wielkiej popularności, bo film emitowano po północy, ale sama w sobie stała sie wyzwaniem. Dowodem na to, że nie wszystko trzeba przerobić na teleturniej albo dyskotekę.

Wielu reżyserów, zdając sobie sprawę z popularności aktora i, co najważniejsze, z talentu, zabiega o jego udział w swoim filmie czy Teatrze Telewizji. Wiadomo, że nazwisko Janusza Gajosa na afiszu to gwarancja sukcesu u publiczności. Taką właśnie rolę – gwiazdy – pełni aktor w ostatnich filmach, choćby zadania nie były całkiem gwiazdorskie. Na przykład Seweryn Baryka, ojciec Cezarego, z *Przedwiośnia* Stefana Żeromskiego w dużym stopniu ratuje ekranizację Filipa Bajona. Pojawia się w kilku scenach, najpierw jako polski przedsiębiorca w Baku, gdzie zajmuje się wydobywaniem ropy naftowej, i stateczny ojciec rodziny. Później, wysłany na front pierwszej wojny, odnajduje przypadkiem syna i planuje powrót do Polski. Kluczowa scena roli, kiedy ojciec i syn po krótkim pobycie w Moskwie wracają do ojczyzny, odbywa się w pociągu. Stary Ba-

Fot. Ł. Łasica, Filmoteka Narodowa

Baku w Warszawie –
na planie *Przedwiośnia*
filmu Filipa Bajona

ryka, ciężko chory, przykryty płaszczami, leży w zapełnionym repatriantami bydlęcym wagonie. Wtedy opowiada synowi swą słynną wizję szklanych domów, ów polski mit o szczęściu. A raczej o konieczności cywilizacyjnego skoku, jaki musi podjąć wyzwolona po latach niewoli ojczyzna, a także o przejrzystości stosunków międzyludzkich, demokratyzacji życia publicznego. W filmie jest to opowieść śmiertelnie chorego człowieka, zrodzona w malignie; ilustrują ją komputerowe obrazy szklanych konstrukcji. Opowiedziana zostaje synowi jak przedśmiertne przesłanie, a nie jak społeczny program przemian, zwłaszcza że aktor bardzo wyraźnie akcentuje fizyczne objawy choroby – kaszel, pot, duszenie się z braku powietrza. Mimo tych zastrzeżeń kameralna w ujęciu rola Gajosa pozostaje w pamięci, dzięki oszczędności środków nie drażni tak, jak kilka przerysowanych w tym filmie przez innych gwiazdorów.

W przypadku *Weissera* według prozy Pawła Huelle zrealizowanego przez Wojciecha Marczewskiego, czy filmu o Chopinie *Pragnienie miłości* Jadwigi Barańskiej i Jerzego Antczaka trudno mówić o rolach. Były to raczej znaczące epizody. W pierwszym Gajos gra antykwariusza, człowieka zatopionego w przeszłości, otoczonego masą starych przedmiotów i sprzętów. Nie wywołują w nim emocji, sprzedaje je jak rowery albo ubrania. Bohater (Marek Kondrat) próbuje w jego antykwariacie ustalić poprzedniego właściciela płyt, które kupiła jego dziewczyna. Niestety, stary, skurczony z chłodu człowiek nie pamięta ani kto je przyniósł, ani kto je kupił. Aktor zagrał tu zwykłego handlarza, mocno stąpającego po ziemi, dbającego o zysk. Takie ujęcie roli poprzez kontrast podkreślało psychiczną niestabilność głównego bohatera, starającego się odtworzyć zagmatwaną pamięć o własnym dzieciństwie.

Rola Księcia Konstantego z *Pragnienia miłości* to znaczący epizod filmu opowiadającego o życiu wielkiego kompozytora. Postać rezydującego w Belwederze carskiego namiestnika przywołana została dla pokazania klimatu i stosunków panujących w Królestwie Polskim pod rządami rosyjskich zaborców. Choć Konstanty jest wrogiem, to jego wizerunek w ujęciu Janusza Gajosa zawiera wiele barw. Jest to człowiek inteligentny, wykształcony, ceniący sztukę, a że ma do wykonania określoną misję polityczną, to już inna sprawa. Rola zagrana oszczędnie i przekonująco.

Jest takie chińskie przysłowie – odrzuć wszystko, a wszystko zdobędziesz. Przypomina mi się, gdy patrzę na niektórych artystów. Na przykład pianistów jazzowych, którzy w czasie gry stają się jakby organicznie zrośnięci z instrumentem. Każda część ciała służy dźwiękom. Zatopieni w ich brzmieniu, rytmie muzyki, zdają się niczego poza tym nie słyszeć, niczego nie dostrzegać. Patrząc na Janusza Gajosa, wielokrotnie miałam wrażenie podobnego zatopienia się w grze. Nie widziałam dystansu między nim a postacią, on nią był w sposób organiczny – od sposobu chodzenia, uważnie dobranych gestów, po intonację głosu – jakby to była jego druga skóra. A jednocześnie za każdym razem był inny, tak jak odmienny był człowiek, którego przyszło mu grać. Świadczy to o ogromnej pokorze wobec rzemiosła aktorskiego, a jednocześnie o opanowaniu go aż tak swobodnym, by instrument, czyli własne ciało, wykonał to, co pomyśli głowa.

Fot. z archiwum aktora

Werk z planu filmu *Pragnienie miłości*
Jako książę Konstanty z reżyserem – Jerzym Antczakiem

188

Aktorzy także mają podobne problemy. Gajos chyba nigdy. Jego rzemiosło sprawia, że w każdej roli jest inny i w każdej przekonujący, bo całkowicie oddany na usługi postaci. To znaczy we władanie wyobraźni. Sztuka nigdy nie jest, a przynajmniej nie powinna być naśladowaniem, kopią rzeczywistości, lecz konstrukcją wymyśloną, skondensowaną, więc tym bardziej prawdziwą.

Wszystkie postacie, jakie zagrałem, są bardzo dalekie od tego, jaki jestem naprawdę. Ktoś powiedział, że człowiek, którego sobie wyobrazimy, jest znacznie ciekawszy od istniejącego realnie. Też tak uważam.

Nie bez powodu aktor posługuje się wyobraźnią wielu autorów. Przecież w cudzej skórze przeżywa przygody, doznaje uczuć, jakich sam nie tylko nie przeżył, ale ich też nie wymyślił. On „tylko", albo „aż" znalazł w granym człowieku to, co nim powoduje, motor napędzający jego działania, i ujął w odpowiednią formę. W ostatnich latach Gajos skarżyć się mógł raczej na nadmiar niż brak propozycji. W ogóle należy do najbardziej pracowitych aktorów, wystarczy sobie uświadomić, że zagrał ponad trzysta ról!!! Trzystu różnych ludzi!!!

Nie można stać w miejscu

Skoro wraz z wolnością przyszły zmiany we wszystkich dziedzinach życia, w teatrach również. Pojawiły się nowe pomysły organizacji przybytków sztuki i nowy repertuar. W warszawskim Powszechnym po śmierci Zygmunta Hübnera zmieniali się dyrektorzy, ale zespół pozostał i stara się kontynuować najlepsze tradycje aktorstwa. Nie bez trudności, ponieważ najpoważniejsze bolączki naszego teatru – brak dobrej współczesnej literatury i brak dobrych reżyserów – nie ominęły i tej sceny.

Kolacja Jeana Claude'a Brisville'a, która trafiła na Małą Scenę Teatru niedługo po paryskiej premierze w 1990 roku, niemal proroczo opowiada o sposobie uprawiania polityki. Cynizmu polityków w takiej dawce, nieważne, że ukazanego w historycznym kostiumie, nie oglądaliśmy dotąd zbyt często, przynajmniej na scenie. Francuski autor pokusił się o opisanie kolacji wydanej na cześć Josepha Fouchégo przez Charlesa de Talleyranda. Odbyła się w pałacu tego ostatniego 6 lipca 1815 roku. Zarówno bohaterowie kolacji, jak i jej miejsce i czas pozostały ważne dla losów Europy. Otóż obaj panowie, mimo zapiekłej i wzajemnej nienawiści, w imię dobra ojczyzny postanowili działać razem.

Głównym rozgrywającym jest oczywiście dziedzic starego rodu Perigord, biskup de Talleyrand – pierwsza osoba Francji. Wielki pan i polityk, który wielokrotnie zmieniał fronty. Mitra biskupia nie przeszkadzała mu mieć „kieszeni pełnej kobiet", być ojcem wielu dzieci (w tym słynnego malarza Delacroix) oraz pełnić funkcji ministra spraw zagranicznych. Ponadto ten hedonista i rozpustnik był ważnym zakulisowym graczem w czasach rewolucji. Potem kilkanaście lat służył Napoleonowi, ale w obliczu klęski zawarł pakty z jego wrogami i doprowadził do detronizacji. Kiedy Napoleon wrócił z Elby do Paryża, a król schronił się w Belgii, Francja stała się znów zagrożona. 9 czerwca 1815 roku Talleyrand podpisał akt końcowy kongresu wiedeńskiego, czyli pakt mocarstw sprzymierzonych przeciw cesarzowi Francuzów. Po drugiej abdykacji Napoleona ponownie postanowił wrócić do gry i wprowadzić na tron Ludwika XVIII. Ale bez pomocy pana Fouchégo, ministra policji w różnych rządach, królobójcy, zagorzałego jakobina, nie jest to możliwe. Grozi społecznymi niepokojami. Zresztą w czasie historycznej kolacji tłum paryżan gromadzi się przed pałacem Talleyranda, co jakiś czas słychać brzęk tłuczonej szyby, nastroje ludu są więc gorące.

Wykwintna kolacja obu polityków, prywatnie wielkich krzywoprzysięzców, karierowiczów, intrygantów i łajdaków, pragnących znów rządzić Francją, przeradza się na naszych oczach w studium nie tyle charakterów, choć i to także, ile w studium władzy. Jej politycznych gier, układów, konszachtów i bardzo przyziemnych interesów. Stanowiska ministra policji dla Fouchégo, ministra spraw zagranicznych zaś dla Talleyranda są tylko obrazowym przykładem potęgi rządzenia, dającego nieograniczony wręcz dostęp do fortun.

„Jesteśmy świadkami ich gry, wzajemnych podchodów, zwycięstw, poniżeń, kapitalnych ripost i kapitulacji. To wielka przyjemność słuchać, jak w sposób czarujący i elegancki rozrywają się na strzępy. Talleyrand, którego gra Władysław Kowalski, jest nieco kostyczny, wyrafinowany, określa swój stosunek do partnera w półuśmiechach – wyższości, sarkazmu, udanej dobrotliwości. Fouché Janusza Gajosa jest ociężały, prostacki, łakomy, niezręczny w obejściu, sadzi gafy, ale się tym nie przejmuje. W sumie – bardziej wyrazisty" (Ewa Zielińska, „Francuz z Francuzem" – *Kurier Polski* nr 244/1990).

„Gajos duży, barczysty, ubrany w nowobogackie złocistości, siedzi rozwalony na krześle, je dużo, mówi głośno, szeroko gestykulując z nożem w ręku. Jego Fouché jest świadom swojej siły, potęgi i znaczenia, i wie dobrze, na ile może sobie pozwolić. Jest przebiegły i zręczny, wie też, że nie ma innego wyjścia niż przyjęcie propozycji Talleyranda i że cały ten wieczór to tylko takie przekomarzanie się, drażnienie w sytuacji, w której jest się skazanym na współdziałanie. Gajos pokazuje Fouchégo nie jako sprytnego parweniusza, lecz godnego

Cynizm polityków się nie zmienia – Fouché, książę Otranto. *Kolacja* Jeana Claude'a Brisville'a

Fot. R. Pajchel, Teatr Powszechny

partnera Talleyranda, niezbędnego do przeprowadzenia restauracji. Co prawda inicjatywa należy do Talleyranda, ale Gajos odparowuje każdy cios, przewiduje następny, robi zgrabne uniki. Zdobywa punkty, przytłacza momentami jakże zaskakującego w tym przedstawieniu Kowalskiego" (Magdalena Raszewska, „Szampan w koniakówkach" – *Aktualności* nr 3/1991).

Dużo pisano o wykwintnej kolacji, fundowanej aktorom co wieczór przez jedną z warszawskich restauracji. Ale nie smakowite, pachnące dania były powodem nagrania spektaklu dla Teatru Telewizji, tylko doskonałe aktorstwo obu wykonawców oraz sens ich perwersyjnej rozmowy o dobru kraju. Takie spektakle należałoby chyba częściej pokazywać, zwłaszcza politykom.

Jednym z pomysłów reformowania teatru, jakie pojawiły się po 1989 roku, było przekonanie, że przedstawienia powstałe w systemie impresaryjnym, czyli angażowania aktorów do konkretnych ról, będą lepsze i tańsze. Niestety, *Czekając na Godota* Samuela Becketta, zrealizowane w ten sposób na deskach Teatru Małego w Warszawie, nie potwierdziło owej tezy. Nie pomogło przedstawieniu wielkie doświadczenie Antoniego Libery – tłumacza, komentatora twórczości Becketta, zapraszanego na światowe kongresy beckettologów oraz przez światowe teatry w charakterze reżysera jego sztuk. Nie pomogło też zaangażowanie najlepszych w kraju aktorów komediowych – Jana Kobuszewskiego (Lucky) i Janusza Gajosa (Pozzo) oraz Krzysztofa Kowalewskiego (Estragon) i Wiesława Michnikowskiego (Wladimir). Libera zdawał się wierzyć, że dramaty Becketta są precyzyjnie napisanymi partyturami, i wystarczy tylko dokładnie zrealizować wskazówki autora, by osiągnąć sukces. Przedstawienie, ortodoksyjnie wierne autorowi, okazało się mało zabawne, a momentami wręcz nudne mimo gwiazd. Każdy z aktorów grał własną melodię, coś niby popis, a całość wydawa-

Po dwóch miesiącach prób zagraliśmy 10 przedstawień Pozzo.
Czekając na Godota Samuela Becketta w warszawskim Teatrze Małym

Fot. z archiwum Teatru Małego

ła się mocno zwietrzała. Niestety, zagrano ten spektakl zaledwie dziesięć razy i nie tylko dlatego, że niemożliwością prawie było zgrać terminy aktorów pracujących na różnych scenach.

Słynne powiedzenie Anouilha, że *Godot* to myśli Pascala odegrane przez cyrk braci Frattellinich, znaczy tyle, że tragedia ma dziś maskę klowna. Ale tym razem cyrk filozoficzny po prostu się nie udał. Melpomena, podkasana muza, robi często takie niespodzianki. Może polska publiczność ogłuchła na filozofię, a może ta filozofia już dotarła do nas dawno kuchennymi drzwiami i rozeszła się po kościach, przepraszam, po trzeciorzędnej literaturze. Albo wszyscy nastawili się na wydarzenie, sądząc po ekipie realizatorów jak najbardziej zasadnie, i nie wyszło.

Za to udało się inne przedstawienie oparte na sztuce autora podejrzewanego o grafomanię. Bogusław Schaeffer, kompozytor muzyki współczesnej, pisze sztuki bardzo specyficzne. Jeszcze w latach sześćdziesiątych wraz z Adamem Kaczyńskim założył Zespół MW2, zwany teatrem instrumentalnym, gdzie aktorzy przejmowali niejako rolę instrumentów, dodając „osobiste" komentarze. Schaeffer pisał dla konkretnych aktorów związanych z tym zespołem – *Scenariusz dla nieistniejącego, ale możliwego aktora* – dla Jana Peszka, *Audiencje*, *Kwartety*, *Próby* dla Peszka, Bogusława Kierca oraz braci Andrzeja i Mikołaja Grabowskich. Później zaczął pisać pełnospektaklowe sztuki. Nie wiem, jak często autor oglądał Janusza Gajosa i czy oglądał go częściej w kinie, teatrze czy telewizji, ale prawdą jest, że dla niego napisał sztukę *Tutam*, rodzaj żartu językowego zawierającego jednak głębsze znaczenie.

„*Tutam* jest o życiu. O życiu na dwu różnych poziomach. Na poziomie zawsze pożądanych aspiracji duchowych i na poziomie wegetatywnej egzystencji" – by zacytować słowa samego Schaeffera. Realizuje on swoją ideę w nader prosty sposób. On i Ona przy kawiarnianych stolikach to para intelektualistów rozprawiająca o Schopenhauerze. Ale On i Ona to równocześnie kelnerzy w owej kawiarence, ludzie dotykający materii życia. Obie pary grają ci sami aktorzy – Joanna Żółkowska i Janusz Gajos. Co chwila zamieniają się rolami – raz obsługują gości, za chwilę są obsługiwani. Pan i Pani, Kelnerka i Kelner – wystarczy zmienić timbre głosu, intonację, maniery, zdjąć marynarkę lub kapelusz i już się jest kimś innym. Inna forma, to inne myśli, słowa, uczucia; inny styl postrzegania świata. A styl to człowiek. Sens tych zabaw tworzy opozycja między tym, co wzniosłe a trywialne, patetyczne a kolokwialne, intelektualne a prostackie itd. Tu – przy stolikach i Tam – na zapleczu, w pobliżu zlewozmywaka, toczy się życie. To samo życie tych samych ludzi, ale pojawia się pytanie – czy to rola społeczna tworzy człowieka, czy też jego świadomy stosunek do roli i miejsca, jakie w życiu zajmuje? Ta nieustanna zamiana miejsc trochę przypomina gombrowiczowską dialektykę gęby i pupy, niższości i wyższości, formy i bezformia, oraz fascynację pisarza dolnymi rejonami egzystencji. To, co dzieje się „pod krzakiem losu naszego", czyli w rejonie podświadomości, sekretnych pragnień, tajonych skłonności.

Ta farsa z filozoficznym podtekstem – napisana przez wybitnego kompozytora i niezrównanego popularyzatora muzyki współczesnej – wymaga nadzwy-

Dziwna jedność miejsca i akcji Tu i Tam. *Tutam* Bogusława Schaeffera

czajnych aktorów. Profesjonalnych, którzy wszystkie przebieranki fizyczne i mentalne utrzymają w ryzach formy, nie gubiąc przy tym ani tempa, ani rytmu widowiska, skomponowanego jak muzyczna fuga. Po *Ławeczce* Gelmana dla pary Żółkowska – Gajos nic nie mogło być trudne, ani momenty udawanych przeżyć, ani łgarstw najprawdziwszych. Po wielekroć pokazywali nam sztuczki transformacji, natychmiastowej, wiarygodnej, absolutnie prawdziwej i całkowicie udanej. Jak iluzjoniści, którzy wyjmują króliki z kapelusza, karty lub jajka z rękawa, wyciągają metry kolorowych chusteczek, tak i oni pokazywali nam, czym jest aktorstwo. I co? I nic! Siedzieliśmy z rozdziawionymi gębami, pilnie obserwując, na czym polega owa sztuka transformacji, i ani tego powtórzyć, ani opisać nie potrafimy. Aktorstwo jak było, tak pozostało tajemnicą. Dla nas, widzów – bo ani dla Gajosa, ani dla Żółkowskiej tajemnic ono nie ma. To zawód. Po prostu zawód? Tylko tyle?

Wystarczyło tego na trzy setki przedstawień i blisko dziesięć lat grania. Uroczyste trzechsetne przedstawienie *TUTAM* odbyło się w połowie listopada 2002 roku na Dużej Scenie Teatru Powszechnego. Spektakl został nagrany dla telewizji w roku 1997, więc wydawałoby się – spokojnie może zejść ze sceny. A jednak nie, publiczność wciąż chce go oglądać. Iluzjonista na małym ekranie to nie to samo, co iluzjonista na żywo. Zatem głosimy pochwałę czystego, żywego teatru.

Ponad dwieście razy zagrano także komedię Aleksandra Fredry *Mąż i żona*. Bo choć stara, ponad stusiedemdziesięcioletnia, opowiada o wiecznie żywych uczuciach, a te pozostają niezmienne. O znudzonej sobą parze, po niedolach małżeństwa szukającej pociechy w ramionach przyjaciół domu lub pokojówek. Czwórka fredrowskich bohaterów, w odróżnieniu od bardzo młodych pierwowzorów, to ludzie dojrzali, obdarzeni świadomością upływającego czasu. Tym gorliwiej zajmują się romansami, jakby chcieli nadrobić stracone okazje.

Artyści grają bohaterów o obniżonym, w stosunku do pierwowzoru, statusie społecznym. Ot, choćby Wacław Janusza Gajosa maniery demonstruje zgoła mało hrabiowskie. Tu gestem szulera tasuje karty, tam mówi rozparty a pewny siebie. Pan sytuacji, beneficjant losu wie, że wszystko mu się należy, za wszystko może zapłacić, co niechybnie dowodzi, że tytuł hrabiowski sobie kupił. I to wcale niedawno. Gestem nuworysza ofiarowuje pokojówce pierścionek, a żonę traktuje protekcjonalnie, jak dobro zdobyte na własność, nie przypuszczając zgoła, że ona także mogłaby pomyśleć o innym. Zadufany samiec, ale przecież w wykonaniu Gajosa nie bez wdzięku. Bardzo lubi kobiety, zwłaszcza te, nad którymi dominuje. Wtedy zdobycz jest pewna i łatwa. A jeśli spotka spryciulę taką jak Justysia, dziewczę z ambicjami, z rozkoszą, za to bez skrupułów, daje się wciągać w miłosne gierki. Lecz to tylko część charakterystyki postaci, wyraźna, choć nieprzesadzona. Stylu pilnują sam autor i wierni mu aktorzy, bo przecież rzecz cała napisana jest cudownym wierszem. Klasycznym, wymagającym zachowania średniówki, utrzymania rytmu, pauz i puent, gdyż niemal każda kwestia brzmi jak maksyma albo aforyzm. Dodatkowym utrudnieniem dla aktorów jest zmienność wiersza: trzynastozgłoskowiec przeplata tu Fredro jedenasto- i ośmiozgłoskowcem.

Fredrowski rytm wiersza, często podkreślany przez Gajosa uderzeniami szpicruty, nie pozwalał ani na zbytni psychologizm, ani na zbyt konwencjonalne traktowanie uczuć. One były i wielkie, i prawdziwe, tylko rozegrane w półtonach, niedomówieniach, zawieszeniach spojrzeń i głosu. Dostaliśmy więc pełnokrwiste, pełne wad, ale także dwuznacznego wdzięku figury. Nie figurki wystylizowane na modłę sentymentalnych romansów, z chusteczką pełną łez i złamanymi sercami. Piątka aktorów, najjaśniejszych gwiazd zespołu, oprócz Janusza Gajo-

Fot. R. Pajchel, Teatr Powszechny

Raz w życiu, na dwusetnym przedstawieniu *Męża i żony*, Krystyna Janda mnie „ugotowała". Po kwestii – Elwira sama błąd mi swój wyznała – pojawiła się z ręką na temblaku, podbitym okiem, o lasce. Nie wytrzymałem i uciekłem ze sceny

sa – Krystyna Janda (żona), Joanna Żółkowska (pokojówka Justysia), Piotr Machalica (Alfred) i Gustaw Lutkiewicz (kamerdyner) – przygodami niewiernych małżonków przez ponad 200 wieczorów bawiła publiczność. Krytyków również.

„Gajos najlepiej ze wszystkich radzi sobie z Fredrowskim wierszem. Brzmi u niego najbardziej naturalnie. Średniówki i kadencje nie są dlań nieznośnym wędzidłem, lecz naturalnym sposobem mówienia postaci. Tak podawany wiersz pokazuje całe bogactwo sponiewieranej ostatnio polszczyzny" (Tomasz Mościcki, „Mali ludzie" – *Pokaz* nr 1/1994).

„Wykonawcy nie zachowują się wierszem w takim sensie, jaki określił Tadeusz Łomnicki, próbując Papkina w warszawskim Teatrze Polskim; po tej scenie nie da się chodzić ośmiozgłoskowcem. W Powszechnym nie tylko nie chodzi się, lecz także nie siada i nie wstaje w rytmie wiersza. Nikt też nie bawi się w matematykę, w akcentowanie rymów parzystych i nieparzystych. Z jednym wyjątkiem może – Janusz Gajos w roli Wacława mocno rytmizuje zachowania, ale ten aktor ma od Pana Boga i natury daną absolutną organiczność słowa i ruchu (zdarza mu się jednak haftować tekst)" (Barbara Osterloff, „Fredrowski marivaudage" – *Teatr* nr 1/1994).

Teatr, jak wiadomo, jest sztuką zbiorową. Szatan jednak wymyślił teatr jednego aktora, od którego gorszy może być tylko teatr jednej aktorki, jak mawiał pewien mizoginista po czwartym rozwodzie. Janusza Gajosa przez całe życie monodram omijał, a może on omijał monodram. Pewnego dnia jednak pojawił się w teatrze Krzysztof Zaleski z pomysłem zrealizowania *Mszy za miasto Arras* Andrzeja Szczypiorskiego. Nic by w tym pomyśle nie było szokującego, gdyby nie fakt, że jest to powieść, krótka (sto dziesięć stron), lecz nie dramat. Stworzenia monodramu z tego materiału literackiego mógł się podjąć jeden aktor w tym zespole – Janusz Gajos.

Msza Szczypiorskiego opowiada o dramatycznych wydarzeniach, jakie miały miejsce w Burgundii w końcu piętnastego wieku. Wiosną 1458 roku miasto Arras nawiedziła zaraza, w ciągu miesiąca piąta część obywateli straciła życie. W październiku roku 1461 z niewyjaśnionych przyczyn nastąpiło słynne „Vauderie d'Arras", okrutne prześladowania Żydów i czarownic, procesy o urojone herezje, a także wybuch łupiestwa i zbrodni. Po trzech tygodniach przyszło uspokojenie. Jakiś czas potem biskup Utrechtu unieważnił wszystkie procesy o czary i pobłogosławił Arras. Sens powieści nie leży w odtworzeniu historycznych wydarzeń, tylko w pokazaniu uniwersalnego mechanizmu nadużyć, prowokacji służących totalitarnej władzy, by podporządkować sobie naród. Napisana z początkiem lat siedemdziesiątych, odnosiła się w sposób oczywisty do wydarzeń Marca 68, czasu antyżydowskiej nagonki, politycznej manipulacji i głębokiego rozczarowania polskiej inteligencji systemem monopartyjnej władzy. Po wielu latach jednak okazała się znów aktualna, może bardziej jako przestroga przed niezmiennymi pokusami rządzących.

Zacytuję tu kilka fragmentów recenzji, od ściśle opisowych po taką, która pokazuje, czym może być pisanie o teatrze, jeśli przedstawienie ogląda człowiek

Fot. J. Pajewski, Teatr Powszechny

Współczesna historia sprzed pięciuset lat

Msza za miasto Arras
Andrzeja Szczypiorskiego

wrażliwy, obdarzony talentem pisania. Paradoks polega na tym, że tak wspaniałej recenzji doczekał się Gajos po monodramie.

„Fenomen aktora. Polega on na tym, że znakomity aktor, podając tekst, dodaje mu cząstkę własnej wielkości. Janusz Gajos przedstawia nam tekst tak, jakbyśmy go sami nie potrafili odczytać. Naturalnie, prosto, bez fałszywej retoryki, ale i bez ogrywania sytuacji, o których mówi. Krzysztof Zaleski postawił na pełny uniwersalizm – nie wiadomo, do kogo bohater się wypowiada i po co, nie wiadomo, gdzie jest, nie wiadomo wreszcie, czy jest to spowiedź, czy donos (różne przecież gatunki nie tylko literacko, ale i dramatycznie). A tekst jednak dźwięczy. Budzi zaciekawienie, intryguje, każe czekać i nadstawić uszu, co dalej. Złośliwi powiedzą, że jest to walor bardziej słuchowiska niż dramatu, ale odpowiedzmy złośliwym, że i przez uszy można mieć w teatrze swoją przyjemność. Monotonia, nuda i jednostajność środków stanowią największe zagrożenie w przypadku monodramu. Kunszt Gajosa pozwolił te pułapki ominąć" (Hanna Baltyn, „Msza za Arras, czyli przyjemność przez uszy" – *Życie Warszawy* nr 219/1994).

„Pole jego gry jest bardzo ograniczone. W centrum sceny znajduje się ciężkie, zdobione krzesło, pokryte wzorzystą draperią – jedyny element scenografii Zofii de Ines. Pada na nie niezbyt szeroki snop światła. W jego kręgu koncentrują się wszystkie działania aktora. Poza chusteczką, którą kilkakrotnie Gajos ociera zmęczoną twarz, nie ma tu rekwizytów. Najważniejsze jest słowo i jemu podporządkowana jest zarówno reżyseria, jak i aktorstwo Janusza Gajosa. (...) Aktor nigdy nie traci kontaktu z publicznością, zawsze koncentruje na sobie całą jej uwagę. Kilkakrotnie widzowie stawiani są w roli bezpośrednich słuchaczy Jana,

198

mieszkańców Brugii, gdy Gajos zwraca się wprost do widowni: *Panowie!* Przejmujący jest moment, kiedy cicho wylicza zbrodnie miasta, a każdej towarzyszy bezgłośne uderzenie w oparcie krzesła. Trudno zapomnieć jego zmienioną przez charakteryzację twarz, twarz starego, zdziwionego złem człowieka" (Jacek Wakar, „Rzecz o rozpadzie" – *Teatr* nr 10/1994).

„Nosi najzwyklejsze imię Jan. Jest starym człowiekiem, nawet bardzo starym. Dziwny to jednak rodzaj starości, jakby wyrzucony poza nawias upływającego czasu. Taka starość nigdy się nie kończy, nigdy nie zaczyna. Gdyby się uprzeć i przyłożyć do niego miarę naszych zwyczajnych i skończonych rachub, miałby dziś 570, może 580 lat. Ale to bez znaczenia. Nie chodzi o niego. Chodzi o nas. Jan wkracza na scenę, by opowiedzieć historię kilku oszalałych tygodni, wyjętych z życia swego rodzinnego Arras, historię, która niczego nas nie nauczy. On już to wie, my – jeszcze nie. Pewnie dlatego opowiada jakby z głębi rezygnacji. Nic już nie zostało do zrobienia. Pozostały zdania. (...)

...Zaczęło się wszystko, by tak rzec, niewinnie. Rzeczywiście. Jednemu z obywateli Arras padł koń. Tylko tyle. Bywa, że rzeczy przedziwne rodzą się z drobiazgów, których nikt nawet nie zauważa. Później niczego już nie da się odwrócić. Padł koń, po czym rozpętało się piekło. Wokół Arras zacisnęła się pętla totalizmu. O tym właśnie opowiada stary, bardzo stary intelektualista. Z niczego coś się narodziło, coś nie do ogarnięcia.

Jan z precyzją zegarmistrza przedstawia fakty. Ale przemyca zarazem coś jeszcze. Przemyca swoją niegdysiejszą bezradność wobec faktów. Dzisiejszą świadomość niegdysiejszej bezradności. Mówi jednocześnie o krachu rzeczywistości i pokazuje krach intelektu. Totalizm go przerósł, wymknął się spod kontroli. Może myśl jedynie spekulatywna to za mało, by uporać się ze złem? Ale to truizm... Więc co pozostaje?

Może właśnie ten gorzki stan rzeczy, kiedy ktoś mówi do nas, jak dziad do obrazu, wiedząc doskonale, że i tak musimy – jakby co – przejść po jego śladach. Od pychy intelektu do jego skromności. Że i tak żadnych nauk z tej opowieści nie wyciągniemy, bo nie możemy. Może właśnie dlatego ten gorzki spektakl pozostaje. Przedstawienie, w którym widać stare, zmęczone oczy mądrego człowieka. Zmęczenie spływa z rozczarowanego sobą mózgu.

Na koniec nic innego nie pozostaje, jak tylko podziękować za to Januszowi Gajosowi. Rzadko się zdarzają role tak wspaniale dyskretne" (Paweł Głowacki, „Trudny oddech mózgu" – *Dziennik Polski* nr 21/1996).

Kiedyś, gdy teatr miał swoją rangę, a nie było to tak bardzo dawno, jakieś trzydzieści, czterdzieści lat temu, pisali o nim wybitni intelektualiści, pisarze. Niestety, wielkość aktorstwa Gajosa przypadła na czasy, gdy teatr przestał ekscytować elity. W każdym razie w tym stopniu, by pisarze ze słów tworzyli portrety aktorów, jak Adolf Rudnicki, Jan Kott czy Konstanty Puzyna. Przedstawienia omawiane są przez codzienne gazety w coraz krótszych, coraz bardziej zdawkowych recenzjach. Tygodników, poświęcających miejsce kulturze, jak na lekarstwo. Szkoda. Tekst Pawła Głowackiego przywraca zapomnianej już profesji krytyka honor, dlatego przytoczyłam aż tak obszerne jego fragmenty.

Ożenek Mikołaja Gogola w porównaniu z *Martwymi duszami* wydaje się nie tylko łatwiejszy – odpada problem adaptacji zawsze zubażającej – ale wręcz zwyczajny. Żadnej w nim fantasmagorii, rzeczywistości mroczniejącej w widmowych kształtach. Jest to na wskroś realistyczna komedia charakterów o akcji konstruowanej psychologią, a nie komplikacjami wątków. Na dodatek jej niewątpliwe nowatorstwo – brak intrygi miłosnej – stało się dziś oczywistością. Bez szczęśliwego zakończenia perypetii zakochanych, a tu ich w ogóle nie ma, w czasach Gogola nie sposób było sobie wyobrazić komedii. Gusty publiczności kształtowały melodramaty i wodewile. Świadomy zwrot autora ku tradycji Moliera i Szekspira przyczynił się do teatralnej klapy *Ożenku,* zarówno w Petersburgu, jak i w Moskwie. Ta najmniej gogolowska sztuka rzadko bywa wystawiana. Jakby w obawie, że wraz ze zmianą obyczaju temat małżeństwa, traktowanego jako transakcja handlowa w asyście swatów, przestał być aktualny. Co i prawda.

Teatr Powszechny udowodnił jednak, że z tego materiału literackiego można zrealizować świetne przedstawienie, wywodzące się jak najbardziej z ducha Gogola. Reżyser, Andrzej Domalik, zrezygnował z opisowego realizmu na rzecz ujęć syntetycznych. Tę jakość myślenia widać już z chwilą podniesienia kurtyny, gdy ukazuje się wielki, wypełniający niemal całą przestrzeń sceny płaszcz, dolnymi połami dotyka prawie podłogi. Poza tym scena pusta. Trudno nie pomyśleć w tym momencie o słynnym zdaniu, najprawdopodobniej Iwana Turgieniewa – Myśmy wszyscy wyszli spod *Płaszcza* Gogola – które jak echo przewija się przez całą literaturę rosyjską.

Choć obraz płaszcza nie odnosi się bezpośrednio do *Ożenku*, scenografia uruchamia uniwersalizujące skojarzenia. Dalej też jest dobrze, pojawią się jednakowe kanapy zaznaczające miejsca akcji – jedna w domu Podkolesina, druga u jego „narzeczonej" Agafii Trifonowny. Autorka scenografii, Jagna Janicka, całą charakterystykę prowincji rosyjskiej lat czterdziestych ubiegłego wieku przeprowadza w kostiumach. Wie, że ich cechą podstawową musi być nadmiar – za dużo koronek, falbanek, kokardek, kolorów i loczków. Całość utrzymana zostaje w brązowo-złoto-czerwonej kolorystyce. Forma strojów, lekko tylko przerysowana, dokładnie określa proweniencję ich właścicieli. Reszta należy do aktorów – w s p a n i a ł y c h. Złych ról po prostu nie ma, każda warta opisu jak w najlepszych czasach tego zespołu. Zasługą Andrzeja Domalika pozostaje, że zaufał aktorom na tyle, aby jego reżyserię można było określić jako niewidoczną. W tym przypadku najlepszą.

Parą rozgrywającą są Koczkariew i Podkolesin, czyli Janusz Gajos i Władysław Kowalski. Pierwszy, żywy i śliczny, z utrefionym lokiem na środku głowy i dwoma po bokach, w tużurku z fularem, wygląda tak, jakby się pojawił wprost z karykatur Bernadzkiego i Angina. Cały realizuje się w ruchu, minuty nie usiedzi w spokoju, krząta się wokół swego towarzysza jak nakręcony, animuje każdy jego ruch, roztacza perspektywy świetlanej przyszłości w małżeństwie, uroki ojcostwa. Plącze intrygę podstępnie, twardo, ale skutecznie. Ironicznie także, wbrew logice i rozsądkowi wyraźnie bawi się sytuacją ożenku sąsiada.

Bynajmniej niebezinteresownie, ślub w małej prowincjonalnej dziurze, przyjęcie weselne, które z niebywałą ochotą organizuje, to przecież dla wszystkich wydarzenie. A także okazja zarobku – bo i wódkę trzeba kupić, i zakąskę dla wielu gości. To jakiś cel działania, a jeśli jest cel, to i błoto na ulicach przeskakuje się, jakby go nie zauważając. Inaczej grzęźnie się w nim jak w dookolnej pospolitości. Więc Gajos dwoi się i troi, biega, podskakuje, znika niespodziewanie, by za chwilę pojawić się z innym pomysłem, krzyczy i przymila się, perswaduje i straszy; próbuje dopiąć dzieła i siłą, i sposobem.

Jest o co walczyć, tym bardziej jeśli się trafia na opór. Ogromny. Podkolesin Władysława Kowalskiego to tak zwana kupa nieszczęścia, nieudacznik do n-tej potęgi. Zakompleksiony abnegat. Nie zdarzy się, by włożył ubranie normalnie, zawsze zostanie zagięty kołnierzyk, zwisający bez sensu szalik, niedopięta koszula. Każdy ruch grozi katastrofą, każde działanie pozostawi efekt niezborności. Taka uroda. Sam właściciel jest nią zdumiony, wiecznie wytrzeszcza przerażone oczy. Nieodrodny prototyp Obłomowa, zalegający całymi dniami na kanapie ze wzrokiem utkwionym w sufit. Coś by chciał, i owszem, ale w tym celu trzeba zdjąć nogi z kanapy, gdzieś pójść, coś powiedzieć. A to już za dużo, za trudno i w ogóle bez sensu. Aktorzy wygrywają kontrast osobowości swych bohaterów w każdym szczególe. A czyż może być coś śmieszniejszego niż wspólne działania kogoś, kto jest samym żywiołem życia, z kimś, kto jest totalną ofermą? Ale to jeszcze pestka w porównaniu

Gogol z pobłażaniem przygląda się wybrykom ludzkiej natury. *Ożenek* w Teatrze Powszechnym

Fot. M. Mutor, Gazeta Wyborcza

z tym, co taki Podkolesin będzie musiał przeżyć, gdy pojawią się kobiety. Ze swatką Fiekłą Iwanowną – pół biedy. Gorzej z samą narzeczoną, do której należy udać się z wizytą. Zanim jednak do tego dojdzie, ujrzymy całą galerię pretendentów do ręki, których cwana Fiekła umówiła na jedną godzinę, by skuteczniej dobić transakcji. Małżeństwo jest interesem, co do tego nikt z zebranych nie ma wątpliwości. Bez żenady więc pretendenci do ręki dyskutują o narzeczonej jak kupcy na targu. Koczkariew Gajosa robi wszystko, by Agafia przypadła Podkolesinowi.

Oczywiście pisano, jakżeby inaczej, o „koncercie gry", „koncertowym duecie aktorskim", „wspaniałych kreacjach", „wielkich rolach", a także – „grali całym sobą od stóp po czubek głowy". „Rola Gajosa jest fajerwerkiem aktorskiej brawury i poczucia humoru" (Jacek Bukowski, „Gogol bez ulepszeń" – *Przegląd Tygodniowy* nr 8/1995). Przez kilka lat zespół *Ożenku* objechał kawał świata, bawiąc widzów od Londynu przez Gruzję wcale niegłupim przesłaniem – kobieta też człowiek, a nie towar.

Parokrotnie wspominałam już, jak ważny jest dla aktora repertuar klasyczny. Makbet Szekspira to marzenie aktorów – wielka rola w wielkim repertuarze. Po raz pierwszy w karierze Janusz Gajos otrzymał taką rolę: spełniał wszystkie warunki, by ją zagrać. Lecz nie stała się jego sukcesem. Nie mogła się stać w przedstawieniu od początku źle pomyślanym. Już operowa scenografia Andrzeja Kreutz-Majewskiego – monumentalne, czarno-marmurowe ściany – przytłaczała niewielką scenę i wszystkich aktorów, dając poczucie klaustrofobii. Kojarzyła się raczej z nowobogackimi łazienkami niż z renesansowym pałacem. Główny jednak pomysł reżysera Mariusza Trelińskiego polegał na tym, by pokazać, że motywem zbrodni jest bezdzietność królewskiej pary. Poczucie niespełnionego macierzyństwa, czyli brak potomka, który mógłby dziedziczyć tron, pchnęło lady Makbet (Krystyna Janda) do zabicia Dunkana, a później do następnych morderstw, w które wciągnęła męża. Pomysłu nie udało się uwiarygodnić ani Jandzie, ani Gajosowi, choć trzeba powiedzieć, że aktor robił wszystko, by tekst docierał do widzów. Jednak przy tak karkołomnej interpretacji nawet wyrazista postać Gajosa nie mogła uratować całości. Co do tego zgodni byli wszyscy recenzenci.

„Makbet Gajosa to postać ciemna i niejednoznaczna. Ciężko stąpa po scenie, ciężko i powoli, charczącym, chrapliwym głosem wypowiada swoje monologi i kwestie. W tym, jak gra Szekspirowskiego bohatera, skupia się cała gorąca siła, jaką niesie postać. Rola Janusza Gajosa to – niestety – jedyna dobra strona warszawskiego przedstawienia. Kreacja aktora tonie bowiem w morzu niedorzeczności i chybionych pomysłów" (Jacek Wakar, „*Makbet* jednej roli" – *Życie Warszawy* nr 124/1996).

„Nie dziwi więc, że Makbet grany przez Janusza Gajosa raczej jest sprawnym rzezimieszkiem powodowanym chęcią zysku niż skomplikowaną osobowością o niepohamowanych ambicjach" – pisał Piotr Gruszczyński w tekście „Szekspiry" (*Tygodnik Powszechny* nr 29/1996). Szkoda, jak każdej straconej szansy. W nadmiarze niedorzecznych pomysłów zginie nawet arcydzieło.

Anglicy mówią
zabobonnie
o tej sztuce
„The Play".
Wiedzą, co robią,
nie wymieniając
tytułu.
Makbet
Wiliama Szekspira

   Przykładem roli całkowicie odmiennej jest Carter w *Simpatico* Sama Sheparda. Janusz Gajos zaczyna spektakl jako pewny siebie biznesmen. Nienagannie
ubrany w markowy garnitur, lata pierwszą klasą samolotu, jeździ luksusowym
samochodem. Słowem, człowiek u szczytu powodzenia. Świadczy o tym dys-
kretny uśmiech, pewność ruchów, mimowolnie okazywane poczucie wyższości
nad niegdysiejszym przyjacielem, którego znajduje pijanego w nędznej norze.
   Odwiedzając Vinniego (Władysław Kowalski), któremu notabene zabrał żonę, Carter wchodzi w krąg ciemnej przeszłości, przekrętów i oszustw, dzięki którym osiągnął luksus oraz pozycję w biznesie. I coraz trudniej mu się od tej cuch-
nącej przeszłości uwolnić. Pamięć o niej zdziera z niego nie tylko ów markowy
garnitur, odsłania także źródło sukcesu. A był nim szantaż kolegi, by zagarnąć
jego wygraną na wyścigach konnych. Po wielu latach załamany Vinnie chce oddać zdjęcia, które ich wspólnemu znajomemu Simmsowi zniszczyły karierę i ro-

Bezwzględna
opowieść
o prawdziwej
kondycji człowieka.
Simpatico
Shama Sheparda
z Władysławem
Kowalskim

dzinę, lecz Simms (Franciszek Pieczka) już niczego nie chce poza tym, by z satysfakcją obejrzeć upadek swych oprawców, zwłaszcza Cartera.

Janusz Gajos, krok po kroku, prowadzi swego bohatera po równi pochyłej do
całkowitej degrengolady. Najpierw prawie niezauważalnie pozbywa się krawata
i sztywnego kołnierzyka, coraz więcej pije, z coraz większym wysiłkiem panuje
nad ruchami i manierami. Potem już nie ukrywa przed dawnym przyjacielem
swojego alkoholizmu, odsłania się coraz boleśniej i coraz bardziej staje się bez-
bronny wobec dawnych grzechów, wyłażących na jawie i we śnie. Kończy spektakl jako człowiek na dnie upadku, bez koszuli, zaplątany we własne spodnie,
niekontrolujący ani ruchów, ani fizjologii, trapiony lękami, które po alkoholu ol-
brzymieją.

Doskonała rola, łącząca w sobie prawie wszystkie barwy zła, ukazuje psychiczne koszta sukcesu, ufundowanego na łajdactwie. Zagrana z niezawodną logiką, matematycznie prawie wymierzona, by żaden ruch, gest czy słowo nie zabrzmiały fałszywie, sentymentalnie, budząc współczucie widzów. Nic z tego, aktor bez litości obnaża podłą duszę bohatera, czego konsekwencją i wyrazem jest coraz bardziej bezwolne jego ciało. Ale brak kontroli pijusa nad ruchami, słowami jest na zimno zrobiony przez aktora. Niemal jak pantomima albo precyzyjna choreografia. Fantastyczne! Przy takim aktorstwie nawet średnia, tak zwana użytkowa literatura, podnosi się o kilka pięter w górę.

Instynkt podpowiada jednak aktorowi, że powinien mierzyć jak najwyżej. Umieszczoną tam poprzeczkę gwarantuje literatura. Uniwersalna, podejmująca najbardziej skomplikowane problemy ludzkiej egzystencji i równie złożone postacie. W dziejach światowej literatury jedną z najbardziej powikłanych i mrocznych postaci na pewno jest Swidrygajłow ze *Zbrodni i kary* Fiodora Dostojewskiego. Nic tak nie podnosi adrenaliny jak wielkie wyzwania, nic też dziwnego, że Janusz Gajos zmierzył się z powstałym w umyśle pisarza potworem. Była to ostatnia rola, jaką aktor przygotował w Teatrze Powszechnym. Niejako na pożegnanie, bowiem od ubiegłego sezonu jest sam sobie panem, sterem i okrętem. Nie należy do żadnego zespołu, ale zawodu nie porzucił. Wręcz przeciwnie. Przeszedł na tak zwany wolny rynek, by wybierać propozycje najlepsze. Taka decyzja łączy się z ryzykiem, ale też otwiera nowe możliwości. Spotkanie reżyserów, którzy proponują odmienną estetykę, pracę w innych niż dotąd zespołach.

Niedawno, 14 września 2002 roku, odbyła się premiera *Rewizora* w Teatrze Dramatycznym, gdzie aktor zagrał Horodniczego – jedną z największych ról światowego repertuaru. Naczelnika miasta, sprawującego także nadzór nad policją, co w realiach dziewiętnastowiecznej Rosji oznaczało wszechwładnego pa-

Znowu Gogol – sen o szczęściu urzędnika

Rewizor w Teatrze Dramatycznym z Jarosławem Gajewskim

Fot. Z. Bielawka, Teatr Dramatyczny

na. Ale pana tylko owego miasteczka, który choć rządził podległymi mu urzędnikami niższych szczebli, podlegał kontroli zwierzchników ze stolicy. I, rzecz jasna, marzył o tym, by awansować, czyli wydobyć się z owej prowincji do Petersburga.

Gogol postanowił jednak wykpić nie tylko przywary urzędniczej świty, ale uderzyć w samą istotę samodzierżawia. Prostym pomysłem wizyty fałszywego Rewizora ośmieszył w osobach Horodniczego, jego rodziny i podwładnych nie tylko głupich, niekompetentnych i przekupnych urzędników, lecz i system rosyjskiej władzy. *Rewizor* Andrzeja Domalika zabrzmiał niestety aktualnie, mimo że mamy demokrację, a nie samodzierżawie. Dusza urzędników pozostaje chyba niereformowalna, skoro głupota Horodniczego nadal bawi i kojarzy się z najświeższymi gazetowymi wiadomościami. Niekompetencja, korupcja, gięcie karku przed przedstawicielem władzy wyższej i totalne lekceważenie potrzeb ludności, której teoretycznie się służy – skąd my to znamy? Nic nowego, a jednak Janusz Gajos znalazł sposób, by jego Horodniczy stał się głównym bohaterem tego przedstawienia.

Trójkątny kapelusz Napoleona, jaki wkłada już w pierwszej odsłonie, sugeruje pułap ambicji. Tak więc gdy w miasteczku zjawia się Chlestakow, urzędnik z Petersburga (Maciej Stuhr), Horodniczy od razu znajduje się we właściwym miejscu. Pierwszy go wita w zajeździe, pokornie płaci zaległe rachunki, wciska pieniądze, zaprasza do własnego domu. Żadne upokorzenie mu nie straszne, żaden afront ze strony bezczelnego młodzieńca nie boli. Gdy idzie o ocenę działalności, pieniędzy nie żałuje, gościny nie skąpi, zniesie wszystko z uśmiechem i pokorą. Ale wszystkie osobiste poniżenia odbije sobie z nawiązką, upokarzając podległych mu urzędników.

W tych wszystkich drobnych działaniach, krzątaninie wokół znamienitego gościa, Gajos buduje ekspozycję roli. Kreśli drobiazgowy portret głupca z przylepionym uśmiechem na twarzy. A z drugiej strony podłego okrutnika, który bez wahania zatłukłby konkurentów w wyścigu po apanaże. Prawdziwa wielkość roli objawia się w drugim akcie, gdy Horodniczy zastaje córeczkę całującą się z panem Chlestakowem. Zamiast spoliczkować nicponia, jak wymagał tego ówczesny kodeks honorowy, gnie się w ukłonach. Liczy na mariaż? Owszem, ale nie szczęście dziecka mu w głowie, tylko awans do stolicy. Niedoszłemu narzeczonemu wciska kolejne pieniądze, by szybciej wrócił.

I tu Gajos zaczyna popisową partię. Siada na krześle w głębi sceny, żona i córka oraz kilku urzędników po bokach. Omiata ich wszystkich niewidzącym wzrokiem, by roztoczyć wizję swej świetlanej przyszłości. Począwszy od stanowiska, jakie mąż córki załatwi, przez nowe luksusowe mieszkanie, po kontakty towarzyskie, wizyty, rauty, bale. Widzi siebie w mundurze petersburskiego Rewizora, gdy jedzie pociągiem po Rosji, a wszyscy Horodniczowie przed nim stają, prężą się, kłaniają, pieniądze wciskają. To kocha najbardziej – władzę i siebie na szczycie, w luksusie, hołdach, ukłonach podwładnych. Ta wizja go upaja, syci, unosi nad ziemią, jakby rzeczywistość utraciła prawa grawitacji. Szczęście nie ma granic. Rozkosz rozlewa mu się po twarzy. Wszyscy to widzą, podziwiają i zazdroszczą.

Tym większe, prawem kontrastu, będzie upokorzenie. Publiczne, gdy Iwan Szpiekin, naczelnik poczty, przeczyta przy wszystkich zebranych list o przybyciu prawdziwego Rewizora. Horodniczy Gajosa bronić się będzie śmiechem najpierw nerwowym, potem coraz bardziej okrutnym, sarkastycznym, bo zwróconym do wewnątrz, jakby próbował ukryć ten śmiech w klapie munduru. Jakby chciał na powrót schować to, co tak naiwnie odsłonił – podszewkę duszy. Słynne kwestie: „Z czego się śmiejecie? Z siebie się śmiejecie!" – brzmią gorzko i smutno.

Przed wejściem na widownię słyszałam dialog bileterki z pewną starszą panią: – Nie ma już miejsc na parterze dla widzów z wejściówkami, proszę pójść na balkon. – Ja przyszłam na Gajosa, przy drzwiach postoję, nawet dwie godziny, a na balkon nie pójdę! – Myślę, że ta pani nie zawiodła się, tak jak wielu widzów, którzy przyszli „na Gajosa". To chyba najlepsze recenzje, jakie może usłyszeć aktor o swojej pracy. Takiemu i wolny rynek niestraszny, przyciągnie widzów do każdego teatru.

Fot. P. Wójcik, Gazeta Wyborcza

„Chopin, gdyby jeszcze żył, to by pił". *Wesele* Stanisława Wyspiańskiego w Teatrze Powszechnym

Tajemnica sukcesu?

Żyjemy szybko, coraz szybciej. Zanurzeni w szumie informacji, coraz bardziej przerażających, często mamy poczucie zagubienia. Tym większą ciekawość budzą ludzie, którzy stali się rozpoznawalni w anonimowym tłumie. Podejrzewamy, że są bardziej szczęśliwi, zamożni, że ich życie jest ciekawsze albo bardziej kolorowe. Największe zainteresowanie budzą oczywiście uznani artyści. Wyjątkowość zawsze przyciąga uwagę, w przypadku aktorów szczególną, bowiem dzięki nim odbywamy podróże w czasie i przestrzeni, cumujemy w portach nieznanych lądów, by podglądać ludzką naturę. Zarówno w tym co piękne, jak i w tym, co najgorsze. Aktor na scenie, skryty za postacią, ujawnia prawdę o nas – strach, lęk, agresję, śmieszność – jaką w życiu staramy się ukryć. Pragniemy być przecież lepsi, mądrzejsi, w każdym razie za takich chcemy w oczach innych uchodzić. Bez aktorów bylibyśmy ubożsi o liczne doświadczenia, te przeżyte dzięki nim w wyobraźni bywają równie intensywne, jak te rzeczywiste.

Wciąż więc pytamy o zasadę sukcesu, w nadziei, że nam też uda się pójść podobną drogą, choćby nieduży kawałek. I uczynić własne życie lepszym, mądrzejszym albo tylko bardziej zrozumiałym. O talent pytamy rzadziej, wiadomo, że dostaje się go od natury. I nigdy nie bywa przydzielany każdemu po równo. W sztuce zresztą nie ma ani sprawiedliwości, ani demokracji. Albo się coś potrafi, albo nie. Nie pomogą układy, znajomości, dostatek ani nawet uroda. Talent to dar Pana Boga nader kapryśny, by można było go rozmnożyć. Może kiedyś genetycy odkryją gen talentu jak wiele innych. Na razie skazani jesteśmy w tej sprawie na domysły, albo na wiarę w cuda.

Odrzucając metafizykę, mimo wszystko próbujemy się przybliżyć do tego fenomenu. I zamiast o talent, pytamy bardziej racjonalnie o sekret powodzenia. Analizujemy przeszłość sławnego człowieka, jego koneksje rodzinno-przyjacielskie, podpatrujemy sposoby zawodowe. Nie inaczej sprawa się miała z Januszem Gajosem. Wraz z rosnącym uznaniem dla jego pracy, przybywało pytań drążących te sprawy. Aktor, od pierwszych publicznych wypowiedzi, nie starał się zadziwić świata, tylko twardo stąpając po ziemi, bronił rzemiosła. Oto kilka cytatów:

Wartość aktorstwa polega według mnie na tym, żeby uprawiający je człowiek, umiał je sobie wyobrazić, a nie naśladować. (...) Nie chciałbym grać siebie. Ciekawiej jest grać wyobrażenia o ludziach, którymi można stawać się na scenie lub ekranie. Głównie zależy mi na tym, żeby uwiarygodnić postać. Często drażnią mnie dialogi, których nie można wypowiedzieć, dlatego zwykle umawiam się z reżyserem, że nie będziemy się trzymali za wszelką cenę sformułowań ze scenariusza. Interesuje mnie konstrukcja każdej sceny – żadna nie powinna mieć charakteru wyłącznie informacyjnego, musi się coś dziać („Nie gram siebie" – rozmawiał Bogdan Gadomski, *Film* nr 46/1981).*

Pytany kilka lat później przez Annę Sobańską o własną definicję aktorstwa, Gajos odpowiadał:

Nie mam gotowej definicji. Staram się, by w mojej pracy nic nie działo się przypadkowo, w sposób niekontrolowany i odruchowy. Ważna jest świadomość siebie na scenie, świadomość treści i formy. Staram się grać wyobrażenie o postaci, a nie siebie postawionego w określonej sytuacji przez autora („O przypadku i doświadczeniu" – *Teatr* nr 8/1987).

Ale na pewno nie jestem człowiekiem, który w swojej zawodowej działalności widzi jakąś misję, przesłanie, czy coś w tym rodzaju, co mogłoby zaważyć na mojej osobistej ocenie tego, co przeżywam. (...) Wielkie słowa przykrywają małe czyny. Zawsze się tego boję. Oczywiście dobrze jest robić sztukę, ale podstawą jej musi być rzemiosło, nie natchnienie. Bo częściej aktor rzemieślnik przemieni się w artystę, zwłaszcza w teatrze, gdzie nigdy właściwe nie jest sam, tylko w zespole, niż natchniony amator („Zawodowiec" – rozmowa z Teresą Krzemień – *Kino* nr 11/12 1990).

Co do mistrza, to sprawa też nie jest taka prosta. W szkole na początku wszyscy byli mistrzami. Później dopiero przyjrzałem się im z bliska. Jednych polubiłem, innych mniej. Szukałem kogoś, kto by – jak pisał Andrzej Szczypiorski w „Mszy za miasto Arras" – „rozświetlił ścieżki mojego życia". Wielu pedagogów imponowało mi wiedzą. Niektórzy byli niezłymi aktorami, ale mistrza nie miałem. A młody człowiek potrzebuje mentora, który by go wziął za rękę i pomógł omijać „maliny". Niestety rzadko się zdarza ktoś taki. Mnie się nie trafił. Więc zostawały mi te maliny. Wchodziłem w nie i sam musiałem z nich wyłazić („Wszyscy podejmujemy ryzyko" – rozmawiała Beata Matkowska-Święs, *Gazeta Telewizyjna* dod. do *Gazety Wyborczej* 3–19 kwietnia 2001).

Jacy my jesteśmy to mniej więcej wiemy: im dłużej żyjemy, tym więcej, chociaż nie do końca. Ale budowanie zupełnie innego człowieka – to mnie najbardziej interesuje i najbardziej frapuje w tym zawodzie. Każdy aktor dokonuje kreacji poprzez próby, składanie z kawałków. A potem się tę nową postać, przez siebie stworzoną, koryguje, steruje,

czuwa nad nią. I jakoś tam mamy ograniczone możliwości. Ja wyglą-
dam, jak wyglądam, staram się jednak nie grać siebie. No, a że w każ-
dej roli przypominam Gajosa – nie ma na to rady. (...) Nie zapominaj-
my, że mamy wpływ na wybór materiału. Budulec nas ogranicza, lecz
nie musimy grać wszystkiego. Staram się wybierać rzeczy, które odpo-
wiadają mojemu wyobrażeniu, np. o poczuciu humoru, estetyce, i wtedy
w to wchodzę. („Przypominam w każdej roli Gajosa" – rozmawiał Tadeusz Skutnik, *Gazeta Krakowska + Echo Krakowa* nr 17/2001)

Mogę tylko zwrócić uwagę, że najbardziej niebezpieczne w naszym
zawodzie jest zachłyśnięcie się sobą. Wydaje się bowiem, że aktorstwo
jest czymś wyjątkowym, bo stawia człowieka na piedestale. Umieszcza
go w blasku reflektorów, na nim skupia się uwaga widzów i słuchaczy.
Człowiek sobie myśli: wyglądam przyzwoicie, głupi nie jestem, dziew-
czyny za mną szaleją. I wtedy krok do samouwielbienia, przekonania, że
jest się kimś naprawdę wyjątkowym. I to właściwie jest początkiem koń-
ca („Samotność bierzemy pod pachę" – rozmowa Jana Bończy-Sza-
błowskiego, *Rzeczpospolita* nr 10/2001)

– Kilka lat temu, w rozmowie do książki o Kazimierzu Kutzu, powiedział mi
Pan, że nie chce być posłem, ministrem, działaczem, ponieważ wszyscy nie mogą zbawiać świata. Ktoś musi robić to, co umie. Słusznie, ale przyzna Pan, że nie
jest to najpopularniejsza postawa w tym środowisku.
Staram się uprawiać ten zawód w sposób czysty. Niedosyt szacunku
i uznania ciągnie ludzi w stronę różnych działań: reżyserii, polityki, dy-
rektorowania, pełnienia funkcji społecznych itd. Jeśli pod spodem tych
decyzji leży instynkt społeczny – w porządku. Jeśli zaś tylko trywialna
potrzeba dowartościowania się, dodania sobie prestiżu, uważam, że to
są niepotrzebne skoki w bok. Szczególnie polityka wiąże człowiekowi rę-
ce, automatycznie zaczyna do czegoś należeć, z czymś się identyfikować.
Nie może już być obiektywny. Każdy ma prawo mieć swoje sympatie
i antypatie ludzkie, polityczne, ale to jest jego prywatna sprawa.

– Wielu uważa, że dla mężczyzny w pewnym wieku aktorstwo to nie jest poważne zajęcie.
Zależy jak się to słowo rozumie. A granie na skrzypcach jest męskie?
Staram się uprawiać aktorstwo w sposób uczciwy, nie wiązać go z inny-
mi działaniami, nie szukać dodatkowych podpórek.
Aktorstwo polega nie na tym, by prezentować siebie, reklamować
własną osobę. Całą swoją osobą zawiadamiać świat: – Patrzcie na
mnie, jestem wspaniały! Taką postawę należy traktować jako zaczyn po-
ważnej choroby. Z takim przekonaniem robimy coś nieuczciwego. Upra-
wianie sztuki to nie jest zadziwianie świata sobą, tylko własne, prywat-
ne, możliwie najgłębsze zadziwienie światem. Artysta powinien zacho-

211

wać tę dziecięcą zdolność dziwienia się wszystkiemu. Stworzyć samemu się animując, innego człowieka. Samemu go z kawałków ulepić, kazać mu się ruszać, czyli samemu się bardzo dobrze obserwować. Tak przynajmniej powinno być. Ten zespół działań i kierujących nim myśli nazywam dążeniem do czystego uprawiania zawodu.

– Nie lubi Pan artystów z bożej łaski.

Niestety, w naszym świecie to wszystko się trochę pomieszało. Ktoś, kto ma bardzo ekspansywną osobowość, wyjątkową urodę, talenty naśladowcze, potrafi skupić na sobie uwagę otoczenia, trafia do zawodu. Wierzy, że skoro jest taki piękny, tak potrafi zabawić towarzystwo, może z powodzeniem być aktorem. Nieprawda. Najczęściej są to nieporozumienia. Tacy ludzie zostają niespełnieni zawodowo, to znaczy nie odnajdują tego, co najważniejsze – prawdy innego człowieka.

– Tu już mówi Pan o kabotyństwie, często spotykanym.

Kabotyństwo przypisuje się aktorom na takiej samej zasadzie, jak picie szewcom w poniedziałki. Nam się to przypisuje, ponieważ stajemy w światłach na podwyższeniu. Jeżeli człowiek nie umie sobie z tym poradzić i uwierzy, że skoro świeci na niego osiem lamp, to jest lepszy od innych, kabotyństwo rozkwita. Popularność, uznanie tłumów to dobra gleba. Bardzo ważna jest świadomość, że ludzie nie zbierają się, żeby mnie osobiście obejrzeć, tylko „rzecz", w jakiej biorę udział. Warto też zdawać sobie sprawę z tego, jak to powstało, po co, i zostawić rolę w garderobie.

– Ostatnio wdał się Pan w romans z fotografią. Miał Pan w Warszawie już drugą wystawę, dwa lata temu w Katowicach.

Od pewnego czasu fotografuję. Ta przygoda uruchamia nowe emocje. Światło, ostrość, to trzeba umieć, żeby zdjęcie było dobre. Najistotniejsze jest jednak to, co człowiek widzi. Ktoś widzi wszystko i nie jest w stanie wybrać albo wybiera banalny obrazek – „ja na tle ruin". Inny dostrzega sosnę, która go wzrusza, zastanawia. Przyglądanie się światu przez obiektyw, decydowanie, który kawałek rzeczywistości nadaje się do zarejestrowania i co może powiedzieć o całości, mnie frapuje.

– Swoje zdjęcia poddaje Pan obróbce komputerowej. To tylko hobby, czy też sztuka, skoro poświęca Pan temu zajęciu wiele czasu.

Bawię się komputerem od pięciu, sześciu lat i wciąż nowych rzeczy muszę się nauczyć. To wciąga. Kiedy dodaję albo odejmuję od zdjęcia jakiś element, zmieniam barwę albo nasycenie kolorów, widzę jak dokument nabiera cech osobistej wypowiedzi. Jak surowy zapis rzeczywistości, poprzez moje ingerencje, zmienić się może w sztukę. Ale traktuję to jako amatorskie zajęcie.

– Na ostatnią wystawę w Warszawie przyszły tłumy i kilka prac Pan sprzedał.

Nie sprzedałem, tylko przekazałem kilka fotografii na różne aukcje. Tam zlicytowane zasiliły konta ludzi czekających na pomoc.

– Może ktoś w Pana pracach poprzez fragment zobaczył całość. Inaczej się nie da; prawda obiektywna nie istnieje.

Każdy ma inną miarę. To zawsze sprawdza się przez siebie. Oglądamy świat z pozycji siedzącego psa, od dołu. Dopiero konkret ludzkiej egzystencji wypełnia idee zawarte w literaturze.

– Aktor chyba inaczej, niż tylko poprzez konkret, nie może pokazywać człowieka. Dlatego nie może być semiotyczny, surrealistyczny, strukturalistyczny, tylko mały albo duży, gruby albo chudy, dobry albo zły, średni albo nijaki.

Może być semiotyczny, surrealistyczny i strukturalistyczny, wszystko zależy od świadomego zastosowania odpowiednich środków wyrazu. Inaczej rzeczywiście może być tylko mały albo chudy, nade wszystko zaś średni albo nijaki. To nie polega wyłącznie na intuicji, chociaż różnie się dochodzi do efektów. Dla mnie najważniejsza jest konstrukcja. To na czym się wszystko trzyma, świadome, wręcz cyniczne obmyślenie, które z kawałków doświadczenia, wzruszenia, zimnej kalkulacji pokierują wyobraźnią widza w określonej sprawie.

– Ma Pan ciągoty do myślenia ścisłego, może nie matematycznego, ale przyrodniczego.

Świat jest zbudowany logicznie i my musimy też tak myśleć. Znaleźć najprostsze środki wyrazu, najkrótszą drogę do celu. Gdy się udaje, dopiero wtedy czuję się usprawiedliwiony przed samym sobą, że robię coś sensownego.

– Czyżby Pan odrzucał uznanie, nagrody?

Odbieranie nagród, tłum ludzi, dziennikarze, wywiady, kamery, to wszystko jest efektowne, widowiskowe a nawet przyjemne. Poszukiwanie najlepszych rozwiązań jest trudne, żmudne i nieuchwytne. Genialny pomysł może przyjść człowiekowi podczas porannego golenia, w czasie jazdy samochodem. Wszędzie. To właśnie najlepsze chwile mojego zawodu – gdy się coś sensownego znajdzie i to się sprawdza. Wtedy nie myśli się o sukcesie, tylko odczuwa radość z obcowania z istotą rzeczy.

– Zastanawiam się, czy dość rygorystycznie pojęty stosunek do zawodu wyniósł Pan z domu. Wiele się dziedziczy po rodzicach, nawet nieświadomie.

To prawda. Dość późno zdałem sobie z tego sprawę, ale chyba coś w tym jest. Matka, bardzo zasadnicza, religijna, ale zarazem tolerancyjna, nie znosiła krętactwa i kłamstw. Zawsze nam powtarzała, że jeśli się już coś robi, trzeba to robić dobrze. Prowadziła jak większość kobiet dom, oparty o proste, sprawdzalne wartości. Wiadomo było, kiedy są posiłki, kiedy się pracuje, kiedy odpoczywa. Więcej, wiadomo było bez zbędnych słów, co jest dobre, a co nie, co się należy, a co się nie należy. Zresztą o tym się nie rozmawiało specjalnie. Matka wpoiła mi przekonanie, że jeśli już coś robię, to powinienem wiedzieć po co. I że to musi mieć sens. A jeśli już zacznę, to za wszelką cenę mam to nie tylko dokończyć, ale jeszcze wykonać przyzwoicie.

– A ojciec, który się raczej nie interesował sztuką.

Ojciec był postacią dość niesamowitą i dla mnie bardzo ważną. Pochodził z małej wsi pod Kielcami. Przed wojną musiała być tam straszna bieda, więc postanowił wyjechać w świat. Parę miesięcy z różnych, zdobywanych po ludziach, części składał rower. I wyjechał w Polskę, ściśle mówiąc, na jej wschodnie rubieże. Musiała więc w nim tkwić niemała doza szaleństwa. Dojechał do Lwowa, Stanisławowa, na jakiś czas zatrzymał się w Krakowie. Wszędzie tam musiał zarobić na własne utrzymanie. Poznawanie świata w ten sposób trwało wiele, wiele miesięcy. Wreszcie około 1936, '37 roku wyruszył z Krakowa do Zagłębia. Tam spotkał moją matkę.

– Słyszałam, nie wiem czy to plotka, czy prawda, że ma Pan węgierskie korzenie.

To Bożena Dykiel zawsze mówi – O, przyszedł węgierski aktor Jonosz Gojosz! Ale poważnie, niewykluczone, że jakąś domieszkę węgierskiej krwi mam po ojcu. Kiedyś opowiadał, że „dziadowie prawdopodobnie przybyli z Węgier". Wyglądał trochę jak Cygan – ciemny, śniada cera. Kiedyś zadzwonił do mnie Henryk Kluba, wieloletni rektor Szkoły Filmowej w Łodzi, z informacją, że pojawił się u niego francuski reżyser Jean Paul Gajos. Mało tego, że się pojawił, ale jeszcze pojechał w kieleckie, skąd pochodzili jego przodkowie. Kiedy się spotkaliśmy, ów pan „Żajo" podał mi dane odnalezionej staruszki, która podobno pamięta wszystkie koneksje rodzinne sąsiadów. Miałem tam pojechać i dowiedzieć się wszystkiego dokładnie. Nie pojechałem, więc już pewnie nie poznam prawdy o moim węgierskim pochodzeniu.

– Może szkoda. Wychował się Pan na Śląsku.

Urodziłem się w Dąbrowie Górniczej. Śląsk zaczynał się za rzeką Przemszą. Z wczesnego dzieciństwa pamiętam niewiele. Syreny ogłaszające alarm, ale jak przez sen. Po wojnie bałem się wycia syren fabrycznych, musiały mi się źle kojarzyć. Przez siedem lat, do chwili urodzin brata, byłem jedynakiem. Po następnych siedmiu latach urodziła się siostra. Wprawdzie ojciec miał zawsze tyleż ciekawe co szalone pomysły, choć rzadko się one sprawdzały, to jednego nie miał na pewno – głowy do interesów. W domu było raczej biednie. Ale nie nudno. Matka ciepła, dobra i zasadnicza, ojciec szaławiła, z głową we mgle. Dużo czytał, zwłaszcza książek historycznych, i słuchał radia. Telewizor był luksusem, na który sobie nie mogliśmy pozwolić. Nawet później, gdy byłem popularny, sąsiedzi mówili: Panie Tadeuszu, pana syn taki sławny!. Odpowiadał: E..., jakby w radiu zagrał, to by było coś, ale w telewizji... Żył we własnym świecie.

– Odziedziczył Pan różne cechy.

Jestem, jak każdy, konglomeratem związku rodziców; to na pewno po matce odziedziczyłem przywiązanie do rzeczy zrozumiałych, trwałych wartości, rodziny. Po ojcu zaś, który był człowiekiem zdecydowanie niesubordynowanym, marzycielem, drzemie we mnie potrzeba przekroczenia swojej egzystencji, jakiegoś oderwania się od codzienności. Więc lubię chodzić twardo po ziemi, ale też lubię niezwykłe przygody. Najciekawsze zresztą przeżyłem w cudzej skórze. Z punktu widzenia tkwiącej we mnie potrzeby szaleństwa, aktorstwo wydaje się zawodem najbezpieczniejszym. Tu się przekracza różne światy niejako bezkarnie, no prawie, ale dla innych bezpiecznie.

– Powiada Pan – mam wspaniałą córkę, wspaniałą żonę, opiekuję się świetnym chłopcem, synem żony, jestem zdrowy, czego chcieć więcej. Tak to wygląda dopiero ostatnio.

Jeśli Pani pyta o poprzednie związki, to mogę powiedzieć jedno. Byłem wychowany w tradycyjnym domu i taki chciałem mieć, ale nie umiałem, nie umieliśmy go stworzyć. Dopiero wtedy zdałem sobie sprawę z tego, jaką wartością jest dom, rodzina. Na szczęście późno, bo późno, ale spotkałem moją żonę – Elżbietę. Jesteśmy razem już piętnaście lat i mam nadzieję, że tak już pozostanie. Żona jest także moim bardzo sprawnym i kompetentnym agentem. Córka kończy w tym roku psychologię. Mam ciepły dom, bliskich sobie ludzi. Nie narzekam na brak zdrowia ani pracy. Sensacji więc Pani nie znajdzie.

**Rodzice
Irena i Tadeusz
Gajosowie**

Z żoną w Kuźnicy

...na Bielanach

**Ślub z Elżbietą
Kraków 1990**

**Urodziny
córki Agaty**

...drugie

...dwudzieste

Z Ewą Wiśniewską
i Edwardem
Dziewońskim
w Kwadracie

Za rok o tej samej
porze przed
teatrem na
Brodwayu

Z Wojtkiem
Młynarskim
w nowojorskim
klubie

Z Guciem i Wiesią
Lutkiewiczami
w Kuźnicy

Z Krystyną Jandą
i Markiem
Barbasiewiczem
w garderobie
teatralnej,
Wałbrzych

Z Elżbietą
Zającówną
w hollywoodzkiej
Alei Gwiazd 1988

Arizona 1988

Time Squer 2000

Konferencja prasowa z mojej strony

Kalendarium

Janusz Gajos urodził się 23 września 1939 roku w Dąbrowie Górniczej jako najstarszy z trojga dzieci Ireny i Tadeusza Gajosów. Ma brata Andrzeja i siostrę Grażynę.

Do Szkoły Podstawowej nr 3 uczęszczał w Zabrzu. W 1950 roku rodzice przenieśli się do Będzina, gdzie ukończył Liceum Ogólnokształcące Towarzystwa Przyjaciół Dzieci. Maturę otrzymał w 1957 roku.

W latach 1957–1959 pracował w Teatrze Dzieci Zagłębia w Będzinie prowadzonym przez Jana Dormana. Konsekwentnie, przez trzy kolejne lata, zdawał do Szkoły Teatralnej w Łodzi i w Krakowie. Odbył służbę wojskową w jednostce pod Wrocławiem w latach 1960–1961.

W roku 1961 dostał się do Państwowej Wyższej Szkoły Filmowej, Telewizyjnej i Teatralnej w Łodzi na Wydział Aktorski, który ukończył w roku 1965, ale dyplom otrzymał w 1971 roku.

1964
PIETREK
Panienka z okienka Scenariusz – Jan Marcin Szancer, Maria Kaniewska
i Jerzy Broszkiewicz (na podstawie wątków powieści Deotymy)
Reż. Maria Kaniewska, Zdj. Adolf Forbert, Muz. Witold Krzemiński
Scen. Jerzy Skrzepiński
ZRF „Start" – WFF Łódź. Premiera: 18.12.1964

1965
ZYGA
Obok prawdy Scenariusz – Stanisław Grochowiak i Janusz Weychert
Reż. Janusz Weychert, Zdj. Mikołaj Sprudin, Muz. Wojciech Kilar
Scen: Anatol Radzinowicz
ZRF „Start" – WFF Łódź. Premiera: 19.03.1965

W maju 1965 roku aktor podpisał angaż do Teatru im. Stefana Jaracza w Łodzi, gdzie spędził pięć sezonów.

KOLUMB
Kolumbowie rocznik 20 (według Romana Bratnego)
Adapt. Adam Hanuszkiewicz, Reż. Barbara Raklicz, Scen. Mieczysław Wiśniewski
Teatr im. Stefana Jaracza w Łodzi. Premiera: 10.11.1965

219

LISTONOSZ
Kapitan Sowa na tropie (Serial TV) Scenariusz – Alojzy Kaczanowski
Reż. Stanisław Bareja, Zdj. Franciszek Kądziołka
Muz. Jerzy Matuszkiewicz, Scen. Anatol Radzinowicz
ZRF „Rytm" – WFF Łódź. Emisja: 1965

1966
JANEK KOS
Czterej pancerni i pies (Serial TV) Scenariusz – Janusz Przymanowski,
Maria Przymanowska i Stanisław Wohl (według powieści Janusza Przymanowskiego)
Reż. Konrad Nałęcki, Zdj. Romuald Kropat, Muz. Adam Walaciński
Scen. Wiesław Śniadecki, Zdzisław Kielanowski
ZRF „Syrena" – WFF Wrocław dla TV.
Premiery kinowe: (I–II) 1.01.1968, (III–IV) 14.01.1968

TKACZ
Kaukaskie koło kredowe Bertolta Brechta
Tłum. Włodzimierz Lewik, Reżyseria i scenografia – Jerzy Grzegorzewski
Muz. Paul Dessau
Teatr im. Stefana Jaracza w Łodzi. Premiera: 02.03.1966

TRAMWAJARZ
Bariera Scenariusz i reżyseria – Jerzy Skolimowski
Zdj. Jan Laskowski, Muz. Krzysztof Komeda-Trzciński, Scen. Roman Wołyniec
ZRF „Kamera" – WFD Warszawa. Premiera: 18.11.1966

ZAKONNIK
Szyfry Scenariusz – Andrzej Kijowski (na podstawie własnej powieści)
Reż. Wojciech Has, Zdj. Mieczysław Jahoda, Muz. Krzysztof Penderecki
Scen. Jerzy Skarżyński, Tadeusz Kosarewicz
ZRF „Kamera" – WFF Wrocław. Premiera: 25.12.1966

1967
ŻOŁNIERZ
Powrót na ziemię Scenariusz – Krzysztof Gruszczyński, Reż. Stanisław Jędryka
Zdj. Stanisław Loth, Muz. Wojciech Kilar, Scen. Bolesław Kamykowski
ZRF „Rytm" – WFF Łódź. Premiera: 3.02.1967

OBSADA AKTORSKA
Mocne uderzenie Scenariusz – Ludwik Starski, Reż. Jerzy Passendorfer
Zdj. Kazimierz Konrad, Muz. Andrzej Zieliński, Scen. Anatol Radzinowicz
ZRF „Kadr" – WFD Warszawa i WFF Łódź. Premiera: 26.03.1967

MARIK
Mój biedny Marik Aleksieja Arbuzowa
Tłum. Roman Szydłowski, Halina Zakrzewska
Reż. Barbara Raklicz, Scen. Henri Poulain, Opr. muz. Piotr Hertel
Teatr im. Stefana Jaracza w Łodzi. Premiera: 19.05.1967

PAN WOŁODYJOWSKI

Ogniem i mieczem według Henryka Sienkiewicza
Adapt. Wanda Maciejewska, Reż. Feliks Żukowski
Scen. Bolesław Kamykowski, Muz. Piotr Hertel
Teatr im. Stefana Jaracza w Łodzi. Premiera: 17.06.1967

MILICJANT KLEŃ

Bicz Boży Scenariusz i reżyseria – Maria Kaniewska, Zdj. Adolf Forbert
Muz. Wojciech Kilar, Scen. Jerzy Groszang
ZRF „Start" – WFF Łódź i WFO Łódź. Premiera: 7.07.1967

PARTYZANT STANKO

Zwariowana noc Scenariusz – Zdzisław Skowroński (na motywach powieści
Natalii Rolleczek), Reż. Zbigniew Kuźmiński, Zdj. Wiesław Rutowicz
Muz. Adam Walaciński, Scen. Jerzy Skrzepiński
ZRF „Iluzjon" – WFF Łódź. Premiera: 28.07.1967

MICHAŁ

Stajnia na Salvatorze Scenariusz – Jan Józef Szczepański
Reż. Paweł Komorowski, Zdj. Wiesław Zdort
Muz. Wojciech Kilar, Scen. Anatol Radzinowicz
ZRF „Kadr" – WFF Łódź. Premiera: 6.10.1967

MICZMAN I, MARYNARZ

Przełom Borysa Ławreniewa
Tłum. Stanisław Powołocki, Michał Orlicz, Reż. Feliks Żukowski
Opr. muz. Piotr Hertel, Scen. Bolesław Kamykowski
Teatr im. Stefana Jaracza w Łodzi. Premiera: 14.10.1967

AKTOR

Cyrograf dojrzałości (Film TV) Scenariusz – Jerzy Krzysztoń
Reż. Jan Łomnicki, Zdj. Wiesław Rutowicz, Muz. Andrzej Kurylewicz
Scen. Ryszard Potocki, ZRF „Iluzjon" – WFF Łódź. Premiera: 1967

SREBRNA MASKA 1967
Nagroda Ministra Obrony Narodowej I stopnia dla realizatorów i wykonawców filmu
Czterej pancerni i pies – 1967.

1968

Zwycięstwo w plebiscycie *Dziennika Łódzkiego* na najlepszego aktora teatralnego
sezonu 1967/1968.

1969

JASIEK, NOS

Wesele Stanisława Wyspiańskiego
Reżyseria i scenografia – Jerzy Grzegorzewski, Muz. Stanisław Radwan
Teatr im. Stefana Jaracza w Łodzi. Premiera: 1.02.1969

OBSADA AKTORSKA
Księżycowe ptaki Marcela Ayme (Teatr TV)
Reż. Mirosław Szonert, Scen. Czesław Siekiera
Emisja: 2.03.1969

POPINOT
Zamach Irwina Shawa (Teatr TV)
Tłum. Kazimierz Piotrowski, Reż. Roman Sykała, Scen. Jerzy Groszang
Emisja: 28.03.1969

CHOPIN
Kochankowie z Nohant Scenariusz na podstawie listów i pamiętników
Fryderyka Chopina i George Sand – Kazimierz Zygmunt (Teatr TV)
Reż. Abdellah Drissi, Scen. Henri Poulain
Emisja: 18.05.1969

JAŚ KUNEFAŁ
Młodość Jasia Kunefała Stanisława Piętaka (Teatr TV)
Scenariusz – Tadeusz Papier, Reż. Janusz Kłosiński, Scen. Czesław Siekiera
Premiera: 30.05.1969

LEKARZ
Mgła Zofii Lorenz (Teatr TV)
Reż. Maria Kaniewska, Scen. Marcin Stajewski
Emisja: 14.06.1969

1970
W maju 1970 roku Janusz Gajos angażuje się do zespołu Teatru Komedia w Warszawie.

OREST
Piękna Helena Jakuba Offenbacha
Adapt. Janusz Minkiewicz, Reż. Stefania Domańska
Opr. muz. Wiesław Machan, Scen. Lech Zahorski
Teatr Komedia w Warszawie. Premiera: 26.09.1970

JULEK „MAŁY"
Mały Scenariusz – Zofia Posmysz, Reż. Julian Dziedzina, Zdj. Wiesław Rutowicz
Muz. Jerzy Matuszkiewicz, Scen. Jarosław Świtoniak
PRF Zespoły filmowe „Wektor" – WFD Warszawa. Premiera: 4.12.1970

1971
STUDENT ANTONIUSZ
Wakacje z duchami (Serial TV) Scenariusz – Adam Bahdaj
(na podstawie własnej powieści), Reż. Stanisław Jędryka, Zdj. Stanisław Loth
Muz. Piotr Marczewski, Scen. Bolesław Kamykowski
ZF „Kraj" – WFF Łódź. Emisja: 18.03.1971

JANEK KRET
Twój na wieki Otto Zelenki
Tłum. Maria Erhardt-Gronowska, Reż. Przemysław Zieliński, Scen. Wojciech Zieleziński
Teatr Komedia w Warszawie. Premiera: 22.05.1971

Od maja 1971 roku, przez kolejne trzy lata, Janusz Gajos był aktorem
Teatru Polskiego w Warszawie.

JUAN RIBEIRA
Porwanie Jana Zakrzewskiego (Teatr TV)
Reż. Józef Słotwiński, Scen. Hanna Volmer
Emisja: 12.07.1971

PORUCZNIK MO WOJCIECH GÓRALCZYK
Kocie ślady (Film TV) (na podstawie powieści *Strzały w schronisku*
Macieja Patkowskiego)
Scenariusz – Maciej Patkowski, Paweł Komorowski, Reż. Paweł Komorowski
Zdj. Tadeusz Wieżan, Muz. Lucjan Kaszycki, Scen. Jarosław Świtoniak
ZF „Plan" – WFF Łódź TV Polska. Emisja: 1971

1972
ILIA DRAKIN
Idź z nami w tamte dni Leonida Leonowa (Teatr TV)
Tłum. Maria Zagórska, Scenariusz i reżyseria – Stefan Szlachtycz
Muz. Witold Rudziński, Scen. Mariusz Chwedczuk, Emisja: 6.11.1972

OLIWER
Jak wam się podoba Williama Shakespeare'a
Tłum. Czesław Miłosz, Reż. Krystyna Meissner
Muz. Kazimierz Serocki, Scen. Teresa Targońska
Teatr Polski w Warszawie. Premiera: 9.11.1972

ANDRZEJ
Matka Karola Čapka (Teatr TV)
Tłum. Czesław Sojecki, Reż. Frantisek Filip, Scen. Marcin Stajewski
Emisja: 11.12.1972

JULIUSZ
Dary magów (Film TV) (na podstawie powieści O'Henry'ego)
Scenariusz i reżyseria – Walentyna Maruszewska, Zdj. Kazimierz Konrad
Muz. Piotr Marczewski
ZF „Kraj" – WFF Łódź. Emisja: 23.12.1972

1973
WALERY
Świętoszek Moliera
Tłum. Jerzy Adamski, Reż. Helmut Kajzar, Scen. Daniel Mróz
Teatr Polski w Warszawie. Premiera: 23.02.1973

KAROL
Pierwszy dzień wolności Leona Kruczkowskiego (Teatr TV)
Reż. Jan Bratkowski, Scen. Marcin Stajewski
Emisja: 12.03.1973

1974
DYMITR
Twarz pokerzysty Józefa Hena (Teatr TV)
Reż. Stanisław Wohl, Scen. Marcin Stajewski
Emisja: 10.01.1974

TOMASZ
Małżeństwo Antoniny wg Tomasza Manna (Teatr TV)
Tłum. Ewa Lubrowiczowa, Adapt. Janusz Wasylkowski
Reż. Józef Słotwiński, Scen. Hanna Volmer
Emisja: 1.04.1974

ANTEK
Czterdziestolatek Scenariusz – Jerzy Gruza, Krzysztof Teodor Toeplitz
Reż. Jerzy Gruza, Zdj. Mieczysław Jahoda, Jacek Stachlewski
Muz. Jerzy Matuszkiewicz, Scen. Halina Dobrowolska
ZF „X" – WFD Warszawa. Emisja: 16.05.1974

MILICJANT
Zaczarowane podwórko Scenariusz – Hanna Januszewska i Maria
Kaniewska (na podstawie powieści *Mania Lazurek* Hanny Januszewskiej)
Reż. Maria Kaniewska, Zdj. Kazimierz Konrad
Muz. Jerzy Milian, Scen. Bolesław Kamykowski
PRF Zespoły filmowe „Panorama" – WFF Łódź. Premiera: 24.05.1974

Aktor przenosi się do zespołu Teatru Kwadrat w Warszawie, gdzie pozostanie
do 1980 roku.

JIM
Lipcowe tarapaty Erskina Caldwella (Teatr TV), Tłum. Daniel Bargiełowski
Adapt. Stefan Durski, Reż. Daniel Bargiełowski, Scen. Marek Lewandowski
Emisja: 26.08.1974

WALLY MYERS
Prawdziwy mężczyzna Jamesa Thurbera i Elliota Nugenta
Tłum. Mira Michałowska, Reż. Edward Dziewoński, Scen. Małgorzata Spychalska
Teatr Kwadrat w Warszawie. Premiera: 6.12.1974

JANCZAR
Karino (Serial TV) Scenariusz – Jan Batory, Jan Dobraczyński i Marek T. Nowakowski
Reż. Jan Batory, Zdj. Jan Laskowski, Muz. Wanda Warska, Scen. Zdzisław Kielanowski
PRF Zespoły filmowe „Pryzmat" – WFF Łódź. Emisja serialu: 1974
Premiera filmu: 02.1977

ZŁOTY KRZYŻ ZASŁUGI przyznany przez Ministerstwo Kultury i Sztuki w 1974 za całokształt twórczości.

1975
GÓRNIK
Fraulein Doktor Jerzego Tepy (Teatr TV)
Reż. Edward Dziewoński, Scen. Małgorzata Spychalska
Emisja: 10.02.1975

BIMBER
Rozmowy przy wycinaniu lasu Stanisława Tyma
Reż. Edward Dziewoński, Scen. Marcin Stajewski
Teatr Kwadrat w Warszawie. Premiera: 15.03.1975

RALF
Podłużna walizka Francisa Vebera
Tłum. Henryk Rostworowski, Reż. Witold Skaruch, Scen. Wojciech Sieciński
Teatr Kwadrat w Warszawie. Premiera: 7.06.1975

OBSADA AKTORSKA
Kabaretro, czyli salon zależnych
Scenariusz Zdzisław Gozdawa, Wacław Stępień
Reż. Lech Wojciechowski, Scen. Szymon Kobyliński
Teatr Syrena w Warszawie. Premiera: 14.12.1975

ALFA
Alfa Beta Edwarda Anthony'ego Whiteheada
Tłum. Krystyna Tarnowska, Reż. Jacek Szczęk, Scen. Waldemar Dynerman
Teatr Stara Prochownia w Warszawie. Premiera: 20.12.1975

HANDLARZ
Beniaminek (Film TV) Scenariusz (na podstawie opowiadania
Koniec Czertopchanowa Iwana Turgieniewa) – Włodzimierz Olszewski
Reż. Włodzimierz Olszewski, Zdj. Stanisław Loth
Muz. Piotr Marczewski, Scen. Jerzy Szeski
PRF Zespoły filmowe „Pryzmat" – WFF Łódź. Emisja: 1975

Nagroda – **MEDAL OKOLICZNOŚCIOWY** „Za zasługi dla miasta Koszalina" na V Koszalińskich Spotkaniach Filmowych „Młodzi i Film" – 1975.

1976
KUBA
Opera za trzy grosze Bertolta Brechta (Teatr TV)
Tłum. Bruno Winawer, Barbara Witek-Swinarska
Reż. Edward Dziewoński, Muz. Kurt Weill, Scen. Małgorzata Spychalska
Emisja: 23.02.1976

WITOLD
Strzał o świcie Antoniego Marczyńskiego (Teatr TV)
Adaptacja i reżyseria – Jerzy Sztwiertnia, Scen. Marcin Stajewski
Emisja: 13.05.1976

HOLOFERNES
Ewa, Judyta, kurtyzana Jana Sztaudyngera
Reż. Edward Dziewoński, Muz. Augustyn Bloch, Scen. Małgorzata Spychalska
Teatr Kwadrat w Warszawie. Premiera: 15.05.1976

OBSADA AKTORSKA
Brzechwa dzieciom wg Jana Brzechwy (Teatr TV)
Adaptacja i reżyseria – Maciej Wojtyszko, Scen. Zofia i Andrzej Braniccy, Maria Irzyk
Emisja: 3.06.1976

WALLY MYERS
Prawdziwy mężczyzna Jamesa Thurbera i Elliota Nugenta (Teatr TV)
Tłum. Mira Michałowska, Reż. Edward Dziewoński, Scen. Małgorzata Spychalska
Emisja: 14.08.1976

OSCAR
Oscar Clauda Magniera
Tłum. Anna Frąckiewicz, Szczepan Gąssowski
Reż. Edward Dziewoński, Scen. Marian Stańczak
Teatr Kwadrat w Warszawie. Premiera: 24.09.1976

OFICER INFORMACYJNY
Mgła Scenariusz – Jerzy Grzymkowski (na podstawie własnej powieści *Erkaemiści*)
Reż. Sylwester Szyszko, Zdj. Witold Adamek
Muz. I symfonia c-moll op. 68 Johannesa Brahmsa, Scen. Andrzej Borecki
PRF Zespoły filmowe „Iluzjon" – WFF Łódź. Premiera: 24.09.1976

WOŹNY TURECKI
Kabaret Olgi Lipińskiej
Reż. Olga Lipińska, Scen. Tatiana Kwiatkowska
Cykliczny program rozrywkowy w TVP

1977
VALENTINE
Nigdy nic nie wiadomo George'a Bernarda Shawa (Teatr TV)
Tłum. Florian Sobieniowski, Reż. Edward Dziewoński, Scen. Małgorzata Spychalska
Emisja: 2.01.1977

JANCZAR
Karino Scenariusz – Jan Batory, Jan Dobraczyński i Marek T. Nowakowski
Reż. Jan Batory, Zdj. Jan Laskowski, Muz. Wanda Warska, Scen. Zdzisław Kielanowski
PRF Zespoły filmowe „Pryzmat"; TVP – WFF Łódź. Premiera kinowa: 02. 1977

WIKTOR
Wstrętny egoista François Dorina
Tłum. Anna Frąckiewicz, Zofia Bieniewska
Reż. Jan Kobuszewski, Scen. Marian Stańczak
Teatr Kwadrat w Warszawie. Premiera: 03.04.1977

INSPEKTOR
Bezkresne łąki Scenariusz i reżyseria – Wojciech Solarz
Zdj. Jerzy Łukaszewicz, Muz. Andrzej Trzaskowski, Scen. Andrzej Borecki
PRF Zespoły filmowe „Iluzjon" – WFF Łódź. Premiera: 3.06.1977

PORUCZNIK
Damy i huzary Aleksandra Fredry
Reż. Edward Dziewoński, Scen. Marian Stańczak
Teatr Kwadrat w Warszawie. Premiera: 15.07.1977

JÓZEF MIKUŁA
Milioner Scenariusz – Andrzej Pastuszek i Jacek Janczarski
Reż. Sylwester Szyszko, Zdj. Maciej Kijowski
Muz. Piotr Hertel, Scen. Czesław Siekiera
PRF Zespoły filmowe „Iluzjon" – WFF Łódź. Premiera: 5.09.1977

TOFFOLO
Awantura w Chioggi Carlo Goldoniego (Teatr TV)
Tłum. Czesław Jędrzejewicz, Reż. Jadwiga Chojnacka, Scen. Jerzy Gorazdowski
Emisja: 16.09.1977

OSKAR
Oskar Claude'a Magniera (Teatr TV)
Tłum. Anna Frąckiewicz, Szczepan Gąssowski
Reż. Edward Dziewoński, Scen. Marian Stańczak
Emisja: 2.10.1977

BRAT WIT
Niedziela pewnego małżeństwa w mieście przemysłowym średniej wielkości (Film TV) Scenariusz – Ireneusz Iredyński
Reż. Jerzy Sztwiertnia, Zdj. Aleksander Lipowski, Muz. Adam Sławiński
CWPiFTV Poltel Warszawa. Emisja: 1977

Gdańsk – IV Festiwal Polskich Filmów Fabularnych – **NAGRODA AKTORSKA**
za rolę w filmie *Milioner* – 1977.

1978

SZCZASTLIWCEW
Las Aleksandra Ostrowskiego (Teatr TV)
Tłum. Jerzy Jędrzejewicz, Reż. Edward Dziewoński
Scen. Joanna Jaworska, Jerzy Rudzki
Emisja: 13.03.1978

Wieczór kabaretowy „Co słychać"
Scenariusz i reżyseria – Zbigniew Bogdański, Scen. Ali Bunsch
Teatr Kwadrat w Warszawie. Premiera: 7.04.1978

GEORGE
Za rok o tej samej porze Bernarda Slade'a
Tłum. Antoni Marianowicz, Reż. Edward Dziewoński
Scen. Joanna Jaworska, Jerzy Rudzki
Teatr Kwadrat w Warszawie. Premiera: 20.07.1978

KIEROWNIK SKLEPU SPOŻYWCZEGO
Co mi zrobisz, jak mnie złapiesz Scenariusz – Stanisław Bareja,
Stanisław Tym, Reż. Stanisław Bareja, Zdj. Jan Laskowski
Muz. Jerzy Derfel, Scen. Allan Starski
PRF Zespoły filmowe „Pryzmat". Premiera: 8.12.1978

GORIN
Ich głowy Marcela Aymé (Teatr TV)
Tłum. Maria Wisłowska, Adam Tarn, Reż. Edward Dziewoński
Scen. Joanna Jaworska, Jerzy Rudzki
Emisja: 13.08.1978

ARCZIŁ
Most Aleksandra Czchaidze (Teatr TV)
Tłum. Grażyna Strumiłło-Miłosz, Reż. Olga Lipińska, Scen. Tatiana Kwiatkowska
Emisja: 2.10.1978

CUDZOZIEMIEC
Nasza klatka Jacka Janczarskiego
Reż. Andrzej Zaorski, Scen. Jerzy Rudzki
Teatr Kwadrat w Warszawie. Premiera: 9.12.1978

DRUGI PROWADZĄCY
Tragedia optymistyczna Wsiewołoda Wiszniewskiego (Teatr TV)
Tłum. Lidia Nadzin, Reż. Lidia Zamkow
Muz. Lucjan Kaszycki, Scen. Andrzej Sadowski
Emisja: 13.11.1978

1979

MŁODSZY
Przysługa Feliksa Falka (Teatr TV)
Reż. Janusz Dymek, Scen. Barbara Wardecka-Kędzierska
Emisja: 6.03.1979

WIKTOR LENOIR
Archipelag Lenoir Armanda Salacrou (Teatr TV)
Tłum. Maria Serkowska, Reż. Edward Dziewoński
Scen. Joanna Jaworska, Jerzy Rudzki
Emisja: 15.04.1979

CLAVAROCHE
Świecznik Alfreda de Musseta (Teatr TV)
Tłum. Tadeusz Boy-Żeleński, Reż. Olga Lipińska, Scen. Jerzy Gorazdowski
Emisja: 16.04.1979

Barbara i Janusz Gajosowie 29 maja zostają rodzicami córki Agaty.

JULIAN DAWID FANSHAW
On i nie on Gabriela Arouta
Tłum. Henryk Rostworowski, Reż. Jan Kobuszewski, Scen. Marian Stańczak
Teatr Kwadrat w Warszawie. Premiera: 3.06.1979

DZIENNIKARZ
Kartoteka Tadeusza Różewicza (Teatr TV)
Reż. Krzysztof Kieślowski, Muz. Zygmunt Konieczny, Scen. Andrzej Przybył
Emisja: 15.10.1979

JANEK
Pełnia Scenariusz i reżyseria – Andrzej Kondratiuk
Zdj. Witold Leszczyński, Muz. Włodzimierz Nahorny, Scen. Jan Banucha
PRF Zespoły filmowe „Perspektywa" – WFF Wrocław i WFD Warszawa.
Premiera: 23.11.1979

PUŁKOWNIK KORCZYŃSKI
Pamiętnik pani Hanki wg powieści Tadeusza Dołęgi-Mostowicza
Reż. Edward Dziewoński, Muz. Jerzy Wasowski, Scen. Marian Kołodziej
Teatr Kwadrat w Warszawie. Premiera: 6.12.1979

1980

OMNIMOR
Igraszki z diabłem Jana Drdy (Teatr TV)
Tłum. Zdzisław Hierowski, Reż. Tadeusz Lis, Scen. Jacek Hohensee
Emisja: 14.01.1980

MACIEK, REDAKTOR NACZELNY

Kung-fu Scenariusz i reżyseria – Janusz Kijowski, Zdj. Krzysztof Wyszyński
Muz. Jacek Bednarek, Scen. Tadeusz Kosarewicz, Barbara Komosińska
PRF Zespoły filmowe „X" – WFF Wrocław. Premiera: 17.03.1980

JANUSZ

Kwadrat Marii Czubaszek
Reż. Andrzej Zaorski, Muz. Wojciech Karolak, Scen. Jerzy Rudzki
Teatr Kwadrat w Warszawie. Premiera: 3.04.1980

DYGNITARZ Z WARSZAWY

Dyrygent Scenariusz – Andrzej Kijowski, Reż. Andrzej Wajda
Zdj. Sławomir Idziak, Muz. V symfonia Ludwiga van Beethovena, Scen. Allan Starski
PRF Zespoły filmowe „X" – WFD Warszawa. Premiera: 11.04.1980

ANDRZEJ

Ładna historia Gastona Caillaveta i Roberta de Flersa (Teatr TV)
Tłum. Zofia Karczewska-Markiewicz, Reż. Edward Dziewoński
Scen. Joanna Jaworska, Jerzy Rudzki
Emisja: 13.06.1980

Od września 1980 roku Janusz Gajos przenosi się do warszawskiego
Teatru Dramatycznego.

PROBIERCZYK, BŁAZEN

Jak wam się podoba Williama Shakespeare'a
Tłum. Czesław Miłosz, Reż. zespołowa, Muz. Piotr Hertel, Scen. Barbara Zawada
Teatr Dramatyczny w Warszawie. Premiera: 31.10.1980

BOLESŁAW, OJCIEC LILKI

Kontrakt Scenariusz i reżyseria – Krzysztof Zanussi, Zdj. Sławomir Idziak
Muz. Wojciech Kilar, Scen. Tadeusz Wybult, Maciej Putowski i Teresa Gruber
PRF Zespoły filmowe „Tor" – WFD Warszawa. Premiera: 17.11.1980

1981

MAGISTER

Wojna w Polszcze pospolita (Teatr TV) Scenariusz – Henryk Kluba
i Julian Lewański, Reż. Henryk Kluba, Muz. Zygmunt Konieczny
Scen. Wiesław Olko
Emisja: 26.01.1981

BARSKI

Dwie blizny Aleksandra Fredry (Teatr TV)
Reż. Andrzej Łapicki, Scen. Małgorzata Wróblewska-Blikle
Emisja: 1.05.1981

OBSADA AKTORSKA
Z dalekiego kraju (Da un paese lontano: Giovanni Paolo II)
Scenariusz – Jan Józef Szczepański, Andrzej Kijowski i Krzysztof Zanussi
Reż. Krzysztof Zanussi, Zdj. Sławomir Idziak, Muz. Wojciech Kilar
Polska, Wielka Brytania, Włochy. Premiera: 1981

ZASTĘPCA SZEFA RADIOKOMITETU
Człowiek z żelaza Scenariusz – Aleksander Ścibor-Rylski, Reż. Andrzej Wajda
Zdj. Edward Kłosiński, Muz. Andrzej Korzyński, Scen. Allan Starski
PRF Zespoły filmowe „X" – WFD Warszawa. Premiera: 27.07.1981

ORGON
Biedaczek vel Tartuffe według Moliera
Tłum. Tadeusz Boy-Żeleński, Reż. Marek Walczewski
Muz. Wolfgang Amadeusz Mozart
Teatr Dramatyczny w Warszawie. Premiera: 6.12.1981

1982
PIOTR BIEZUCHOW
Wojna i pokój według Lwa Tołstoja
Adapt. Michał Komar, Scenariusz i reżyseria – Andrzej Chrzanowski
Muz. Seweryn Krajewski, Scen. Marcin Stajewski
Teatr na Woli w Warszawie. Premiera: 4.12.1982

PUŁKOWNIK TUCHOŁKO
Dwie głowy ptaka Władysława Terleckiego
Reż. Andrzej Łapicki, Muz. Bohdan Mazurek, Scen. Andrzej Sadowski
Teatr Dramatyczny w Warszawie. Premiera: 30.12.1982

SĄSIAD
Gwiezdny pył (Film TV)
Scenariusz, reżyseria, zdjęcia, muzyka, scenografia – Andrzej Kondratiuk
PRF Zespoły filmowe „Perspektywa" – WFD Warszawa. Emisja: 1982

TOWARZYSZ WINNICKI
Alternatywy 4 (Serial TV) Scenariusz – Stanisław Bareja,
Janusz Płoński i Maciej Rybicki, Reż. Stanisław Bareja, Zdj. Wojciech Jastrzębowski
Muz. Jerzy Matuszkiewicz, Scen. Jacek Osadowski
CWPiFTV Poltel Warszawa. Emisja: 1982

1983
KUSCHMEREK
Limuzyna Daimler-Benz Scenariusz i reżyseria – Filip Bajon
Zdj. Jerzy Zieliński, Muz. Zdzisław Szostak, Scen. Andrzej Kowalczyk
PRF Zespoły filmowe „Tor", Manfred Durniok Produktion (RFN), WFF Łódź, WFD
Warszawa. Premiera: 24.01.1983

ROBOTNIK Z WODOCIĄGÓW
Wojna światów – następne stulecie
Scenariusz i reżyseria – Piotr Szulkin, Zdj. Zygmunt Samosiuk
Muz. Józef Skrzek, Wojciech Gogolewski, Johannes Brahms, Jerzy Maksymiuk
Scen. Andrzej Haliński
PRF Zespoły filmowe „Perspektywa" – WFD Warszawa. Premiera: 02.1983

ALEKSANDER GNEKKER, NARZECZONY LIZY
Nieciekawa historia Scenariusz (na podstawie opowiadania
Antoniego Czechowa) i reżyseria – Wojciech Has
Zdj. Grzegorz Kędzierski, Muz. Jerzy Maksymiuk, Scen. Andrzej Haliński
PRF Zespoły filmowe „Rondo" – WFF Łódź. Premiera: 12.09.1983

FIGARO
Wesele Figara Pierre'a Beaumarchais'go
Tłum. Bohdan Korzeniewski, Reż. Witold Skaruch
Muz. Tomasz Kiesewetter, Scen. Teresa Panińska
Teatr Dramatyczny w Warszawie. Premiera: 24.09.1983

1984

OBSADA AKTORSKA
Alternatywa (Kabaret TV)
Reż. Olga Lipińska, Scen. Tatiana Kwiatkowska
Emisja: 1.01.1984

ADOLF
Wierzyciele Augusta Strindberga (Teatr TV)
Tłum. Zygmunt Łanowski, Reż. Krzysztof Orzechowski, Scen. Jerzy Gorazdowski
Emisja: 21.05.1984

MICHAŁ SZMAŃDA
Wahadełko Scenariusz i reżyseria – Filip Bajon
Zdj. Wit Dąbal, Muz. Zdzisław Szostak, Scen. Andrzej Przedworski
ZF „Tor" – WFF Łódź, Premiera: 1984

Gdańsk – IX Festiwal Polskich Filmów Fabularnych – nagroda **„SREBRNE LWY GDAŃSKIE"** za najlepszą rolę męską w filmie *Wahadełko,* 1984.

KIEROWCA
Wedle wyroków twoich Scenariusz – Jerzy Hoffman i Jan Purzycki
(na podstawie utworów Paula Henggego, Arta Bernda, Bogdana Wojdowskiego)
Reż. Jerzy Hoffman, Zdj. Jerzy Gościk, Muz. Andrzej Korzyński
Scen. Maciej Putowski
SF „Zodiak", CCC-Filmkunst Gmbh Berlin, WFF Łódź. Premiera: 3.09.1984

1985

JERRY FROST
Wielki Jerry wg powieści Scotta Francisa Fitzgeralda
Tłum. Małgorzata Semil, Reż. Piotr Cieślak, Muz. Maciej Małecki, Scen. Grzegorz Małecki
Teatr Na Woli. Premiera: 1.01.1985

SZABROWNIK
Rok spokojnego słońca Scenariusz i reżyseria – Krzysztof Zanussi
Zdj. Sławomir Idziak, Muz. Wojciech Kilar, Scen. Janusz Sosnowski
PRF Zespoły filmowe „Tor", Regina Ziegler Filmproduktion (RFN),
Teleculture INC. (USA). Premiera: 25.02.1985

Od września 1984 roku Janusz Gajos przenosi się do Teatru Powszechnego w Warszawie.

LESZEK
Zapisz to, Miron według prozy Mirona Białoszewskiego
Scenariusz i reżyseria – Ryszard Major, Muz. Andrzej Głowiński, Scen. Jan Banucha
Teatr Powszechny w Warszawie. Premiera: 2.03.1985

JÓZEF TROFIDA
Przemytnicy Scenariusz – Włodzimierz Olszewski i Jan Purzycki na podstawie
powieści Sergiusza Piaseckiego, Reż. Włodzimierz Olszewski, Zdj. Stefan Pindelski
Muz. Piotr Marczewski, Scen. Czesław Siekiera
PRF Zespoły filmowe „Zodiak". Premiera: 30.09.1985

REDAKTOR NACZELNY
Idol Scenariusz i reżyseria – Feliks Falk, Zdj. Wiesław Zdort
Muz. Jan Kanty Pawluśkiewicz, Scen. Jerzy Sajko
PRF Zespoły filmowe „Perspektywa". Premiera: 7.10.1985

DIABEŁ, EKART
Baal Bertolta Brechta
Tłum. Robert Stiller, Reż. Piotr Cieślak, Muz. Janusz Tylman, Scen. Grzegorz Małecki
Teatr Powszechny w Warszawie. Premiera: 9.11.1985

TREPIF AJKSEL, PÓŹNIEJ MACIEJ
Zapomniany diabeł Jana Drdy (Teatr TV)
Tłum. Czesław Sojecki, Reż. Tadeusz Lis
Muz. Krzysztof Suchodolski, Scen. Jerzy Boduch
Emisja: 30.12.1985

1986
ROGOŻYN
Myszkin wg Fiodora Dostojewskiego (Teatr TV)
Tłum. Jerzy Jędrzejewicz, Adaptacja i reżyseria – Krzysztof Wojciechowski
Scen. Ewa Łaniecka
Emisja: 20.01.1986

BUKARICA – KLAUDIUSZ
Przedstawienie Hamleta we wsi Głucha Dolna
Ivo Brešana (Teatr TV)
Tłum. Stanisław Kaszyński, Reż. Olga Lipińska
Muz. Krzysztof Knittel, Scen. Jerzy Gorazdowski
Emisja: 9.03.1986

ON
Ławeczka Aleksandra Gelmana
Tłum. Jerzy Koenig, Reż. Maciej Wojtyszko, Scen. Allan i Wiesława Starscy
Teatr Powszechny w Warszawie. Premiera: 22.08.1986

MILTON
Mgiełka Józefa Hena (Teatr TV)
Adaptacja i reżyseria – Juliusz Janicki, Scen. Marek Karwacki
Emisja: 8.09.1986

JANEK
Big Bang (Film TV) Scenariusz i reżyseria – Andrzej Kondratiuk
Zdj. Włodzimierz Precht, Muz. Eugeniusz Rudnik, Scen. Jacek Osadowski
CWFiFTV Poltel (Warszawa). Emisja: 1986

NAGRODA PREZESA PRITV za osiągnięcia aktorskie w Teatrze TV 1986.
ZŁOTY EKRAN za rolę w filmie *Big Bang* oraz za wybitne kreacje aktorskie
w Teatrze TV: *Zapomniany diabeł, Mgiełka, Przedstawienie Hamleta we wsi Głucha Dolna*, 1986.

1987
ÖDÖN VON HÖRVÀTH
Opowieści Hollywoodu Christophera Hamptona (Teatr TV)
Tłum. Małgorzata Semil, Reż. Kazimierz Kutz, Scen. Jerzy Boduch
Emisja: 22.02.1987

ROBERT
Nawrócony w Jaffie wg Marka Hłaski
Adaptacja i reżyseria – Jan Buchwald, Muz. Jerzy Satanowski
Scen. Allan i Wiesława Starscy
Teatr Powszechny w Warszawie. Premiera: 28.02.1987

STRAŻNIK
Antygona Jeana Anouilha (Teatr TV)
Tłum. Jadwiga Dachiewicz, Reż. Andrzej Łapicki, Scen. Marek Lewandowski
Emisja: 4.05.1987

MONODRAM
Jestem pewien wg Agaty Miklaszewskiej
(na podstawie *Choroby sierocej*) (Teatr TV)
Adaptacja i reżyseria – Krzysztof Krauze, Scen. Marek Karwacki
Emisja: 2.12.1987

WIKTOR 1987
Nagroda przewodniczącego Komitetu ds. PRiTV za kreacje aktorskie w spektaklach
Teatru TV ze szczególnym uwzględnieniem *Opowieści Hollywoodu* i *Przedstawienia
Hamleta we wsi Głucha Dolna*, 1987.
Nagroda *Trybuny Ludu* I stopnia za wybitne osiągnięcia aktorskie, a zwłaszcza za role
w sztukach: *Ławeczka, Opowieści Hollywoodu* i *Przedstawienie Hamleta we wsi
Głucha Dolna*, 1987.

1988
LESZEK
Zapisz to, Miron wg Mirona Białoszewskiego (Teatr TV)
Scenariusz i reżyseria – Ryszard Major, Scen. Jan Banucha
Emisja: 10.02.1988

NERON
Teatr czasów Nerona i Seneki Edwarda Radzińskiego (Teatr TV)
Tłum. Grażyna Strumiłło-Miłosz, Reżyseria i scenografia – Konstanty Ciciszwili
Emisja: 27.06.1988

ON
Ławeczka Aleksandra Gelmana (Teatr TV)
Tłum. Jerzy Koenig, Reż. Maciej Wojtyszko, Scen. Allan i Wiesława Starscy
Emisja: 3.10.1988

BARTNICKI
Żabusia Gabrieli Zapolskiej (Teatr TV)
Reż. Olga Lipińska, Scen. Jerzy Gorazdowski
Emisja: 26.12.1988

JAN LAGUNA
Piłkarski poker Scenariusz – Jan Purzycki
Reż. Janusz Zaorski, Zdj. Witold Adamek, Muz. Piotr Figiel, Scen. Jerzy Sajko
PRF Zespoły filmowe „Dom". Premiera: 1988

MICHAŁ
Dekalog IV (Serial TV)
Scenariusz – Krzysztof Kieślowski i Krzysztof Piesiewicz, Reż. Krzysztof Kieślowski
Zdj. Krzysztof Pakulski, Muz. Zbigniew Preisner, Scen. Halina Dobrowolska
TV Polska, SF „Tor", Sender Freies Berlin Zachodni, WFD Warszawa. Emisja: 1988

NAGRODA TYGODNIKA *PRZYJAŹŃ* za kreację aktorską w sztuce *Ławeczka* Gelmana, 1988.

WIKTOR – nagroda telewidzów dla najpopularniejszej postaci TVP (za rok 1987), 1988.

1989
SIEMION S. PODSIEKALNIKOW
Samobójca Nikołaja Erdmana (Teatr TV)
Tłum. Maryla Masłowska, Reż. Kazimierz Kutz
Muz. Jan Kanty Pawluśkiewicz, Scen. Bolesław Kamykowski
Emisja: 24.04.1989

SZABUNIEWICZ
Jacobowsky i pułkownik Franza Werfla (Teatr TV)
Tłum. Antoni Marianowicz, Reż. Edward Dziewoński, Scen. Marcin Stajewski
Emisja: 7.05.1989

ASTROW
Wujaszek Wania Antoniego Czechowa
Tłum. Jarosław Iwaszkiewicz, Reż. Rudolf Zioło
Muz. Janusz Stokłosa, Scen. Andrzej Witkowski
Teatr Powszechny w Warszawie. Premiera: 30.05.1989

JAKUB JASIŃSKI
Stan wewnętrzny Scenariusz – Krzysztof Tchórzewski i Jacek Janczarski
(na podstawie noweli *Samotna* Jacka Janczarskiego), Reż. Krzysztof Tchórzewski
Zdj. Jan Mogilnicki, Muz. Lech Brański i Zbigniew Hołdys, Scen. Barbara Nowak
ZF „X" (1983), SF „Tor" (1989), WFD Warszawa. Premiera: 25.08.1989

MAJOR ZAWADA „KĄPIELOWY"
Przesłuchanie Scenariusz i reżyseria – Ryszard Bugajski
Zdj. Jacek Petrycki, Konsultacja muz. Agnieszka Hundziak, Scen. Janusz Sosnowski
PRF Zespoły filmowe „X" – WFD Warszawa. Premiera: 13.12.1989

ZŁOTA KACZKA przyznawana przez tygodnik *Film* za kreację w filmie *Przesłuchanie,* 1989.
NAGRODA MINISTRA KULTURY I SZTUKI II STOPNIA za całokształt twórczości, 1989.

1990
NIEZNAJOMY
Mistrz i Małgorzata (Serial TV) (na podstawie powieści Michaiła Bułhakowa)
Scenariusz i reżyseria – Maciej Wojtyszko, Zdj. Dariusz Kuc
Muz. Zbigniew Karnecki, Scen. Małgorzata Spychalska
CWPiFTV Poltel (Warszawa) Emisja: 20.03–10.04.1990

PETRUCHIO
Poskromienie złośnicy Williama Shakespeare'a (Teatr TV)
Tłum. Maciej Słomczyński, Reż. Michał Kwieciński, Scen. Barbara Hanicka
Emisja: 7.05.1990

ALBERT
Wspaniałe życie Jeana Anouilha
Tłum. Barbara Grzegorzewska, Reż. Andrzej Guc
Muz. Jerzy Satanowski, Scen. Andrzej Sadowski
Teatr Powszechny w Warszawie. Premiera: 22.09.1990

CENZOR RABKIEWICZ
Ucieczka z kina „Wolność" Scenariusz i reżyseria – Wojciech Marczewski
Zdj. Jerzy Zieliński, Wit Dąbal, Krzysztof Ptak
Muz. Zygmunt Konieczny, Scen. Andrzej Kowalczyk
SF „Tor" – WFF Łódź. Premiera: 15.10.1990

FOUCHÉ, KSIĄŻĘ OTRANTO
Kolacja Jeana Claude'a Brisville'a
Tłum. Barbara Grzegorzewska, Reż. Wojciech Adamczyk, Scen. Adam Kilian
Teatr Powszechny w Warszawie. Premiera: 15.12.1990

JAN SEBASTIAN BACH
Kolacja na cztery ręce Paula Barza
Tłum. Jacek Stanisław Buras, Reż. Kazimierz Kutz
Scen. Bolesław Kamykowski, Opr. muz. Joanna Wnuk-Nazarowa
Emisja: 31.12.1990

Gdańsk – XV Festiwal Polskich Filmów Fabularnych – **GŁÓWNA NAGRODA**
„ZŁOTE LWY GDAŃSKIE" za role męskie w filmach *Przesłuchanie*
i *Ucieczka z kina „Wolność"*, 1990.

ZŁOTA KACZKA przyznawana przez tygodnik *Film* w kategorii:
najlepszy polski aktor, 1990.

1991

ON = GŁOS M
Tutam Bogusława Schaeffera
Reż. Marek Sikora, Muz. Bogusław Schaeffer, Scen. Grzegorz Małecki
Teatr Powszechny w Warszawie. Premiera: 24.01.1991

EDMUND KEAN
Kean Aleksandra Dumasa i Jean Paula Sartre'a (Teatr TV)
Tłum. Jerzy Macierakowski, Adapt. Jean Paul Sartre
Reż. Wojciech Adamczyk, Scen. Janusz Sosnowski
Emisja: 14.10.1991

POZZO

Czekając na Godota Samuela Becketta
Tłumaczenie i reżyseria – Antoni Libera, Scen. Aleksandra Semenowicz
Teatr Narodowy w Warszawie. Premiera: 25.10.1991

NAGRODA PRZEWODNICZĄCEGO KOMITETU KINEMATOGRAFII
za kreację aktorską w filmie *Ucieczka z kina „Wolność"*, 1991.
„ZŁOTA KACZKA" przyznawana przez tygodnik *Film* w kategorii:
najlepszy polski aktor, 1991.

1992
FOUCHÉ, KSIĄŻĘ OTRANTO

Kolacja Jeana-Claude'a Brisville'a (Teatr TV)
Tłum. Barbara Grzegorzewska, Reż. Wojciech Adamczyk, Scen. Adam Kilian
Emisja: 6.04.1992

ROBERT

Nawrócony w Jaffie wg Marka Hłaski
Adaptacja i reżyseria – Jan Buchwald, Muz. Jerzy Satanowski, Scen. Grzegorz Małecki
Teatr Polski w Poznaniu. Premiera: 9. X. 1992

ADWOKAT OBŁUKA

Panny i wdowy (Serial TV) Scenariusz – Maria Nurowska
Reż. Janusz Zaorski, Zdj. Witold Adamek, Muz. Andrzej Kurylewicz
Scen. Jerzy Sajko, Anna Bohdziewicz
SF „Dom" – WFD Warszawa. Emisja: 11.11.1992

Gdańsk – XVII Festiwal Polskich Filmów Fabularnych – **NAGRODA
ZA DRUGOPLANOWĄ ROLĘ MĘSKĄ** w filmach *Kiedy rozum śpi*
i *Szwadron,* 1992.

NAGRODA PREZYDENTA GDYNI na tym festiwalu za rolę
Dobrowolskiego w filmie *Szwadron.*

1993
RYSZARD, MAX

Kochanek Harolda Pintera (Teatr TV)
Tłum. Bolesław Taborski, Reż. Robert Gliński, Scen. Agnieszka Zawadowska
Emisja: 18.01.1993

GOŚĆ

Biuro pisania podań Władysława Terleckiego (Teatr TV)
Reż. Mirosław Bork, Zdj. Tomasz Wert, Muz. Krzysztof Duda, Scen. Barbara Nowak
Emisja: 28.04.1993

CINQUEDA
Kiedy rozum śpi Scenariusz – Andrzej Rychcik i Wojciech Zimiński
Reż. Marcin Ziębiński, Zdj. Dariusz Kuc, Muz. Jean Claude Petit
Scen. Ewa Braun, Marek Burgermajster, Grzegorz Piątkowski
MS Film Produktion, Atria Films – Paryż. Premiera: 18.10.1993

JAN DOBROWOLSKI
Szwadron Scenariusz i reżyseria – Juliusz Machulski, Zdj. Witold Adamek
Muz. Krzesimir Dębski, Scen. Dorota Ignaczak, Walentin Gidulianow
SF „Zebra". Premiera: 28.10.1993

HRABIA WACŁAW
Mąż i żona Aleksandra Fredry
Reż. Krzysztof Zaleski, Scen. Andrzej Przybył
Teatr Powszechny w Warszawie. Premiera: 29.10.1993

ANTEK
Czterdziestolatek 20 lat później (Serial TV)
Scenariusz – Jerzy Gruza, Krzysztof Teodor Toeplitz, Reż. Jerzy Gruza
Zdj. Jerzy Gościk, Muz. Jerzy Matuszkiewicz
Scen. Mariusz Wituski, Jeremi Brodnicki
TV Polska, Kajtek Kowalski „Dzielnica Łacińska" Sp. z o. o. Emisja: 1993

Kalisz – XXXIII Kaliskie Spotkania Teatralne – **GŁÓWNA NAGRODA
AKTORSKA** za rolę Roberta w *Nawróconym w Jaffie* w T. Polskim
w Poznaniu, 1993.

SUPER WIKTOR – nagroda za osobowość telewizyjną przyznawana
przez laureatów WIKTORÓW.

1994
RADNY NIEZGODA
Straszny sen Dzidziusia Górkiewicza (Film TV)
Scenariusz – Jerzy Stefan Stawiński, Reż. Kazimierz Kutz, Zdj. Wiesław Zdort
Muz. Jan Kanty Pawluśkiewicz, Scen. Jerzy Osadowski
TV Polska. Emisja: 4.01.1994

GRABARZ
Fuga Ewy Pokas (Teatr TV)
Scenariusz i reżyseria – Adam Hanuszkiewicz, Muz. Andrzej Żylis
Scen. Jerzy Gorazdowski
Emisja: 17.01.1994

ON = GŁOS M
Tutam Bogusława Schaeffera (Teatr TV)
Reż. Marek Sikora, Muz. Bogusław Schaeffer, Scen. Grzegorz Małecki
Emisja: 5.02.1994

GROSS
Psy Scenariusz i reżyseria – Władysław Pasikowski
Zdj. Paweł Edelman, Muz. Michał Lorenz, Scen. Andrzej Przedworski
SF „Zebra", IFDF Helios, Film Polski, IMP. Premiera: 8.04.1994

MIKOŁAJ
Trzy kolory: Biały Scenariusz – Krzysztof Kieślowski i Krzysztof Piesiewicz
Reż. Krzysztof Kieślowski, Zdj. Edward Kłosiński, Muz. Zbigniew Preisner
Scen. Halina Dobrowolska, Claude Lenoir
MKZ Productions S.A., France 3 Cinema (Paris), CAB Production Lozanna,
SF Tor. Premiera: 24.04.1994

INŻYNIER
Śmierć jak kromka chleba Scenariusz i reżyseria – Kazimierz Kutz
Zdj. Wiesław Zdort, Muz. Wojciech Kilar, Scen. Bolesław Kamykowski
Społeczny Komitet Realizacji Filmu Fabularnego o tragedii w Kopalni „Wujek",
SF Tor, TV Polska. Premiera: 7.05.1994

JAN
Msza za miasto Arras Andrzeja Szczypiorskiego
Adapt. Igor Sawin, Reż. Krzysztof Zaleski, Scen. Zofia de Ines
Teatr Powszechny w Warszawie. Premiera: 3.09.1994

BOCCACCIO
O przemyślności kobiety niewiernej sześć opowieści
Giovanniego Boccaccio (Teatr TV)
Tłum. Edward Boye, Adapt. Robert Brutter i Maciej Dutkiewicz
Reż. Maciej Dutkiewicz, Zdj. Krzysztof Ptak, Scen. Andrzej Przedworski
Emisja: 26.09.1994

KOCHANEK ELŻBIETY
Zespół adwokacki (Serial TV) Scenariusz – Wojciech Niżyński
Reż. Andrzej Kotkowski, Zdj. Maciej Kijowski, Scen. Jacek Osadowski
TV Polska. Emisja: 1994

WIKTOR – nagroda przyznawana w plebiscycie widzów w kategorii:
najlepszy aktor, 1994.

LAUREAT PLEBISCYTU *RZECZPOSPOLITEJ* na najlepszego polskiego
aktora 1994.

SREBRNY AS, 1994.

Burgos – Międzynarodowy Festiwal Filmów Fantastycznych – **NAGRODA
ZA ROLĘ MĘSKĄ** w filmie *Ucieczka z kina „Wolność"*.

1995

KOCZKARIEW
Ożenek Mikołaja Gogola
Tłum. Julian Tuwim, Reż. Andrzej Domalik, Scen. Jagna Janicka
Teatr Powszechny w Warszawie. Premiera: 29.01.1995

FERNANDO KRAPP
Fernando Krapp napisał do mnie ten list Fernando Dorsta
Tłum. Jacek Stanisław Buras, Reż. Piotr Chołodziński
Muz. Bolesław Rawski, Scen. Paweł Dobrzycki
Teatr Powszechny w Warszawie. Premiera: 2.09.1995

NOS
Wesele Stanisława Wyspiańskiego
Reż. Krzysztof Nazar, Scen. Krzysztof Tyszkiewicz
Teatr Powszechny w Warszawie. Premiera: 1.10.1995

LEON
Mateczka Władysława Terleckiego (Teatr TV)
Reż. Stanisław Różewicz, Zdj. Piotr Wojtowicz, Scen. Andrzej i Ewa Przybyłowie
Emisja: 6.11.1995

Rzeszów – XXXIV Rzeszowskie Spotkania Teatralne – **I MIEJSCE W PLEBISCYCIE PUBLICZNOŚCI NA NAJLEPSZEGO AKTORA SPOTKAŃ,** 1995.

Kalisz – XXXV Kaliskie Spotkania Teatralne – **NAGRODA AKTORSKA**
za rolę Koczkariewa w *Ożenku*, 1995.

Nagroda Bydgoskiego Towarzystwa Teatralnego **„ZŁOTY WAWRZYN GRZYMAŁY",** 1995.

1996

OBCY
Rip van Winkle Maxa Frischa (Teatr TV)
Tłum. Klemens Białek, Reż. Janusz Kijowski
Zdj. Grzegorz Kuczeriszka, Scen. Tadeusz Kosarewicz
Emisja: 18.03.1996

MAKBET
Makbet Williama Shakespeare'a
Tłum. Jerzy S. Sito, Reż. Mariusz Treliński, Muz. Włodzimierz Kiniorski
Scen. Andrzej Kreutz Majewski
Teatr Powszechny w Warszawie. Premiera: 24.05.1996

ON
Łagodna Scenariusz – Wojciech Zimiński i Mariusz Treliński
Reż. Mariusz Treliński, Zdj. Krzysztof Ptak
Muz. Brian Loch, Scen. Andrzej Przedworski
TV Polska, Agencja Produkcji Filmowej, Skorpion Art. Film. Premiera: 9.11.1996

Słupca k. Konina – Przegląd Filmowy „Prowincjonalia" – **NAGRODA GŁÓWNA „ZŁOTY JAŃCIO"** za film *Łagodna,* 1996.

PROFESOR W WAGONIE
Poznań 56 Scenariusz – Filip Bajon i Andrzej Górny, Reż. Filip Bajon
Zdj. Łukasz Kośmicki, Muz. Michał Lorenz
Scen. Anna Wunderlich, Przemysław Kowalski
SF Dom, TV Polska, Fundacja Poznań 56. Premiera: 22.11.1996

NIKOŁAJ KRAWCOW
Akwarium Scenariusz – Jan Purzycki i Antoni Krauze (na podstawie powieści *Akwarium* Wiktora Suworowa), Reż. Antoni Krauze, Zdj. Tomasz Tarasin
Opr. muz. Marta Broczkowska, Scen. Rafał Waltenberger
SF Dom, TV Polska, Manfred Durnick Produktion (Berlin), Ukrtelefilm (Kijów).
Premiera: 13.12.1996

FIDUR
Ekstradycja II (Serial TV) Scenariusz – Wojciech Wójcik, Witold Horwath, Robert Bratter, Reż. Wojciech Wójcik, Zdj. Piotr Wojtowicz
Muz. Jerzy Satanowski, Scen. Barbara Ostapowicz
TV Polska. Emisja: 1996

Opole – XXI Opolskie Konfrontacje Teatralne – **NAGRODA ZA ROLĘ NOSA** w *Weselu,* 1996.

1997
ALFRED
Odbita sława Ronalda Harwooda (Teatr TV)
Tłum. Michał Roniker, Reż. Janusz Zaorski, Zdj. Andrzej Wolf
Muz. Tomasz Bajerski, Scen. Barbara Kędzierska
Emisja: 10.03.1997

PREFEKT HERBERT
Mistrz Krzysztofa Rutkowskiego (Teatr TV)
Reż. Agnieszka Lipiec-Wróblewska, Zdj. Witold Adamek
Muz. Krzesimir Dębski, Scen. Anna Wunderlich
Emisja: 28.04.1997

MICHONET
Adrianna Lecouvreur Eugène Scribe'a i Ernesta Legouvégo (Teatr TV)
Tłum. Andrzej Sztum, Adaptacja i reżyseria – Mariusz Treliński
Zdj. Krzysztof Ptak, Scen. Andrzej Przedworski
Emisja: 19.05.1997

PROFESOR
Szczęśliwego Nowego Jorku Scenariusz – Edward Redliński i Janusz Zaorski
(na podstawie *Cudu na Greenpoincie* Edwarda Redlińskiego)
Reż. Janusz Zaorski, Zdj. Paweł Edelman, Muz. Marek Kościkiewicz
Scen. Janusz Sosnowski, Dianne Kalemkeris
VILM Produktion. Premiera: 26.09.1997

NICOLO MACHIAVELLI
Czas zdrady Scenariusz – Wojciech Marczewski, Witold Zalewski,
Maciej Strzembosz (na podstawie dramatu *Coś za coś* Witolda Zalewskiego)
Reż. Wojciech Marczewski, Zdj. Krzysztof Ptak, Scen. Janusz Sosnowski
TV Polska, TAPFiT. Emisja: 1997

1998
KRECZETNIKOW
Ksiądz Marek Juliusza Słowackiego (Teatr TV)
Reż. Krzysztof Nazar, Zdj. Tomasz Wert
Muz. Zygmunt Konieczny, Scen. Allan Starski
Emisja: 26.01.1998

RAY GOODENOUGH
Harry i ja Nigela Williamsa
Tłum. Michał Roniker, Reż. Andrzej Strzelecki, Scen. Marcin Stajewski
Teatr Powszechny w Warszawie. Premiera: 19.04.1998

Na ulicy Piotrkowskiej w Łodzi odsłonięto gwiazdę Janusza Gajosa w nowo powstałej
Alei Gwiazd: 16.10.1998.

TUWARA, SZEF MAFII ROSYJSKIEJ
Ekstradycja III (Serial TV) Scenariusz – Cezary Harasimowicz
i Wojciech Wójcik, Reż. Wojciech Wójcik, Zdj. Piotr Wojtowicz
Muz. Janusz Stokłosa, Scen. Barbara Ostapowicz
TV Polska, TAPFiT. Emisja: 1998

1999
BIMBER
Rozmowy przy wycinaniu lasu Stanisława Tyma (Teatr TV)
Reż. Stanisław Tym, Zdj. Andrzej Szulkowski
Muz. Jerzy Derfel, Scen. Zbigniew Prończyk
Emisja: 4.01.1999

OTTO MARVUGLIA
Wielka magia Eduardo de Filippo (Teatr TV)
Tłum. Anna Wasilewska, Reż. Maciej Englert, Scen. Marcin Stajewski
Emisja: 1.02.1999

NIKOŁAJ KRAWCOW
Akwarium, czyli samotność szpiega (Serial TV)
Scenariusz – Jan Purzycki i Antoni Krauze (na podstawie powieści *Akwarium*
Wiktora Suworowa), Reż. Antoni Krauze, Zdj. Tomasz Tarasin
Opr. muz. Marta Broczkowska, Scen. Rafał Waltenberger
SF Dom, TV Polska, Manfred Durnick Produktion (Berlin), Ukrtelefilm (Kijów),
WFDiF Warszawa. Emisja: 18.02.1999

BRAND
Brand Henryka Ibsena (Teatr TV)
Tłum. Halina Thylwe, Reż. Krzysztof Lang, Zdj. Krzysztof Pakulski
Muz. Lech Brański, Scen. Andrzej Przedworski
Emisja: 29.03.1999

GROMOTRUBOW
Płaszcz Mikołaja Gogola (Teatr TV)
Tłum. Julian Tuwim, Reż. Andrzej Domalik, Zdj. Marcin Figurski
Muz. Stanisław Radwan, Scen. Jagna Janicka
Emisja: 26.04.1999

CARTER
Simpatico Sama Sheparda
Tłum. Małgorzata Semil, Reż. Mariusz Grzegorzek, Scen. Jagna Janicka
Teatr Powszechny w Warszawie. Premiera: 14.05.1999

AMETYSOW
Chińska kokaina, czyli sen o Paryżu Michaiła Bułhakowa (Teatr TV)
Tłum. Henryk Bienikiewicz, Scenariusz i reżyseria – Krzysztof Zaleski
Zdj. Tomasz Wert, Opr. muz. Andrzej Cecota
Scen. Marek Chowaniec, Grzegorz Skawiński
Emisja: 21.06.1999

KOWALIK
Egzekutor Scenariusz – Mariusz Gawryś, Reż. Filip Zylber
Zdj. Jarosław Szoda, Muz. Tomasz Stańko, Scen. Anna Brodnicka
Akson Studio, Canal + Polska, Komitet Kinematografii, APF, WFDiF,
ITI Cinema (firma dystrybucyjna). Premiera: 20.10.1999

MATEUSZ BIGDA
Bigda idzie! Juliusza Kadena-Bandrowskiego (Teatr TV)
Adapt i reż. Andrzej Wajda, Zdj. Andrzej Jaroszewicz
Scen. Agnieszka Bartold, Wiesława Chojkowska, Premiera: 29.11.1999

Gdańsk – XXIV Festiwal Polskich Filmów Fabularnyh – **NAGRODA ZA NAJLEPSZĄ ROLĘ DRUGOPLANOWĄ** w filmie *Fuks*, 1999.

2000

NICK
Piękny widok Sławomira Mrożka (Teatr TV)
Adaptacja i reżyseria – Janusz Kijowski, Zdj. Zdzisław Najda
Muz. Filip Tabęcki-Hadrian, Scen. Andrzej Haliński, Anna Bohdziewicz
Emisja: 7.02.2000

SOBCZAK
Ostatnia misja Scenariusz – Wojciech Horwath i Wojciech Wójcik
Reż. Wojciech Wójcik, Zdj. Piotr Wojtowicz
Muz. Grzegorz Skawiński, Scen. Barbara Ostapowicz
WFDiF. Premiera: 24.03.2000

RITTER
Miłość na Madagaskarze Petera Turriniego (Teatr TV)
Tłum. Marcin Szalsza, Reż. Waldemar Krzystek, Zdj. Tomasz Dobrowolski
Muz. Zbigniew Karnecki, Scen. Barbara Komosińska, Barbara Drozdowska
Emisja: 16.04.2000

WYSKOCZ
To ja, złodziej Scenariusz – Jacek Bromski i Piotr Wereśniak
(na podstawie noweli Piotra Wereśniaka *Zanim przyjdzie wiosna*)
Reż. Jacek Bromski, Zdj. Witold Adamek, Muz. Henri Seroka
Scen. Dorota Ignaczak, Joanna Doroszkiewicz
Telewizja Polska, Studio Filmowe (d. Zespół Filmowy) Oko, Canal + Polska,
Vision Film Production. Premiera: 16.06.2000

ŚLEDCZY
Fuks Scenariusz – Robert Bratter i Maciej Dutkiewicz, Reż. Maciej Dutkiewicz
Zdj. Andrzej J. Jaroszewicz, Muz. Marek Kościkiewicz, Scen. Andrzej Przedworski
TV Polska, TAPFiT, APF, Vision Film Produktion, Canal + Polska,
Skorpion Art. Film. Premiera: 20.08.2000

SWIDRYGAJŁOW
Swidrygajłow (na motywach *Zbrodni i kary* Fiodora Dostojewskiego)
Tłum. Czesław Jastrzębiec-Kozłowski
Adaptacja i reżyseria – Andrzej Domalik, Muz. Stanisław Radwan
Scen. Marcin Jarnuszkiewicz
Teatr Powszechny w Warszawie. Premiera: 2.09.2000

CARTER
Simpatico Sama Sheparda (Teatr TV)
Tłum. Małgorzata Semil, Reż. Mariusz Grzegorzek, Scen. Jagna Janicka
Emisja: 12.11.2000

MĘŻCZYZNA

Żółty szalik Scenariusz – Jerzy Pilch, Reż. Janusz Morgenstern
Zdj. Witold Adamek, Muz. Michał Lorenc, Scen. Andrzej Przedworski
TV Polska – Agencja Filmowa. Premiera: 20.12. 2000

Gdańsk–Gdynia XXV Festiwal Polskich Filmów Fabularnych – **NAGRODA PREZESA CANAL+** za wybitną kreację aktorską w filmie *Żółty szalik,* 2000.

NAGRODA FESTIWALU W TORONTO DLA NAJWIĘKSZEJ INDYWIDUALNOŚCI FESTIWALU, 2000.

ORZEŁ, Polska Nagroda Filmowa (nominacja) w kategorii: najlepsza drugoplanowa rola męska w filmie *Fuks,* 2000.

2001

SOBIENIEWSKI

Klub Kawalerów Michała Bałuckiego (Teatr TV)
Reż. Krystyna Janda, Scen. Maciej Putowski, Kost. Dorota Roqueplo
Emisja: 8.01.2001

STALIN

Herbatka u Stalina Ronalda Harwooda (Teatr TV)
Tłum. Michał Roniker, Reż. Janusz Morgenstern
Zdj. Witold Adamek, Scen. Agnieszka Bartold
Emisja: 15.01.2001

TOLO

Skiz Gabrieli Zapolskiej
Reż. Gustaw Holoubek, Zdj. Witold Adamek, Muz. Stanisław Radwan
Scen. Ewa i Andrzej Przybyłowie
Emisja: 15.01.2001

ANTYKWARIUSZ

Weisser Scenariusz i reżyseria – Wojciech Marczewski (na podstawie powieści *Weisser Dawidek* Pawła Huelle), Zdj. Krzysztof Ptak, Muz. Zbigniew Preisner
Scen. Andrzej Kowalczyk
Telewizja Polska, HBO Polska, Softbank S.A., Plus GSM, Studio A.
Premiera: 19.01.2001

KAPITAN

Play Strindberg Friedricha Dürrenmatta
Tłum. Zbigniew Krawczykowski, Reż. Andrzej Łapicki
Scen. Marcin Stajewski, Muz. Krzesimir Dębski
Teatr na Woli, Premiera: 30.01.2001.

SEWERYN BARYKA
Przedwiośnie Scenariusz i reżyseria – Filip Bajon (na podstawie powieści
Przedwiośnie Stefana Żeromskiego), Zdj. Bartosz Prokopowicz
Muz. Michał Lorenc, Scen. Anna Wunderlich
Message Film. Premiera: 15.03.2001

TELEMASKA – nagroda dla najlepszego aktora sezonu w Teatrze Telewizji
przyznawana w plebiscycie czytelników *Teletygodnia* i widzów Teatru Telewizji.
Październik 2001.

2002

ANDRZEJ HOFFMAN
Tam i z powrotem Scenariusz – Anna Świerkocka, Maciej Świerkocki
Reż. Wojciech Wójcik, Zdj. Piotr Wojtowicz, Muz. Krzesimir Dębski
Best Film. Premiera: 21.01.2002

KONSTANTY PAWŁOWICZ
Pragnienie miłości Scenariusz – Jadwiga Barańska i Jerzy Antczak
Reż. Jerzy Antczak, Zdj. Edward Kłosiński, Opr. muz. Jerzy Maksymiuk
Wykonanie muzyki – Janusz Olejniczak, Scen. Andrzej Przedworski
Antczak Production. Premiera: 18.02.2002

W PLEBISCYCIE CZYTELNIKÓW *Rzeczypospolitej* **NA NAJLEPSZEGO
POLSKIEGO AKTORA** Janusz Gajos zdobył pierwsze miejsce
największą liczbę głosów.

HORODNICZY
Rewizor Mikołaja Gogola
Tłum. Julian Tuwim, Reż. Andrzej Domalik, Scen. Barbara Hanicka
Teatr Dramatyczny w Warszawie. Premiera: 14.09.2002

CZEŚNIK RAPTUSIEWICZ
Zemsta Aleksandra Fredry
Reż. Andrzej Wajda, Zdj. Paweł Edelman, Scen. Allan Starski
Kost. Krystyna Zachwatowicz, Muz. Wojciech Kilar
Akson Studio. Premiera: 30.09.2002

28 października 2002 roku w Galerii Krystyny Napiórkowskiej została otwarta
wystawa fotografii Janusza Gajosa pod patronatem medialnym *Rzeczypospolitej*.

Warszawa, październik 2002

Mili Państwo,
Piszę do Was list, ponieważ sytuacja nie jest codzienna.
Uległem namowom paru osób,
które umiały sprytnie dobrać się do mojej próżności
i na chwilę spuścić ją ze smyczy.
Skutkiem tego podstępnego działania
będzie publiczne pokazanie owoców mojej pośpiesznie
i ukradkiem uprawianej za plecami Melpomeny miłości z Fotografią.
O ile sporą gromadę postaci scenicznych i filmowych prezentowałem
Państwu jako przychówek oficjalny, do którego przyznaję się
z podniesionym czołem, o tyle obrazki, które Państwo zechcą obejrzeć,
powstały bez przesadnej znajomości rzemiosła
i jako się rzekło, dość pośpiesznie ale za to spontanicznie.
Tak więc są dziećmi również kochanymi, choć do tej pory ukrywanymi.

Z szacunkiem